# VORTEX

# Julie Cross

# VORTEX

*A Tempest novel*

Traduit de l'anglais (États-Unis) par Isabelle Perrin

SEUIL

Déjà paru :
*Tempest*
2011

Édition originale publiée en 2013 sous le titre *Vortex, a Tempest Novel*
par St. Martin's press, New York.
© 2013, Julie Cross
Tous droits réservés.


Pour la traduction française :
© 2013, Éditions du Seuil.
ISBN : 978-2-02-105085-1

www.seuil.com

*À mon mari, Nick, qui a vécu à mes côtés le long*
*et difficile chemin jusqu'à la publication. Je t'aime.*
*Merci d'avoir fait de moi une femme meilleure et plus forte.*

# PROLOGUE

Assis là, sur l'herbe, j'ai puisé dans les souvenirs de notre séance de formation la force de me lever pour m'éloigner un peu plus de Holly. Je la revoyais, cachant sur ses genoux le livre où elle avait soigneusement écrit son nom, entortillant ses cheveux autour de son crayon... Ce jour-là, assis trois rangs derrière elle, je l'avais observée pendant les deux heures du cours. Et même si elle ne s'était pas retournée vers moi une seule fois, elle avait dû sentir mon regard, parce que, sitôt dehors, juste avant que je reprenne ma voiture, elle m'avait lancé une œillade où se mêlaient attendrissement et provocation.

Aujourd'hui, en revivant cette journée, je me suis senti soulagé de savoir que mon absence à cette formation épargnerait à Holly tous les dangers dus à la collision de nos deux vies. Pour surmonter cette épreuve, il me faudrait me remémorer constamment ces souvenirs, mais en les expurgeant de ma présence. J'arriverais à vivre sans elle tant que j'arriverais à imaginer sa vie sans moi. Une vie bien plus heureuse.

J'avais tant de choses à expliquer à Papa que, une fois arrivé chez lui, le bras en écharpe, je n'ai pas eu trop de mal à mettre Holly de côté... temporairement.

## 15 MARS 2009, 18 HEURES

Alors que je m'appuyais contre la porte de son bureau, Papa repéra ma blessure et traversa aussitôt la pièce à grands pas.

– Qu'est-ce qui t'est arrivé, Jackson ?

– Je me suis fait tirer dessus, soupirai-je, redoutant sa réaction. En août prochain, par Raymond, un des Ennemis du Temps. Il est mort, maintenant... enfin, il était mort en août... sauf que ça n'est pas encore arrivé, alors... en fait, je ne sais pas trop...

Il se pétrifia, les yeux écarquillés. Je plongeai la main dans ma poche pour en sortir la carte mémoire que le Papa d'août 2009 m'avait remise, et je la lui tendis.

– C'est à toi. Enfin, si on veut...

Sans y accorder la moindre attention, il s'approcha de moi, posa les mains sur mes joues et m'observa attentivement.

– Tu vas bien ? Dis-moi que tu vas bien.

J'eus alors la certitude que je pouvais accorder ma confiance à tous les avatars de mon père, passés ou futurs.

– Physiquement, oui. Mais on a plein de trucs à discuter, et on aura peut-être besoin du chef Marshall et du docteur Melvin.

J'écartai une de ses mains de mon visage et déposai la carte au creux de sa paume. Il hocha la tête, encore sous le choc, se demandant sans doute comment je connaissais le chef Marshall, puis me fit signe de m'asseoir dans un fauteuil. J'attendis patiemment qu'il parcoure les notes sur son ordinateur. Incapable de déchiffrer les codes qu'il avait utilisés, je devinai pourtant ce qu'il avait lu quand je le vis tressaillir et se passer les mains sur le visage.

– Je suis désolé pour Eileen, dis-je enfin.

Il ferma les yeux un instant, puis pivota sur sa chaise pour me faire face.

– Nous ne dirons rien à personne sur Holly, ni sur cet Adam Silverman. Pas un mot au chef Marshall, ni au docteur Melvin, ni à personne.

– D'accord, acquiesçai-je, heureux que nous soyons sur la même longueur d'onde.

– J'ai un plan pour les garder à l'œil, annonça-t-il, perdu dans ses pensées. Une source fiable qui ne laissera rien filtrer. Mais tu dois me promettre que tu n'iras pas chercher leur adresse mail ou leur page Facebook, rien qui soit repérable. Compris ?

– Compris.

J'avais une boule dans la gorge, car je n'ignorais pas que ma réponse m'engageait.

– Et il est hors de question que je te laisse intégrer Tempest, déclara-t-il d'un ton sec, comme s'il avait lu dans mes pensées. Je ne sais pas trop ce que mon autre moi pouvait bien avoir en tête... En tout cas, c'est non.

Ne comprenait-il donc pas les raisons de mes choix ?

– Il faut que je devienne membre de Tempest, rétorquai-je. Je ne peux pas retourner à mon ancienne vie, c'est impossible. Je suis au courant, pour Jenni Stewart. Je l'ai rencontrée en 2007... dans cet univers parallèle, si c'est bien de cela qu'il s'agit. Elle avait tout juste mon âge et le chef Marshall l'avait fait entrer à la CIA.

J'appréhendais sa réponse, fébrile. Si je ne me jetais pas à corps perdu dans quelque chose de totalement nouveau, j'allais retourner en courant à cette formation de moniteur de centre aéré, m'excuser auprès de M. Wellborn pour mon retard et annihiler le seul et unique geste désintéressé que j'avais accompli dans ma vie.

– Tu te rends bien compte que j'ai consacré dix-huit ans de ma vie à tout faire pour empêcher ça ? me demanda Papa.

– Je sais, oui.

– Ce que je veux te dire, c'est que... tu as eu une vie protégée, tu n'as jamais eu à te soucier de quoi que ce soit, tu n'as jamais eu à te défendre. Tu n'es pas préparé à ça. Peut-être qu'on pourrait juste...

– Alors je vais m'y préparer, tranchai-je en m'emparant du téléphone posé devant Papa avant qu'il ne puisse m'en empêcher. J'appelle le chef Marshall, ou tu t'en charges ?

Il m'arracha le téléphone des mains, le reposa violemment sur son socle et sortit son portable.

– Très bien. De toute façon, tu ne connais pas son numéro, si ?

– Euh, non..., avouai-je avec un petit sourire.

– Si je fais un demi-saut, je serai toujours présent dans cette pièce, mais aussi ailleurs… à l'endroit où j'aurai atterri.

Malgré mes tentatives d'explication, le docteur Melvin et le chef Marshall affichaient leur scepticisme, comme si j'avais tout bonnement inventé cet aspect du voyage temporel.

– Je peux le prouver. Vous n'avez qu'à me poser une question à laquelle je ne peux répondre que si j'ai réussi à voyager dans le passé.

– Donc, là, tu es bien totalement présent ici, dans cette année ? me demanda Papa. Tu n'es pas ailleurs, dans un état végétatif, en plus d'être physiquement dans cette pièce ?

Tout cela était hyper complexe, je le savais bien, mais je ne pouvais m'empêcher d'être agacé d'expliquer ces phénomènes étranges pour la millionième fois. Je me laissai tomber sur le canapé en poussant un soupir las.

– Oui, je suis ici en totalité, pas seulement à moitié. J'ai fait un saut complet depuis une autre ligne temporelle.

– Comment peux-tu en être sûr ? objecta le chef Marshall.

– Pendant un demi-saut, j'ai des sensations différentes, atténuées. Le chaud, le froid, la douleur…

Fort à propos, mon épaule se rappela à mon souvenir. Je la massai un peu, ce qui ne fit qu'empirer les choses.

– Un demi-saut est comme une ombre de la ligne temporelle dans laquelle je me trouve. C'est pour ça que rien de ce que j'y fais ne change mon présent, ce que j'appelle ma *home base*.

– Et tu visualises ces lignes temporelles comme des mondes parallèles ? demanda le docteur Melvin. Je voudrais juste comprendre... Pour toi, un saut complet, c'est quand tu atterris dans un monde parallèle, et pas quand tu te déplaces dans la temporalité d'un même monde ?

– C'est ça. Et je sais de façon sûre qu'il existe de multiples lignes temporelles, parce que je suis retourné en 2007, et pas dans un demi-saut, puisque je ressentais la douleur, le froid, tout ça... Ensuite, je suis revenu à ma ligne temporelle d'origine, en 2009, et les versions de vous que j'ai retrouvées n'avaient aucun souvenir de l'année 2007 dont je venais de rentrer.

Ce n'était sans doute que le début de la discussion, et j'avais déjà le tournis.

– Il faudrait peut-être que nous observions *de visu* cette capacité, que nous lui demandions d'effectuer un demi-saut, suggéra le docteur Melvin. D'un autre côté, je ne voudrais pas le mettre en danger, avec sa blessure...

La scène me rappelait notre conversation de 2007, quand le chef Marshall m'avait emmené dans son quartier général secret après m'avoir endormi avec un chiffon chloroformé.

– Ce jeune homme ne fera plus de voyages dans le temps sans notre autorisation, c'est clair ? décréta-t-il.

Le docteur Melvin acquiesça d'un hochement de tête réticent, et j'en fis autant. Adossé à la cheminée, Marshall croisa les bras et me jaugea du haut de son mètre quatre-vingt-dix-huit.

– Il a peut-être acquis de nouvelles capacités, mais il n'est pas encore assez mûr pour gérer les conséquences de ses actes. Enfin, bref... tu dis que c'est Raymond qui t'a tiré dessus ?

– Oui, confirmai-je, mâchoires serrées.

Cet avatar de Marshall n'était pas plus sympathique que les deux autres que j'avais déjà rencontrés.

– Et si j'en crois ta description, Raymond est un homme de petite taille, trapu, cheveux roux en pétard, yeux bleus, visage balafré par un talon de chaussure. C'est bien cela ? demanda-t-il sur le ton d'un flic interrogeant un demeuré.

Peut-être Papa avait-il raison : je ferais mieux de m'épargner tout ça. Pendant un instant, mes pensées vagabondèrent et je m'imaginai Holly au volant de sa vieille Honda cabossée, avec Adam à ses côtés. Ils riaient en pensant à tous les gosses de riches qu'ils allaient devoir encadrer cet été.

– Oui, c'est bien la description de Raymond, et il est mort, confirmai-je en m'obligeant à contenir ma colère. Papa l'a tué. Mais la première fois que je l'ai rencontré, c'était en octobre 2009 et il a tiré sur...

Voyant mon père me faire un discret signe de tête pour m'enjoindre de ne pas mentionner Holly, je m'interrompis un instant, puis repris :

– Il a tiré sur moi, mais il m'a raté, et je me suis retrouvé coincé en 2007. Qui sait ce que j'ai foutu comme bordel en faisant ce saut complet vers l'univers parallèle ? Si j'avais maîtrisé certaines de vos techniques, ça ne serait peut-être pas arrivé.

– Nous ne sommes pas une unité comme les autres au sein de la CIA, m'expliqua Marshall. Oublie les clichés des séries télé ou des films d'espionnage. Notre priorité numéro un n'est pas l'État américain ni même le peuple américain... c'est l'humanité dans son ensemble, et plus spécifiquement, la préservation de l'état moral naturel de l'humanité. Tempest consacre au moins deux ans à former ses recrues pour leur fourrer ça dans le crâne. Il n'est pas question que tu débarques au milieu de tout ça pour leur raconter que tu as été créé en laboratoire à partir du patrimoine génétique d'une femme clonée, ou que tu as le pouvoir de voyager dans le temps, ou encore que le gène Tempus enfoui dans ton ADN t'a permis d'apprendre le farsi en une journée et de mémoriser de multiples séquences de close-combat. C'est exclu, si nous voulons qu'ils continuent à faire confiance à leurs chefs... en l'occurrence, ton père et moi. Tu comprends ce que je suis en train d'essayer de t'expliquer, mon garçon ?

À l'évidence, il avait déjà décidé de me laisser intégrer l'unité. Me faire tourner en bourrique au préalable relevait de sa stratégie de déstabilisation mentale.

– Ne m'appelez pas « mon garçon », pour commencer.

Les mots étaient sortis de ma bouche avant même que j'aie pu les retenir. Marshall étrécit les yeux, mais laissa couler.

– Oui, je comprends, repris-je. Je ne dois parler à personne de mes superpouvoirs, je ne dois pas les utiliser et, surtout, je ne dois dire à personne que je suis issu d'un clone.

– Donc, tu serais prêt à tout abandonner, toute cette liberté que nous t'avons accordée grâce à l'argent du contribuable ? Selon l'agent Stewart, tu as un bal de charité demain soir et une soirée chez Caleb le lendemain, dit-il en consultant son BlackBerry. De bons moments en perspective, non ?

– Je suis prêt à quitter New York sur-le-champ, si c'est ça que vous me demandez.

– Parfait. Ton avion décolle demain matin à 6 heures. Direction : le camp d'entraînement ! annonça-t-il avec un sourire sadique qui me retourna l'estomac.

– Où exac...

– Information classée, mon gars ! Il va falloir t'y habituer. Et ne compte pas sur moi ni sur l'agent Freeman pour te traiter différemment des autres recrues. Dès demain, je te vouvoie, comme les autres.

– L'agent Freeman ? m'étonnai-je.

C'était lui qui nous avait suivis chaque jour, ma sœur Courtney et moi, sur le chemin du collège quand on était en cinquième. Dans la ligne temporelle que je venais de quitter, il était au courant de mes capacités de voyageur temporel.

– Vous allez lui révéler des choses sur moi ?

– Non, répondirent en chœur Marshall et Papa.

Sur quoi, Marshall quitta la pièce. À la seconde où la porte se referma derrière lui, le visage du docteur Melvin retrouva les traits du papy compatissant que j'avais toujours connu.

– Laisse-moi jeter un œil à cette épaule, dit-il en ôtant mon écharpe. Il va falloir la ménager encore un jour ou deux.

– Tu sais où je vais demain matin ? demandai-je à mon père.

– Tu veux dire où *nous* allons, rectifia-t-il avec un sourire forcé. Oui, je sais. Dans le désert.

– En Arizona ?

– Au Moyen-Orient.

Au Moyen-Orient ? La belle assurance dont j'avais fait preuve durant mes échanges avec le chef Marshall m'abandonna. J'ignorais totalement dans quelle galère j'étais allé me fourrer.

## 16 MARS 2009, 6 HEURES

– Est-ce que quelqu'un va me dire ce qui se passe, à la fin ?

Je me trouvais sur une piste de l'aéroport JFK, au pied d'un jet privé très chic affrété par la CIA, en compagnie de Papa, Marshall et Freeman. J'avais déjà souvent embarqué sur cet avion, croyant qu'il appartenait à l'entreprise de Papa.

– Jackson rejoint notre équipe pour quelques semaines, expliqua Marshall.

– Pardon ? s'exclama Freeman. Il a un exposé à faire pour l'école, ou quoi ?

Marshall m'adressa un rictus ironique, me signifiant qu'il savait bien que personne ne me prendrait au sérieux.

– L'agent Jackson Meyer va se joindre à l'unité Tempest pour suivre la formation. Je l'assigne à votre groupe, Protection Avancée. Traitez-le avec aussi peu de ménagement que les autres recrues.

– C'est une blague ? demanda Freeman en me regardant du coin de l'œil.

– Eh non ! répondit Papa en lui donnant une claque dans le dos. Il est tout à vous. On perpétue la tradition, en fait : votre père m'a formé ; moi, je vous ai formé, et maintenant vous allez former mon fils !

Papa et Marshall montèrent à bord, me laissant sur le Tarmac avec un agent Freeman médusé, qui finit par se tourner vers moi pour me parler à mi-voix.

– Je ne sais pas trop quel tour mijote Marshall, mais ne vous inquiétez pas : je ferai en sorte que tout se passe bien pour vous.

– Euh, merci, répondis-je, ne sachant trop que dire d'autre.

Une fois à bord, je comptai rapidement les passagers : onze visages inconnus. Mon âge environ, un ou deux ans de plus au maximum. Et Jenni Stewart, dont j'attendis la réaction. Serait-elle différente de la personne qui m'avait sorti de prison en se faisant passer pour la secrétaire de Papa en 2007 ? Elle tourna vivement la tête, cherchant des yeux mon père, assis deux rangées plus loin, comme si elle ignorait quel rôle elle était censée jouer : secrétaire ou… tout autre chose ?

Marshall se posta derrière moi, laissant les murmures emplir la cabine avant de prendre la parole.

– Vous connaissez presque tous le fils de l'agent Meyer, Jackson... Il va se joindre à votre groupe pour la prochaine expédition. Considérez-le comme l'un des vôtres.

– Attendez, c'est lui, l'étudiant en poésie française, non ? intervint un athlète aux épaules carrées assis au dernier rang.

– T'es pas censé jouer les moniteurs de colo, en ce moment ? me lança un autre.

Quelques gloussements nerveux fusèrent. Je gardai les yeux fixés sur Jenni Stewart, sachant qu'elle m'avait volontiers appris quelques trucs en 2007. Ses yeux allaient de Marshall à Papa et à Freeman d'un air interrogateur, mais elle ne dit rien. Près d'elle était assis un gringalet à taches de rousseur qui semblait encore plus jeune que moi. Je m'installai sur le siège devant eux et tendis la main au voisin de Jenni Stewart.

– Salut, je m'appelle Jackson.

– Je sais qui tu es. On le sait tous, répondit-il sans me serrer la main. Moi, c'est Mason, Mason Sterling, annonça-t-il en se replongeant dans le livre posé sur ses genoux.

– Eh ben, je sens qu'on va bien s'amuser, ironisa Jenni Stewart en donnant un coup de coude à Mason. Junior va jouer à l'agent secret... Il a dû faire un gros caprice pour qu'on le laisse monter à bord.

– C'est clair, acquiesça Mason dans sa barbe.

Avec un soupir, je me retournai et m'enfonçai dans mon siège. *Parfait.* Puisque c'était comme ça, je ferais mes preuves pour m'intégrer à ce groupe. Quel qu'en soit le prix. Plus question de montrer mes sentiments. Je devais me blinder, ne plus penser à Holly, oublier mon envie de parler à Adam ou de faire un demi-saut pour revoir ma sœur jumelle, Courtney.

*C'est le début de ma nouvelle vie.*

Pendant le décollage, je regardai par le hublot et me jurai de rester concentré, de tout faire pour gagner mes galons. Et puis, j'en apprendrais plus sur les Ennemis du Temps, je découvrirais ce qui avait bien pu se passer pour qu'existe ce futur que la petite Emily m'avait montré, et pourquoi elle ressemblait tant à Courtney. Et je pourrais accomplir tout cela sans les risques inhérents aux voyages temporels.

– Désolé pour cet accueil, me dit Papa en s'asseyant à côté de moi. C'est un groupe très soudé, et on leur a appris à se méfier de tout.

– Je comprends. Il faut que je mérite ma place, que je gagne leur respect. J'ai déjà joué à ce petit jeu-là.

*Par exemple quand j'ai dû reconquérir Holly 007,* ne pouvais-je m'empêcher de penser.

Papa avait dû lire dans mes pensées.

– Tu t'inquiètes pour… ?

Il ne dit pas *Holly,* mais je le compris à demi-mot. Je le regardai droit dans les yeux pour qu'il sache bien que je pensais ce que j'allais dire :

– Je te fais confiance, Papa. C'est à moi que je ne fais pas confiance, mais j'y travaille.

*Tout ira bien pour elle… elle sera heureuse.* Je fermai les yeux et laissai mes pensées se diriger vers Holly, une Holly vivant sans moi. *Sa vie sera parfaite, absolument parfaite.* Je pouvais survivre bien longtemps grâce à cette seule pensée.

Mason donna un coup de pied dans le dossier de mon siège, ce qui me tira de ma rêverie.

– Qu'est-ce que t'as au bras, mon pote ?

Je gardai les yeux rivés devant moi, mais parlai assez fort pour que Jenni Stewart et Mason m'entendent distinctement.

– Une blessure par balle.

– Trop cool ! commenta Mason, avant de hurler : Aïe ! Tu m'as fait mal, Stewart !

Papa rit sous cape, et je retins un sourire. J'avais au moins fait bonne impression à une personne. Mais il m'en restait un sacré paquet à convaincre.

# JOURNAL DE FORMATION
## AGENT TEMPEST

17 MARS 2009
COORDONNÉES : INCONNUES.
QUELQUE PART AU MOYEN-ORIENT

Adam,

Je continue à tenir ce journal de bord pour toi, même si je ne te le donnerai sans doute jamais. Cela vaudrait mieux, mais il arrive que les choses ne se passent pas comme je l'aurais voulu, et si tu m'as bien appris une leçon, c'est de toujours me préparer au pire. Je le range dans un mini-coffre-fort biométrique que m'a donné le docteur Melvin et qui s'ouvre avec mes empreintes digitales.

Le désert, ça craint. Il fait une chaleur à crever pendant la journée et un froid de canard la nuit.

Je partage une tente avec Mason, un mec de dix-sept ans dont le journal contient des photos de toutes mes ex et des tas d'infos sur elles. Apparemment, c'était une de ses premières missions d'entraînement. Moi, je ne me revois avec aucune, comme si une personne différente avait vécu cette période de ma vie, et je ne pense qu'à celle-dont-on-ne-doit-pas-prononcer-le-nom.

Ah oui, et tout le monde appelle Mason Sterling « Mason » tout court, même Papa et Freeman, ce que je trouve trop bizarre. C'est peut-être parce qu'il est très jeune : « agent Sterling », ça fait plutôt quadra gonflé aux stéroïdes.

J'ai découvert aujourd'hui la profession de foi de l'unité Tempest, sauf que ce n'est pas le genre qu'on imprime sur des tracts : « Tempest a pour mission de protéger notre monde de tout changement apporté à notre passé, notre présent ou notre avenir par des actions immorales et artificielles. Dans le domaine des progrès technologiques, Tempest veille aux intérêts du peuple américain, mais aussi de l'humanité tout entière. »

20 MARS 2009
COORDONNÉES :
QUELQUE PART DANS LE DÉSERT

Jenni Stewart. Argh ! Je ne peux pas dire que je l'adore. OK, c'est la seule fille du groupe, et ça ne doit pas être évident pour elle, mais ça n'est pas une excuse pour passer chaque instant de la journée à me pourrir la vie. Pourquoi elle ne s'en prend pas aux agents Parker ou Miller ? Je ne les connais pas très bien, mais ils sont beaucoup plus machos que moi. Sans compter qu'ils passent leur temps à lui reluquer les fesses, ce que je me garde bien de faire. Je crois que ce qui me gonfle le plus, chez elle, c'est que je n'ai aucune idée de qui elle est. Chaque jour, elle teste un nouveau personnage :

racaille de Harlem, reine de beauté du Sud profond, et je ne parle même pas de toutes ses couvertures étrangères. Je sais bien que sa spécialité à Tempest, c'est Affaires Étrangères, mais elle ne pourrait pas rester elle-même juste cinq minutes ?

Aujourd'hui, malgré mon épaule encore très douloureuse, j'ai appris le maniement des armes. L'agent Freeman a dit que j'étais très doué. Tu te rappelles, c'est lui qui nous suivait tous les jours sur le chemin de l'école, Courtney et moi, quand on avait treize ans. Bref, au début, le stress total. Mes précédentes expériences des armes, c'était d'avoir vu Holly se faire tirer dessus, puis d'avoir tué Raymond, l'EDT (Ennemi du Temps) rouquin, pendant un demi-saut en 1992 où j'avais croisé mon moi âgé de deux ans. Mais ici, on utilise juste des cibles ou des silhouettes en carton. Ça, ça va encore.

Demain, on a un test de tir. Ma première occasion de montrer de quoi je suis capable. Agent Stewart, prépare-toi à te faire ridiculiser par le petit nouveau !

22 MARS 2009
COORDONNÉES :
QUELQUE PART DANS LE DÉSERT (ENCORE)

Depuis une semaine que j'engrange des informations et des expériences, j'ai une assez bonne idée du déroulé de la journée d'entraînement.

5 h 00 – 6 h 30 : préparation physique (jogging de 8 à 15 kilomètres, puis supplément de torture avec Freeman ou Papa).

6 h 30 – 7 h 30 : toilette (il n'y a que 6 cabines de douche mobiles, ce qui motive pour finir la prépa physique dans les premiers) et petit déjeuner.

7 h 30 – 12 h 30 : cours de spécialité. Pour moi et mes 3 camarades : maniement des armes, combat à mains nues (youpi, encore de l'exercice !) et beaucoup de tir sur cible, de près ou à longue distance.

12 h 30 – 13 h 30 : déjeuner (rations militaires, sandwich au beurre de cacahuète, ou alors hot-dogs et fayots cuits sur la braise, sauf qu'il n'y a pas beaucoup de candidats pour sortir faire un feu en plein cagnard).

13 h 30 – 15 h 00 : langues étrangères (moi, j'ai cours avec Papa ou le docteur Melvin ; les autres, je ne sais pas).

15 h 00 – 18 h 00 : opérations clandestines. Il y en a dont c'est la spécialité, mais on doit quand même tous apprendre comment faire une filature ou en repérer une, planquer ou détecter des dispositifs d'écoute, identifier des explosifs, etc.

18 h 00 – 19 h 00 : dîner, généralement cuisiné en plein air, et il arrive que Marshall ou Papa prenne l'hélico pour aller en ville nous chercher des produits frais et des trucs autres que de la bouffe conçue pour résister à une attaque nucléaire. C'est sans doute le meilleur moment de la journée.

19 h 00 – 22 h 00 : variable. On fait des jeux de rôle pour tester nos couvertures, on révise pour des examens de géo et d'histoire. Ça change d'un jour sur l'autre.

22 h 00 : dodo, théoriquement, mais j'ai remarqué que presque tout le monde sort ses bouquins ou son ordi pour

étudier des données anciennes de Tempest et se préparer pour... eh bien, tout ce qui peut arriver.

Info sur les EDT : Douze voyageurs temporels ont été identifiés depuis 1983. Aujourd'hui, nous avons dû mémoriser leurs photos et leurs informations personnelles.

Voilà ceux que j'ai déjà croisés :

Thomas (N'a pas été vu depuis 2005, donc il faut croire que les données enregistrées dans cette ligne temporelle n'incluent pas mes aventures dans l'univers parallèle de 2007, ni du 2009 que j'ai quitté avant de venir ici. J'en reparlerai plus tard.)

Raymond (Le balafré. Mort.)

Cassidy (Ma mère biologique.)

Rena (La blonde sur le toit de l'hôtel. Morte.)

Jacob (Je viens de mettre un nom sur le type de la grosse bagarre à Martha's Vineyard, quand on a déboulé en plein banquet de noces.)

Edward (Lui aussi, je viens d'apprendre son nom. C'est celui qui est apparu sur le bateau où j'étais avec Holly, Papa et Adam pendant la tempête.)

Harold (Mort. Papa lui a tiré dessus dans la ligne temporelle de 2007. Apparemment, c'était un clone créé par le docteur Ludwig.)

Des prises de sang pratiquées sur les EDT que Tempest a pu capturer au fil des ans ont permis d'établir que le gène Tempus est très marqué chez certains, mais très discret chez d'autres, ce qui le rend plus dur, sinon presque impossible, à repérer. Le mien est discret. Le docteur Melvin en a déduit que les EDT se situent à des degrés divers du processus d'évolution en fonction de leur année d'origine. Je ne parle pas de l'évolution façon Darwin entre les singes et les hommes, mais de celle qui transforme les humains lambda en voyageurs temporels. Reste à savoir si le gène Tempus devient plus difficile à détecter à la fin de cette évolution, ou à l'inverse s'il l'était au départ.

Est-ce que les EDT ont un lieu de rendez-vous ? Enfin, une année de rendez-vous, plutôt ? Elle ressemblerait à quoi, la convocation ?

Chers EDT,
Retrouvons-nous tous en 1984… disons, en juillet. Peut-être à l'Empire State Building. Apportez un casse-croûte du futur à partager, parce que, en ce temps-là, McDonald's utilisait de l'huile animale pour la friture, et on ne voudrait pas que ce type de lipide envahisse notre avenir. Merci de vérifier sur vos agendas si vous n'avez pas déjà une attaque prévue en juillet 1984. Si c'est le cas, dites-moi le jour qui vous arrangera le mieux.
Amitiés,

Thomas

Dans la base de données de la CIA, j'ai trouvé un rapport daté d'octobre 2005, c'est-à-dire la dernière fois que Thomas a été repéré dans cette ligne temporelle-ci. Il cherchait mon père. Papa a enregistré leur conversation, trois minutes pendant lesquelles le son est parfois couvert par le vent ou la circulation new-yorkaise. Voilà ce que ça donne :

Thomas : On a été désolés d'apprendre ce qui s'était passé pour le Produit A d'Axelle. Le docteur Ludwig pense qu'il a peut-être une solution pour éviter les tumeurs... enfin, chez l'autre sujet, en tout cas.

Agent Meyer : Les trouvailles du docteur Ludwig ne m'intéressent pas, Thomas. Mais je crois que vous le savez déjà.

Thomas : Il ne présente aucune trace de tumeur, sur ses scans ?

Agent Meyer : Il a les fonctions cérébrales d'un garçon de quinze ans tout à fait normal pour l'année 2005. Le projet Axelle se résume à des millions de dollars dépensés pour rien.

Thomas : Je vois. Et l'intérêt que vous continuez à porter à ce garçon est motivé par... quoi, au juste ?

Agent Meyer : Par la compassion, mais vous n'avez aucune idée de ce que c'est.

Thomas : Je sais tout ce qu'il y a à savoir sur la compassion. J'ai juste choisi de ne pas tomber dans ce piège. Mais ne vous inquiétez pas, agent Meyer. Nous ne sommes nullement intéressés par le Produit B. Sauf s'il devait y avoir du changement, mais pour l'instant cela n'en prend pas le chemin.

Agent Meyer : Et dans le cas contraire ?

Thomas : Eh bien, nous serions amenés à nous revoir.

La conversation se termine là. Selon le rapport, Papa a tiré trois coups de feu, mais Thomas a disparu, laissant la scène inachevée. De toute évidence, il a survécu, puisqu'il a retrouvé ma trace quand il y a eu du « changement ». Je me demande combien de temps après mon premier saut de novembre 2008 ils ont compris ce que j'étais capable de faire.

## 9 AVRIL 2009

L'art du voyage temporel. Voilà ce que nous sommes en train d'étudier. Je suis au taquet pendant les cours, je mémorise le moindre mot prononcé par Papa, Marshall et le docteur Melvin, et après, je retourne à mon journal pour appliquer ces données factuelles à ma propre expérience. En gros, ce que j'ai appris jusqu'ici, c'est que les demi-sauts n'ont rien à voir avec les lignes temporelles. Bon, en fait, j'ai dû questionner Papa là-dessus en privé, parce que je ne pouvais pas franchement lever la main en classe et demander : « Dites donc, docteur Melvin, quand je suis en train de voyager dans le temps grâce au gène que j'ai hérité d'un clone... » Mes douze camarades auraient dégainé comme un seul homme pour me mettre en joue, ou alors cette idée leur aurait paru si délirante qu'ils m'auraient cru victime d'une insolation.

Pour une raison qui m'échappe, savoir que ces demi-sauts ne comptent quasiment pour rien a renforcé mon sentiment d'ancrage dans un temps précis. Du jour où je suis né, le 20 juin 1990, jusqu'à celui où j'ai fait mon saut vers 2007, c'est-à-dire le 30 octobre 2009, je suis resté dans une seule et même ligne temporelle. Dans le même monde, que j'ai baptisé le Monde A. L'univers parallèle de 2007, je l'appelle le Monde B. Et après, rideau, parce que j'essaie encore de comprendre exactement ce qui s'est passé. La suite au prochain épisode...

## 12 AVRIL 2009

C'est comme si le chef Marshall voulait que je me plante, comme s'il n'attendait que ça ! Du coup, j'en oublie tout le reste, mon désir de sauver le monde et de protéger Holly, les voyages dans le temps... Je n'ai qu'une envie : qu'il cesse d'arborer cette expression impassible à la con, genre statue de marbre. Quoi que je fasse, j'y ai droit. Il sait toujours à l'avance que je vais faire telle ou telle chose, poser telle ou telle question. J'ai horreur d'être prévisible comme ça, surtout pour Marshall. Il pourrait faire un minimum d'efforts pour m'aider à me sentir à ma place ici, ou au moins pour que les autres m'acceptent. Enfin bref, il va juste falloir que je bosse encore plus dur et que je les écrabouille tous.

## 15 AVRIL 2009

J'ai eu une longue conversation en farsi avec Papa aujourd'hui. Grâce à la méthode utilisée par le docteur Melvin en 2007, quand il m'a fait écouter des enregistrements pendant mon sommeil, il m'a fallu moins de huit heures pour maîtriser la compréhension. Mais l'expression orale, j'ai commencé depuis moins d'un mois, alors je m'entraîne comme un malade. Les autres sont scotchés par la rapidité de mes progrès. S'ils se doutaient... On n'est que cinq à parler farsi, dont Stewart, bien sûr, et Mason aussi, ce qui n'est pas une surprise vu qu'il a le plus gros QI de toute l'Amérique du Nord.

Le docteur Melvin m'a demandé quelle langue je voulais aborder ensuite, et Marshall a répondu à ma place : « Le mandarin. » Du coup, je suis curieux de savoir si on va aller en Chine ou s'il va y avoir une attaque d'EDT qui donneraient des infos cruciales en mandarin. Ou alors, c'est juste que Marshall me déteste et qu'il a choisi une des langues les plus pourries à apprendre.

## 18 AVRIL 2009
COORDONNÉES : OUZBÉKISTAN,
TURKMÉNISTAN, DÉSERT

Ma première mission sur le terrain ! Un hélicoptère nous a emmenés à Karshi-Khanabad, en Ouzbékistan, une base aérienne que l'US Air Force a utilisée de 2001 à 2005 pour ses missions contre Al-Qaïda. Bref, il a fallu qu'on atterrisse là « accidentellement », en se faisant passer pour des membres de la Croix-Rouge en route pour l'Afrique sur un appareil ayant connu des avaries. Les soldats n'étaient pas franchement ravis de nous voir, mais ils n'ont pas ouvert le feu. Sinon, j'aurais peut-être envisagé de sacrifier Stewart pour le bien de l'équipe.

Son rôle était d'entrer en premier pour communiquer avec le directeur de je ne sais trop quoi, tandis que Mason et moi avions pour tâche de nous glisser dans un bâtiment par une fenêtre et d'y cacher cinq micros. Mission accomplie sans difficulté majeure, et Freeman nous a tous récompensés par une sortie dans un bar au Turkménistan.

19 AVRIL 2009
COORDONNÉES : QUELQUE PART
DANS LE DÉSERT

On va en Chine. J'avais vu juste. Et mon mandarin se porte pas mal, merci. Peut-être qu'il ne fera pas si chaud, là-bas. Je peux tout supporter, sauf le climat du désert.

20 AVRIL 2009
COORDONNÉES : XIAMEN, EN CHINE

On a atterri à Xiamen aujourd'hui. C'est sur la côte, en face de Taiwan. J'étais en ville avec Mason et l'agent

Parker quand j'ai repéré une jeune fille blonde. Je l'ai juste vue de dos, mais j'ai pété un câble. Comme il n'y a pas beaucoup de blondes en Chine, celle-là se voyait comme le nez au milieu de la figure. Ce n'était pas Holly, bien sûr, mais du coup j'ai couru demander à Papa s'il avait des infos récentes. C'était la première fois que je lui en réclamais, car je savais bien qu'il me préviendrait s'il y avait le moindre souci, et je ne pouvais pas supporter qu'on me fasse penser à elle sauf nécessité. Il m'a expliqué qu'il a une source extérieure à Tempest qui garde un œil sur elle et que je n'ai pas à m'inquiéter.

Je voudrais juste pouvoir tourner la page. Pas pour trouver une autre fille (c'est bien la dernière chose à laquelle je pense en ce moment), mais pour ne pas constamment avoir envie d'être près d'elle, ne pas me répéter que j'ai commis une erreur. Je sais que j'ai fait ce qu'il fallait. Même Papa est d'accord là-dessus.

Il m'arrive d'imaginer ce que Holly peut être en train de faire, à quoi elle ressemblera dans dix ans, tous les trucs incroyables qu'elle va certainement accomplir, et je suis soulagé de savoir que je ne lui manque pas comme elle me manque.

24 AVRIL 2009
COORDONNÉES : XIAMEN

L'art du voyage temporel, deuxième partie. Adam, si jamais tu lis ce journal un jour, tu vas adorer ! Reprenons : la dernière fois, j'en suis resté à essayer de comprendre ce qui s'était passé après le Monde B (ligne temporelle de 2007), quand j'ai atterri le 13 août 2009. J'ai pu établir que je n'étais plus dans le Monde B puisque cet Adam-là m'a dit qu'il ne m'avait rencontré qu'en mars 2009 et pas en septembre 2007. Selon les théories du docteur Melvin sur le voyage temporel, que mon cerveau absorbe à petites doses parce qu'il y a de quoi se choper une migraine carabinée, je suis revenu dans le Monde A. Sauf que les étapes de mes voyages ressemblent plutôt à ça :

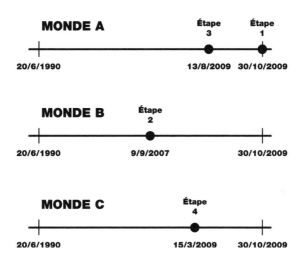

La dernière étape exige l'introduction d'un Monde C... du moins, je suppose. Dans un deuxième temps, il faut que j'étudie les théories sur mes capacités. J'ai besoin de savoir de quoi sont capables les EDT. Plus j'en apprends sur les voyages temporels, plus je me conforte dans l'idée de ne plus jamais en faire !

On est en mission, mais je suis affecté à un job rasoir de surveillance, qui consiste à regarder les images d'une des caméras qu'on a cachées dans un bâtiment officiel. Je ne suis même pas à proximité du site, donc c'est super barbant.

Info du jour sur le voyage temporel : je viens d'apprendre qu'un saut complet dans la même ligne temporelle (par exemple, au sein du Monde A) peut altérer l'avenir. Thomas l'a déjà fait. Je n'ai trouvé aucun autre EDT dans nos fichiers qui en soit capable.

Info Tempest : quand Courtney et moi étions tout petits, l'unité Tempest se composait exclusivement de l'agent Freeman père, du docteur Melvin, de Papa, du chef Marshall et d'Eileen. Il y avait seulement eu deux ou trois attaques de voyageurs temporels identifiés. En revanche, il existait une autre unité de la CIA qui semblait s'opposer à Tempest, et notamment au projet Axelle. Papa et l'agent Freeman père passaient leur temps à s'inventer des couvertures et à se faire suivre ou pourchasser par les membres de cet autre service.

Je me demande ce qui a changé entre-temps. Pourquoi Tempest s'est-il mis à recruter plus d'agents depuis deux ans ? Le chef Marshall a-t-il appris quelque chose sur le futur ? J'ai posé la question à Papa, et il m'a juste dit qu'ils avaient toujours su que cette guerre du voyage temporel aurait lieu. Alors, c'est peut-être lié aux clones ?

## 5 MAI 2009
## COORDONNÉES : PÉKIN

Freeman vient de nous annoncer qu'on travaillerait bientôt en tandem. Les agents Tempest n'effectuent jamais de mission solo. On a tous des parcours et des capacités si différents qu'il vaut mieux nous associer à quelqu'un qui n'a pas les mêmes, comme ça on additionne les compétences utiles. Ça m'embêterait vraiment de me retrouver avec Stewart ou Mason. Stewart, je ne la supporte pas, et elle me le rend bien, d'ailleurs. Quant à Mason, ben... C'est juste qu'il est tellement jeune... Et s'il lui arrivait quelque chose pendant qu'on bosse ensemble, comme à l'ancien partenaire de Papa, l'agent Freeman père ? Il s'est fait tuer le même jour qu'Eileen, la femme qui nous a portés, Courtney et moi, la femme que Papa a aimée jadis et qu'il aime peut-être encore.

Tout serait tellement plus simple si je pouvais bosser en solo. Peut-être que dans un autre univers parallèle, disons le Monde D, tu fais partie de Tempest avec moi, Adam. Je suis sûr que Marshall et Freeman nous associeraient. Toi le cerveau, moi le tireur d'élite. On ferait une équipe d'enfer. Et tu pourrais m'aider à comprendre qui je suis. Je n'ai personne pour ça, ici. Papa, je lui fais confiance à cent pour cent, mais il prend tellement de gants avec moi. Il a toujours peur de me donner trop d'informations, comme si je risquais de craquer à tout instant. Peut-être que c'est juste la force de l'habitude. Il a passé si longtemps à nous cacher tant de secrets, à Courtney et à moi.

**10 MAI 2009**
**COORDONNÉES : HONG KONG**

Principale leçon Tempest à ce jour : tous les aspects de notre formation sont soumis au principe de la classification des informations, ce qui nous interdit de parler entre nous de ce qu'on apprend dans nos spécialités respectives. Sauf que Protection Avancée ne comporte pas grand-chose de secret, contrairement à Technologies Futures, que j'adorerais suivre. Méga frustrant ! On a tous accès au profil des autres agents, mais comme je sais ce que dit le mien et surtout ce qu'il ne dit pas (Produit B de l'expérience Axelle, voyageur temporel), je ne me fie pas trop à ce que la base de données contient sur les autres. Peut-être qu'on est tous des voyageurs temporels et qu'on se le cache. Ce serait trop drôle ! Peut-être qu'Eileen a donné naissance à treize bébés et qu'on est tous des produits de l'expérience Axelle. Peut-être qu'on est tous des EDT et qu'on se bat contre nos avatars futurs ? Ouh là, j'ai besoin d'un verre, moi.

Il y a un secret, un seul, que je n'ai pas révélé à Papa : Emily. Cette petite fille qui a déboulé pendant l'orage sur ordre d'un moi du futur, cela me paraissait trop énorme pour le confier à Papa, sachant qu'il ferait tout pour me protéger, y compris tuer Thomas s'il en avait l'occasion, au risque d'empêcher cette mystérieuse petite fille de voir le jour. Mais pour moi, c'est différent. Je l'ai prise dans mes bras, je l'ai vue pleurer, me quitter à regret pour rejoindre un ailleurs épouvantable. Elle compte dans ma vie, sauf que je ne suis pas encore arrivé au moment de notre première rencontre. Est-ce que j'ai un enfant, dans l'avenir ? Elle a mes yeux... Ou est-elle un autre type de produit d'Axelle ?

Nous partons pour l'Europe ! Pour la France, pour être précis. Je ne peux même pas imaginer un endroit en France qui puisse être aussi affreux que le désert ou le coin humide de Chine où on n'a rien mangé d'autre que du poisson. Apparemment, Tempest a un QG près des Alpes. J'ai entendu Parker dire que c'est tout en sous-sol.

Liste des langues que j'ai apprises, puis validées par examen : français, espagnol, farsi, mandarin, turc, russe et allemand. Stewart vient de réussir son test de gaélique. De gaélique ? On rêve ! J'ai hyper envie de faire ça, après.

17 MAI 2009

Ça y est, je ne suis plus le petit nouveau ! Le jour de notre arrivée en France a débarqué l'agent Lily Kendrick. Oui, une deuxième fille dans la joyeuse troupe. Pour l'instant, elle me paraît timide et flippée. Pas sûr qu'elle tiendra le choc, dans ce groupe. Stewart ne l'aime pas trop, ce qui ne veut pas dire grand-chose puisque la seule personne avec laquelle elle s'entend, c'est Mason.

Profil de Lily Kendrick dans la base de données de la CIA :
Sexe : féminin
Âge : 21 ans
Taille : 1,77 m
Poids : 56,7 kg
Tests physiques : tous validés
Entraînement de base de la CIA : terminé
Spécialité : Biologie Théorique
Tests de langues validés : farsi, français, italien, allemand, russe, néerlandais, flamand, espagnol, portugais, latin, turc, mandarin, japonais, coréen

Depuis quelques jours, je pressentais que j'allais me retrouver en binôme avec elle, et j'avais vu juste ! Il faut dire que Marshall et Freeman nous avaient déjà associés pour certaines compétitions – on en fait des tas, ici en France.

Je ne sais trop que penser de ma partenaire. Elle est plutôt sympa, mais c'est précisément ce qui la rend suspecte. Comme je n'ignore pas que Stewart veut ma peau, je reste sur mes gardes en permanence. Je ne sais rien sur Kendrick, sinon qu'elle est douée pour tout quand elle ne se laisse pas démonter.

## 27 MAI 2009

Adam, je me rends compte que je ne t'ai pas bien présenté les différentes spécialités des agents de Tempest. J'aimerais tellement savoir où Marshall t'aurait affecté. Je t'imagine bien sur plusieurs créneaux. Enfin bref, voilà les infos sur cet aspect de notre unité.

Tous les agents Tempest se spécialisent dans un domaine où ils présentent des aptitudes exceptionnelles. C'est en partie pour produire des experts dans tous ces secteurs, mais aussi pour nous empêcher de connaître tous les secrets de l'unité. Par exemple, Kendrick étudie la Biologie Théorique avec le docteur Melvin. Mason, lui, c'est Technologies Futures (je crois te l'avoir déjà mentionné). D'après ce que j'ai entendu dire, il est capable de désamorcer des bombes avec des matériaux que même l'armée n'utilisera pas avant au moins cinquante ans. Quant à savoir comment Tempest a obtenu ces matériaux et les informations sur le futur, c'est un de ces secrets que seuls les membres de la spécialité de Mason peuvent connaître. Je l'ai déjà dit, c'est méga frustrant.

Si on applique tout ça à une vraie mission, voilà comment ça se passerait : disons que Mason, Kendrick et moi on est sur le terrain et qu'il y a une bombe à désamorcer et un assaillant potentiel à prendre en chasse. Je serais responsable de la poursuite, Mason s'occuperait de couper les fils pour désactiver tout le bazar, et Kendrick serait chargée d'injecter à l'assaillant une drogue anti-voyage temporel (oui, ça existe), en supposant qu'il s'agisse d'un EDT. Sinon, elle lui filerait autre chose pour l'assommer.

Tu vois pourquoi j'ai du mal à déterminer quel rôle tu aurais ? Tu pourrais faire le boulot de Kendrick ou de Mason tout aussi bien qu'eux.

### 30 MAI 2009

Kendrick et moi, on a assuré un max, aujourd'hui. On a failli gagner la compétition. Après le dîner, elle est venue s'asseoir près de moi dans la bibliothèque et a voulu engager la conversation. C'était très bizarre. Je n'arrêtais pas de soupeser chacun de ses mots pour y déceler ses motivations secrètes. J'ai appris trop de techniques pour repérer les mensonges et les faux-semblants, ces deux derniers mois. Je ne pourrai sans doute plus jamais avoir une discussion normale avec quelqu'un.

# CHAPITRE UN

J'entendais mon cœur battre malgré le raffut de l'hélicoptère. Au cours des deux mois et demi de formation Tempest, j'avais appris à exploiter mes facultés, à évaluer les distances et à mémoriser mon environnement. Mais aujourd'hui, on me privait du sens de la vue. Et par « on », je veux dire le chef Marshall.

Au bout d'une heure de tours et détours destinés à nous désorienter, j'avais furieusement envie de faire un saut dans le temps, histoire d'arriver quelque part sur la terre ferme, au calme.

– Dans soixante secondes environ, je vous révélerai nos coordonnées, la porte s'ouvrira et vous serez suspendus dans le vide à ces cordes, aboya Freeman pour couvrir le bruit des rotors. Vos chances de survie augmenteront fortement si vous avez une idée du type de terrain sur lequel vous allez poser les pieds.

*Génial !*

Je luttai contre l'envie d'arracher mon bandeau pour regarder en bas. Sans avoir visualisé notre trajet, je serais incapable de déterminer l'endroit où ils allaient nous larguer.

À côté de moi, je sentais l'épaule de Kendrick frémir contre la mienne.

– Calme-toi, lui murmurai-je à l'oreille. Sinon, ça sera pire.

Mon cœur ralentit aussitôt, car je suivis moi-même mon conseil. Ne jamais laisser personne voir que tu transpires. Ne jamais laisser quelqu'un entrer dans ta tête... ni le chef Marshall, ni ma partenaire, ni aucune des recrues de Tempest, et encore moins les EDT. C'était là une des trois leçons principales que j'avais apprises pendant ma formation, les deux autres étant :

Tout est un test.

Tout le monde est tout seul.

Le bruit de la porte de l'hélicoptère qu'on ouvrait me retourna l'estomac. *Du calme... reste calme.* Le mugissement des rotors et du vent s'engouffra dans la cabine et je reçus une gifle d'air froid.

J'entendis à peine Freeman crier les coordonnées, puis Kendrick me hurla à l'oreille :

– C'est dans les Alpes côté français, à l'est... Terrain accidenté, éboulis... Mais ça n'empêche pas les gens d'y faire de l'escalade.

– Super, commentai-je en avalant ma salive.

Ils nous avaient littéralement fait tourner en rond depuis notre départ ce matin, puisque le QG de Tempest se trouvait sur les contreforts des Alpes.

Dix secondes plus tard, Kendrick et moi étions propulsés dans le vide, chacun accroché à sa corde qui ballottait au gré du vent.

Je fis glisser le bandeau sur mon front. D'abord aveuglé par le soleil, je finis par baisser les yeux et découvris la montagne qui tanguait.

– Oh ! putain !

Ses longs cheveux bruns fouettés par le vent, Kendrick inspectait la paroi rocheuse. Elle n'avait pas l'air aussi pétrifiée que moi. Son esprit brillant devait tourner bien trop vite pour laisser le temps à sa peur de la distraire.

– Il y a une corniche… On va devoir sauter, la corde n'arrive pas tout à fait jusqu'en bas… mais je ne sais pas combien de temps on a avant qu'ils nous détachent, là-haut.

Je levai les yeux vers l'hélicoptère en vol stationnaire à trente mètres au-dessus de nous, où Freeman s'apprêtait à nous larguer avant de refermer la porte.

– OK, je suis prêt quand tu l'es.

Chacun de nous descendit les douze mètres de sa corde, mais même Kendrick hésita, arrivée en bas : il nous manquait un mètre cinquante pour toucher le petit rebord. Il nous faudrait décrocher les mousquetons qui nous retenaient à la corde pour pouvoir atterrir sur la corniche.

Jamais nous n'avions eu de test avec des consignes aussi simples : trajet les yeux bandés, largage du binôme, retour au QG dans un temps chronométré. Quant à l'exécution, c'était une autre paire de manches.

– On compte jusqu'à trois et on saute, annonça Kendrick.

– Un…, commençai-je en posant le doigt sur le loquet. Deux… Trois !

Mon champ de vision fut obscurci par la silhouette de Kendrick chutant à mes côtés, puis la paroi de la montagne apparut avant que j'aie eu le temps de m'y préparer. Mon visage heurta une roche effilée, du sang chaud s'écoula sur ma joue. À l'atterrissage, imitant Kendrick, je plaquai mon bassin contre la paroi et mis les pieds en canard.

– On a bien des pitons dans nos sacs, hein ?

– Oui, haleta Kendrick. Jackson, tu saignes.

Alors qu'elle tendait la main vers mon front, je me reculai et essuyai le sang avec la manche de mon T-shirt.

– Laisse tomber, ça va.

Elle retira sa main et examina la masse rocheuse devant nous.

– Tu peux attraper un piton dans ton sac ?

– Tu n'en as pas dans le tien ?

Elle brandit devant mes yeux le bout d'une corde, qui avait été jetée de l'hélico à mon insu.

– Ils ne nous ont laissé qu'une seule corde. On va devoir partager, dit-elle en me mettant visiblement au défi.

Sans mot dire, je lui tendis un piton et la regardai le planter dans le roc. Elle tira un grand coup sur la corde, puis l'accrocha à mon baudrier avant que je puisse protester.

– Voilà, ça devrait être assez solide pour nous deux.

Kendrick entama sa descente. Je la suivis des yeux sans le vouloir et son visage disparut soudain à ma vue, remplacé par les cheveux blonds d'une Holly en chute libre. Le sang me battit dans les tempes, mes poumons semblèrent se vider. *Pas ça, pas maintenant, concentre-toi !*

– Jackson ? appela Kendrick. Ça va ?

*Non !*

– Tout va bien, oui.

Je me repositionnai face à la paroi pour entreprendre ma descente. Pendant une heure, Kendrick désescalada en dessous de moi. L'effort épuisant consistant à fixer les pitons et à renouer la corde tous les cinq ou six mètres excluait toute conversation. Les vallées en contrebas n'étaient encore que de vagues taches verdâtres quand Kendrick prit enfin la parole.

– Je trouve ça trop mignon, que tu persistes à nier le fait que tu as le vertige.

– OK, j'avoue, j'ai la trouille de tomber, dis-je en évitant de regarder en bas. Mais toi, tu ne faisais pas la fière, dans l'hélico.

– Ce n'est pas l'altitude qui me dérangeait. J'avais juste peur de ne pas pouvoir repérer où on était. L'idée d'être perdue me fait flipper.

*Bon, d'accord... On fait quoi là ? On devient copains ? On se raconte nos espoirs, nos rêves et nos phobies ? Ben tiens...*

Après des heures de descente, le terrain se fit enfin moins escarpé. Une fois la corde décrochée et le matériel rangé dans nos sacs à dos, je regardai alentour et j'eus du mal à en croire mes yeux.

– On est juste à côté du QG !

Kendrick hocha la tête avec un petit sourire.

– Tu savais où on aboutirait quand tu as choisi notre voie de désescalade ? enchaînai-je, impressionné.

– Oui, mais pas tout de suite. C'était un peu au pif. Dis donc, on va peut-être pouvoir rentrer en marquant le meilleur temps. J'aimerais bien décrocher une journée de repos.

– C'est bluffant. Tu n'essaies pas juste de survivre, tu veux aussi gagner. Tu as vu les autres ?

Elle parcourut les environs des yeux, puis poussa un soupir.

– Soit on est hyper en avance, soit on est hyper en retard... Oh, ce que c'est beau, ici ! J'aimerais bien revenir pour mon voyage de noces, dans un de ces petits chalets au pied des Alpes.

– Oui, bon. Gagnons déjà le concours de Marshall, et on organisera ton voyage de noces plus tard.

*Son voyage de noces ? J'hallucine !*

Je courus vers l'entrée secrète et, avec l'aide de Kendrick, déplaçai les énormes bottes de foin qui la dissimulaient. Certains d'être les premiers à arriver, nous avions le sourire aux lèvres : il aurait été impossible à nos concurrents de remettre le foin en place après avoir pénétré dans le tunnel d'accès.

– Je sais déjà ce que je vais faire de ma journée de repos, jubilait Kendrick. Manger ! Manger, manger, manger ! Des pâtisseries, des tonnes de pâtisseries !

Boosté par une poussée d'adrénaline, je cherchais déjà l'échelle du bout du pied. En levant les yeux vers ma partenaire, je faillis hurler en découvrant plusieurs silhouettes à contre-jour. Le cri de Kendrick fut aussitôt étouffé. Un gaz étrange à l'odeur presque métallique emplit mes narines, puis je reçus un coup de pied dans la tempe et ce fut le trou noir. Le choc de ma tête heurtant le sol résonna dans mes oreilles, et tout ce que j'avais à l'esprit, c'est : Il m'a retrouvé.

Thomas.

Après des mois passés à compulser tous les documents sur lui, j'allais l'affronter de nouveau.

# CHAPITRE DEUX

Par chance, seule ma vue était affectée, mais je restais conscient.

– Ne les laisse pas te toucher ! hurlai-je à Kendrick tandis que des bras puissants m'enserraient.

Je projetai mon assaillant au sol, puis plissai les yeux pour les protéger du soleil. Ayant recouvré une vision très parcellaire, j'en profitai pour compter nos ennemis : six formes vagues, contre nous deux. Je distinguai le corps élancé et les cheveux longs de Kendrick, qui se relevait tant bien que mal. Une des silhouettes plus massives fondit sur elle. Instinctivement, je m'interposai et balançai un grand coup de pied dans la poitrine de son adversaire, l'envoyant à la renverse. Un râle masculin ponctua ma contre-attaque.

Et cette odeur... comme du métal, du cuivre rouillé, puissante au point que j'en percevais quasiment le goût.

Les trente secondes suivantes ne furent qu'une mêlée silencieuse de poings et de coudes portant des coups fulgurants à diverses parties de divers corps. Heureusement, je ne fus touché qu'une fois. Je sentais déjà ma pommette enfler.

Kendrick tournait sur elle-même pour évaluer la situation, sans trop savoir quoi faire maintenant que nous en avions éliminé quelques-uns. Je l'attrapai par son sweat-shirt et la propulsai vers la seule trouée dans la masse de corps qui nous entourait.

– Cours !

Le mot avait à peine quitté ma bouche que je sentis le canon d'une arme se loger dans mon dos. Les taches noires disparurent, et je pus enfin distinguer l'assaillant gisant à terre et ses quatre acolytes qui se relevaient péniblement. Je les reconnus tous : des EDT, hommes et femmes, dont j'avais gravé le visage dans ma mémoire, mais un seul m'importait. Thomas. Je savais que c'était lui derrière moi.

– Les mains en l'air, bonhomme, dit l'un des EDT près de moi.

Ses cheveux roux m'attirèrent l'œil, malgré mes troubles de la vision. *Raymond... le balafré ?* Ça lui ressemblait, mais n'était-il pas censé être mort ?

Je levai lentement les bras. Kendrick se retourna et m'adressa un discret haussement de sourcils. Elle sortit son pistolet de l'arrière de son pantalon pour le braquer sur l'homme qui me retenait en otage.

– Lâchez votre arme ! ordonna-t-elle d'une voix un peu tremblante.

– Oui, je pourrais, répondit-il.

Le simple son de sa voix fit tambouriner mon cœur. C'était bien Thomas, et du coup, je n'avais plus qu'une idée en tête : remonter au sommet de la montagne et le balancer dans le vide.

– Ou bien je pourrais juste... disparaître avec votre ami, poursuivit-il. Et vous savez très bien ce que je veux dire.

*Oh ! nom de Dieu ! C'est vraiment eux.* Je m'efforçai de ralentir ma respiration.

– Laissez-la partir ! réclamai-je.

– Désolé, pas possible, dit une femme qui ressemblait à Rena.

*Elle n'est pas morte, elle non plus ?*

Je remarquai alors qu'aucun des EDT hormis Thomas ne brandissait une arme. Peut-être n'en avaient-ils pas ? Je comptai dans ma tête jusqu'à trois, le temps de bien planifier mon attaque, puis je donnai un grand coup de talon dans le genou de Thomas tout en lui tordant le poignet pour que l'arme pointe vers le ciel. Comme prévu, un coup partit. Deux secondes plus tard, j'avais fait basculer Thomas sur le dos et plaqué un pied sur sa gorge pour lui couper la respiration.

– Vas-y ! criai-je à Kendrick sans même lever les yeux.

Après un instant d'hésitation, elle partit en courant, mais elle ne fit pas dix mètres avant de s'effondrer sur l'herbe en criant et en se tenant la tête à deux mains.

Je ne pourrais pas l'aider à moins d'éliminer tous les EDT présents, y compris mon ennemi plaqué au sol.

Les traits de son visage se brouillèrent à ma vue jusqu'à ce que je puisse de nouveau accommoder. C'était bien Thomas. Il avait l'air légèrement différent. Avait-il un peu vieilli ? Quoi qu'il en soit, mon sang bouillonnait dans mes veines et mon doigt se crispait sur la détente du pistolet.

– Je n'aurais jamais dû te laisser t'échapper la dernière fois, lançai-je.

Les souvenirs défilaient à toute vitesse : le visage impassible de Thomas alors qu'il soulevait Holly par-dessus le rebord du toit, le hurlement de Holly qui me déchirait les tympans et couvrait tous les sons hormis le sang pulsant dans mes veines.

*Je ne peux pas le laisser s'enfuir une nouvelle fois.*

*Il faut qu'il meure.*

– Jackson !

Le cri assourdissant qui résonnait dans mes oreilles baissa légèrement de volume et la crispation de mes doigts diminua.

– Arrêtez-le ! hurla quelqu'un.

– Jackson, dit une voix familière.

– Papa ? m'étonnai-je en desserrant ma prise sur la crosse.

Je secouai la tête, cherchant à fixer les yeux sur la personne qui venait de me parler. C'était la voix de Papa, mais pas son visage. Il s'avança vers moi et posa une main sur mon arme.

– C'est juste un test, me murmura-t-il à l'oreille. Du gaz mnémonique. Ce que tu vois est une réalité altérée.

Des mains puissantes se posèrent sur mes épaules pour me faire pivoter.

– Allez, on y va ! Le test n'est pas terminé. Et puisque monsieur Papa a cru bon de dissiper l'illusion, votre examen final n'en sera que plus difficile.

Le chef Marshall. Je reconnaissais sa voix, mais lui aussi avait une apparence totalement différente. On me recouvrit la tête d'un sac et on m'attacha les bras derrière le dos. Cette fois-ci, je ne résistai pas, tant je restais abasourdi par la nouvelle que je n'avais PAS subi une attaque d'EDT. Je me doutais bien que le test final approchait, puisque nous arrivions au terme de notre formation, mais je n'avais pas pensé que ce serait aujourd'hui, surtout après avoir été largué d'un hélicoptère sur un flanc de montagne. Ça ne faisait pas assez d'émotions pour une seule journée ?

Le test se poursuivit par une longue marche jusqu'à un local inconnu en sous-sol. Notre QG étant souterrain, j'avais l'habitude, mais ici, nos pas résonnaient sur un sol métallique et il planait une odeur d'hôpital.

On me fit asseoir dans un gros fauteuil et on me passa des brassards très serrés qui me couvraient tout l'avant-bras. Enfin, on retira le sac de sur ma tête.

Je vis Kendrick attachée près de moi sur un fauteuil identique. Elle avait remonté les genoux contre sa poitrine et posé la tête dessus. Elle tremblait de tout son corps et secouait les épaules pour essayer de dégager ses bras.

– S'il vous plaît… laissez-moi juste les voir, chevrota-t-elle.

*Voir qui ? Elle hallucine, elle aussi ?*

– Agent Meyer ! appela Marshall, qui faisait les cent pas devant nous. Interrogez-la pendant qu'elle est encore dans cet état, vu que les données de l'autre sujet ont été corrompues, ajouta-t-il en me foudroyant du regard, avant de sortir de la pièce en trombe.

Sur le mur opposé était accrochée une horloge digitale. En regardant de part et d'autre, je constatai qu'il y avait au moins huit fauteuils identiques au mien, eux aussi face à une pendule ou un chronomètre. Les chiffres rouges sur le mien défilèrent, puis se stabilisèrent à 85. Ceux de Kendrick partaient dans tous les sens : 120... 152... 165. Papa y jeta un coup d'œil et fronça les sourcils.

– Calmez-vous, Lily, tout va bien, murmura-t-il en s'accroupissant devant elle.

– Non, non ! protesta-t-elle en secouant la tête. Laissez-moi partir et je vous jure que je reviendrai.

– Kendrick, dit-il d'une voix plus forte. Vous sentez cette odeur de métal ? Réfléchissez... Vous savez de quoi il s'agit.

Elle se raidit, puis releva un peu la tête pour essuyer ses larmes sur l'épaule de son sweat-shirt. Je ne savais trop que penser. Je n'avais jamais vu un agent craquer comme ça.

La porte s'ouvrit de nouveau, et Papa se leva pour arpenter la pièce comme l'avait fait Marshall plus tôt.

– Dites-moi où vous êtes, agent Kendrick ! aboya-t-il.

J'eus du mal à me concentrer sur son interrogatoire, car je fus distrait par la vision des autres recrues qu'on faisait entrer manu militari pour les ligoter elles aussi sur des fauteuils. Stewart se retrouva juste à côté de moi.

– Ça va, Junior ? susurra-t-elle. Tu t'es pas pissé dessus ?

Mason, le partenaire officiel de Stewart, fut installé de l'autre côté. Loin de sembler aussi calme et enjoué qu'elle, il n'avait pas pour autant l'air aussi flippé que Kendrick quelques secondes plus tôt. *Ou que moi il y a un quart d'heure.*

– Alors, dis-moi ce que t'as vu comme horreur, lança Stewart en un murmure très audible. On te piquait tes cartes de crédit ?

Je serrai le poing, et le 85 sur mon cadran grimpa à 90, puis à 95.

– Comme vous l'aurez peut-être deviné, ces brassards sur vos avant-bras prennent votre pouls en continu, expliqua le chef Marshall, qui avança lentement jusqu'au centre de la pièce. Dans une vingtaine de secondes, un nombre va clignoter sous votre chiffre actuel. C'est votre fréquence cardiaque au repos, que le docteur Melvin a enregistrée pendant vos examens médicaux.

J'observai mon écran, où le nombre 63 s'afficha sous mon 90 actuel. L'objectif de Kendrick était 78, et Stewart avait le deuxième plus bas, à 67.

– Vous avez exactement une minute pour faire baisser votre chiffre actuel à dix battements maximum au-dessus de votre tension au repos. En cas d'échec, une punition physique graduée sous forme de chocs électriques et de brûlures vous sera infligée par le biais de vos brassards, poursuivit Marshall d'un ton détaché, comme s'il effectuait la visite guidée d'un site sans intérêt.

Je fermai les yeux et respirai profondément, m'efforçant de sentir mon pouls ralentir sans regarder le chiffre. Quand je rouvris les yeux trente secondes plus tard, j'étais redescendu à 78.

Stewart tendit les jambes et les croisa aux chevilles. Son pouls restait stable à 69. Voilà pourquoi elle se spécialisait à la fois en Opérations Clandestines et en Affaires Étrangères.

Cette fille se sentait à l'aise dans la peau de n'importe qui, elle pouvait endosser n'importe quelle personnalité.

Vingt secondes plus tard, mon cadran indiquait 71. Le chef Marshall posa sur moi ses yeux étrécis.

– Agent Meyer, pouvez-vous me dire ce qui vous a empêchés de rejoindre le QG dans le temps imparti, vous et Kendrick ?

– Nous avons été attaqués, monsieur, répondis-je du tac au tac.

– Par qui ? demanda-t-il en posant les mains sur mon fauteuil pour me coller son visage sous le nez.

71... 72... 73...

– Je n'en suis pas... Je ne sais pas...

Je m'efforçai de me rappeler qui était présent à part mon père, mais je n'avais pas vraiment pu regarder leurs vrais visages après dissipation du brouillard de l'illusion.

– Réfléchissez bien, agent Meyer.

74... 75... Je sentis de la chaleur se répandre dans mes bras, pas à une température insoutenable... pour l'instant. Kendrick hoqueta près de moi, mais, quand je lui jetai un coup d'œil, je la vis se mordre la lèvre et afficher une expression de calme feint.

*Très bien. Elle est en train d'apprendre.*

En revanche, son pouls accélérait, passant de 105 à 125.

– Si l'agent Meyer ne vous avait pas arrêté, l'agent Freeman ne serait peut-être plus en vie à l'heure qu'il est, enchaîna Marshall. Ça vous fait quoi que votre environnement, votre esprit, même, aient été altérés à ce point et avec de telles conséquences ?

*Il exagère, je n'aurais jamais tué Freeman.*

Mes jambes n'étant pas attachées, je dus refouler l'envie de lui donner un coup de pied dans le bide. Sérieux ? Ça m'avait fait quoi ? À son avis ? *Ouah, trop de la balle !* Le visage de Papa se crispa, sans doute parce qu'il percevait ma colère, et il me fit un léger signe de tête négatif.

— Ce n'est pas une expérience que je souhaiterais renouveler, répondis-je enfin, ravalant les paroles que je pensais vraiment.

76... 77... 78...

Le visage en sueur, Kendrick ferma les yeux et se mit à haleter.

La douleur remonta le long de mes bras, puis se propagea dans tout mon corps. Je serrai les dents, essayant de ne pas faire le moindre mouvement qui puisse trahir mon inconfort. Un des agents assis à quelques fauteuils du mien poussa un gémissement.

— Vous allez nous dire ce que c'était, ce gaz ? demanda Mason.

Sa voix était tendue, et je voyais sur son cadran qu'il avait autant de mal que Kendrick à se calmer. Les tests psychologiques venaient assurément de passer un nouveau cap, aujourd'hui.

— Mais bien sûr, claironna Marshall en détournant son attention de moi. La substance que vous avez inhalée contenait un produit chimique que nous n'avons pas encore complètement identifié.

Voilà pourquoi Papa avait pu tirer Kendrick de sa transe : elle se spécialisait en Bio Théorique. Le docteur Melvin lui avait sans doute fait analyser ce produit chimique étrange.

– C'est le test final ? demanda quelqu'un au bout de la rangée sur ma droite. C'est un test standard ?

– Non, agent Miller. En fait, notre unité avait besoin de données expérimentales pour lancer nos recherches. Ce gaz, qui n'existera pas avant de longues années, a pour but d'altérer l'environnement en exploitant les souvenirs personnels du sujet. C'est la seule information dont le docteur Melvin et moi disposions, et bien sûr nous étions curieux de savoir comment se faisait la sélection des souvenirs et quels effets ils produisaient sur chaque individu. Quelqu'un peut me donner une raison pour laquelle cette substance serait utile à une agence gouvernementale ?

– Les enquêtes sur les scènes de crime, répondit l'agent Parker.

Le simple fait d'entendre parler de cette arme futuriste avait fait accélérer mon pouls à 82... 83... 85, et la chaleur atteignait un niveau presque insoutenable. Kendrick avait blêmi. Ses indicateurs dépassaient largement 140, et le sillon sur son front me révéla qu'elle devait également recevoir des décharges électriques.

– En effet, approuva Marshall. Mais aussi pour quelque chose d'encore plus menaçant.

– Les assassins, répondit Stewart, dont l'écran afficha un instant 70 avant de redescendre à 68.

– Très bien, agent Stewart.

Marshall fit les cent pas pendant quelques secondes, ce qui accentua notre stress, puis il me regarda droit dans les yeux.

– Aucun d'entre nous ne sait ni quand ni comment cette substance va être utilisée, mais elle fait partie de notre futur, c'est une certitude. Des armes comme celle-ci ne sont pas des méthodes éthiques ou sécurisées de préserver l'humanité, et dès que Tempest en découvrira l'inventeur, il sera stoppé. C'est un risque et une perte regrettable que nous devons être prêts à assumer.

En revanche, ils n'avaient aucun scrupule à la tester sur d'innocentes recrues.

Quant à moi, je n'arrivais toujours pas à croire qu'un gaz puisse fonctionner ainsi, qu'une substance chimique puisse faire remonter des souvenirs que j'essayais si durement de refouler.

Une idée troublante me vint au pire moment possible : si ce produit m'avait fait prendre l'agent Freeman pour Thomas et réagir si violemment, comment donc me serais-je comporté si l'un d'eux avait revêtu l'apparence de Holly ? Je chassai cette idée de ma tête et me concentrai sur Freeman, qui venait d'entrer dans la pièce pour se poster près de Marshall.

– Maintenant que les effets de cette arme expérimentale se sont dissipés et que vous êtes tous en position de faiblesse, nous nous sommes dit que ce serait le moment de tester vos connaissances.

Le pouls de chacun d'entre nous s'accéléra.

– Agent Kendrick, dit Freeman. Si vous étiez coincée dans un espace confiné avec l'un de vos camarades, sans aucun moyen de communication ni aucune idée de quand vous allez être sauvés, avec qui choisiriez-vous d'être détenue ?

Sa façon polie et nonchalante de poser la question, d'utiliser le mot « choisir » comme s'il s'agissait d'un jeu de société tout bête, nous fit supposer qu'il n'y avait pas de bonne ou de mauvaise réponse. J'en éprouvai une certaine angoisse pour Kendrick, mais, en lui jetant un coup d'œil, je constatai qu'elle avait repris des couleurs et que son pouls était redescendu à 91.

– Quelles sont les dimensions de cet espace confiné ? s'enquit-elle.

– Tu pars du principe que tu as de la visibilité ? intervint un autre agent à quelques fauteuils de là.

– Je n'ai pas besoin de voir pour mesurer, rétorqua Kendrick sans quitter Freeman des yeux.

Celui-ci lui fournit quelques chiffres au hasard et elle embraya sur une autre question :

– Quelle est la température approximative ?

Freeman haussa un sourcil et consulta le cadran de Kendrick, qui indiquait un 79 stable.

– 31 °C.

Kendrick répondit alors sans hésitation, prouvant ainsi qu'elle n'avait pas posé ces questions juste pour gagner du temps, mais bien pour élaborer sa réponse.

– À défaut de plan d'évasion, et donc sans connaître les capacités requises pour mettre à bien un tel plan, je choisirais l'agent Sterling.

– Et pourquoi ? demanda Freeman.

– Vu l'espace restreint et la température ambiante déjà élevée, et vu que Mason a le plus faible indice de masse grasse de tout le groupe et quasiment le plus faible indice de masse corporelle, c'est lui qui consommerait le moins d'énergie.

– « Quasiment » est le mot, intervint Stewart avant même que Freeman ait pu réagir.

De fait, Stewart était la plus petite et la plus légère des recrues, voire de tous les agents Tempest.

Freeman regarda successivement Stewart et Kendrick, qui avait l'air incroyablement calme par rapport à tout à l'heure.

– L'agent Stewart n'a pas tort, remarqua-t-il.

– C'est vrai, concéda Kendrick d'une voix posée. Mais j'ai dû prendre en compte la compatibilité psychologique. Stewart est plus susceptible de créer des conflits, ce qui retarderait la prise de décisions.

– Mais l'agent Stewart a de meilleurs résultats en conditions de stress que presque tous les agents de notre unité, comme elle l'a encore prouvé aujourd'hui. À l'inverse, l'agent Sterling est lanterne rouge, souligna Freeman. Vous ne préféreriez pas vous retrouver enfermée avec l'agent le plus susceptible de ne pas céder à la panique ?

La solution de facilité était parfois de mettre en veilleuse ses peurs et ses émotions, de laisser sa raison prendre le relais et de... fonctionner comme un robot. La CIA semble beaucoup apprécier cette méthode, qui rapporte des scores très élevés.

– Bon, très bien, s'agaça Kendrick. Je ne choisirais pas Stewart parce qu'elle sait qu'elle s'en sortira mieux que moi et qu'elle serait capable de me tuer pour se garder assez d'oxygène pour planifier son évasion et accomplir la mission qui nous a valu d'être là au départ. Et même si je voudrais pouvoir faire passer notre unité en premier, je suis quasiment certaine que mon instinct de survie prendrait le dessus et que je préférerais ne pas être sacrifiée pour l'intérêt général.

Je fus un peu choqué par la réponse de Kendrick, mais aussi amusé. Croyait-elle vraiment Stewart capable de la tuer pour sauver le monde ? Stewart me tapait sur les nerfs 99 % du temps, mais je ne la voyais pas aller jusqu'à me supprimer.

– Votre franchise vous honore, commenta Freeman avant de croiser mon regard. Agent Stewart, qui choisiriez-vous ?

Je m'attendais à ce qu'elle réagisse à la réponse de Kendrick, mais elle ne semblait même pas s'en soucier.

– Je choisirais aussi Mason, en gros pour les mêmes raisons.

Freeman posa la question à chacune des recrues : unanimité pour Mason. À l'évidence, nous étions jugés sur d'autres critères que nos seules réponses, et certains agents essayèrent de trouver des questions intelligentes à poser, comme Kendrick, mais sans que les informations ainsi glanées n'affectent vraiment leur choix.

– Je trouve très intéressant que personne n'ait retenu l'agent Stewart…

– Vous ne m'avez pas posé la question, à moi, l'interrompis-je. Et il se trouve que je choisirais Stewart.

– Pourquoi ? s'étonna Freeman en se tournant vers moi.

– Comme vous l'avez dit, c'est la meilleure en situation de stress, la plus petite, la plus mince, et elle est aussi... euh...

– Quoi ? relança Freeman.

Je me carrai sur mon fauteuil et pris une voix ferme et posée.

– C'est la moins susceptible de former des liens affectifs.

*Parce qu'on ne s'aime pas trop, tous les deux.*

– Intéressant, commenta Freeman sans développer. Agent Kendrick, votre partenaire est arrivé second dans les tests sous pression et il a le quatrième indice de masse corporelle de tout le groupe... Pourquoi n'avez-vous pas choisi l'agent Meyer ? Et d'ailleurs, pourquoi aucun d'entre vous n'a-t-il choisi l'agent Meyer ?

Silence. Silence total. Plusieurs pouls s'accélérèrent, mais le mien resta stable. Cela m'était bien égal que personne ne m'ait choisi. Je préférais ça et, franchement, si j'avais eu mon mot à dire, j'aurais autant aimé être enfermé seul.

Les yeux de Freeman passèrent en revue toutes les recrues, puis, aucune ne prenant la parole, il finit par rompre le silence.

– Parfait. Je souhaite que vous rédigiez tous votre réponse d'ici la fin de la journée. Nous en avons terminé pour le moment, mais chacun d'entre vous aura l'occasion de se réinstaller sur ces agréables fauteuils, et ce sera beaucoup plus dur la prochaine fois. Demain, attendez-vous à plusieurs tests de langues étrangères.

Les brassards se desserrèrent et nous libérèrent tous en même temps. Des murmures nerveux se répandirent dans le groupe sur le chemin de la sortie. Le chef Marshall arriva pour nous retenir, Kendrick et moi.

– Restez ici, nous ordonna-t-il.

Kendrick me lança un regard méfiant, mais je n'étais pas plus avancé qu'elle.

– J'ai écouté ce qui se passait pendant votre test, annonça-t-il.

*Ah, oui ? Quelle surprise !*

– Et je voudrais connaître votre réponse à la dernière question de l'agent Freeman.

Il regardait Kendrick, qui se mordait nerveusement la lèvre. Il fallait vraiment qu'elle s'entraîne à dissimuler ses émotions.

– En toute honnêteté, je ne sais pas exactement pourquoi je n'ai pas choisi l'agent Meyer. Peut-être une question de confiance.

– Vous ne lui faites pas confiance ?

– Je ne crois pas que lui me fasse confiance, soupira-t-elle.

Pas étonnant, puisque je ne faisais confiance à aucun d'eux. Mais c'était bien ça, l'idée, non ?

Marshall se balança d'avant en arrière et nous laissa lanterner pendant dix bonnes secondes.

– Vous allez tous les deux effectuer une mission pour moi dès que possible. Vous devez chacun imposer une tâche à votre partenaire, qui n'aura pas le droit de la critiquer ni de l'ignorer.

– Quel genre de tâche ? demandai-je.

– Quelque chose qui mettra l'autre au défi. Quelque chose qui exploitera une de ses faiblesses.

– Mais... exploiter une de ses faiblesses contre lui, ce n'est pas plutôt une façon de saper sa confiance ? protesta Kendrick.

– Pas si le but de la manœuvre est de le rendre plus fort, rétorqua Marshall avant de nous faire signe de sortir.

Et je sus aussitôt que j'allais devoir sauter du haut d'un building ou un truc horrible du genre. Kendrick ne me connaissait qu'un point faible : le vertige, et c'était très frais dans son esprit.

Je fus aussi choqué qu'elle de découvrir que la pièce dans laquelle nous venions de passer plus d'une heure se trouvait au QG, cachée derrière une porte, juste à côté du réfectoire.

– Tu le crois, ça ? s'exclama-t-elle. Cette salle de torture était à deux pas de l'endroit où on mange et où on dort, et on ne s'en doutait même pas !

– Et en plus, on n'est pas au bout de nos peines.

J'hésitai un instant, puis décidai de ne pas évoquer la question délicate de mon manque de confiance en elle, non plus que la mission que nous avait imposée Marshall.

– Dis donc, qu'est-ce qui t'est arrivé, tout à l'heure ? Tu étais tellement...

– À la masse ? suggéra amèrement Kendrick.

– Euh, ouais, mais après tu t'es... reprise, comme si de rien n'était. Moi, si mes bras avaient reçu une forte dose de chaleur, je ne sais même pas comment je...

Je m'arrêtai dans le couloir et lui attrapai les poignets pour les tourner et les retourner.

– Mais qu'est-ce que… ? m'étonnai-je en lui lâchant les bras. Tu n'as aucune trace de brûlure !

– Je sais, dit-elle, une lueur d'excitation dans les yeux, comme si elle venait de percer un secret.

Nous approchions du réfectoire, d'où s'échappaient des effluves de sauce tomate et de pain frais.

– Réfléchis, Jackson. On est tous sortis de là indemnes, alors que je n'étais pas la seule à avoir du mal, au début.

Je me rappelai les cris de douleur de certains agents. Puis je regardai mes propres poignets.

– Alors en fait, ça ne nous brûlait pas vraiment ? supposai-je.

Elle posa un doigt sur ses lèvres en hochant la tête.

– Les brassards servent juste à envoyer un signal à notre cerveau pour nous faire croire qu'on subit une brûlure ou une décharge électrique. C'est pour ça qu'on doit visualiser notre fréquence cardiaque, comme ça, on anticipe les conséquences.

– La supériorité de l'esprit sur la matière…, commentai-je en secouant la tête.

Quelques instants plus tard, nous étions assis dans le réfectoire devant des assiettes de pâtes, mais, étant hélas ! arrivés en dernier, il nous fallait partager une table avec Stewart et Mason.

– Alors, vous avez des trucs prévus pour nos deux jours de liberté qui arrivent ? lança Mason, la bouche pleine de lasagnes.

J'avais presque oublié que nous avions droit à quarante-huit heures de permission tous les trois mois, à condition qu'aucune grande menace universelle ne requière notre présence.

– Je n'y ai pas encore réfléchi, mais je crois bien qu'il y aura des crêpes dans le paysage, répondit Kendrick.

– Et toi, Jackson ? demanda Mason.

– Je ne sais pas trop. Je vais sans doute rester dans les parages et réviser un peu pour les exams.

– J'aurais pourtant juré que tu avais une soirée de folie en perspective ! ironisa Stewart, avant de se tourner vers Kendrick. Tu sais, une fois, je suis entrée dans l'appartement de l'agent Meyer pour assurer la garde de nuit en son absence. Junior était vautré dans l'entrée, il n'avait même pas réussi à ramper jusqu'à son lit. Et la fille du gouverneur était sur le canapé, complètement pétée. Tu imagines le scandale, si ça avait fuité ? J'ai dû traîner Junior sous la douche, parce qu'il empestait comme si on lui avait renversé un tonneau de bière sur la tête.

*L'été 2008.* Je m'en souvenais très bien. Enfin, jusqu'au moment où j'étais tombé dans les pommes… Et Stewart qui mentionnait cette soirée assez débridée comme si je faisais ça tous les jours, ce qui n'était absolument pas le cas.

Mason ricana, et je me passai la main dans les cheveux en faisant tout mon possible pour ne pas réagir.

– Comme c'est gentil à toi d'avoir douché ce pauvre garçon, Jenni, fit Kendrick d'un ton cassant.

Je commençais à croire qu'elle supportait Stewart encore moins que moi. Peut-être que, comme c'était la seule fille, elle avait espéré qu'elles formeraient une alliance du chromosome X. Mais ce n'était pas le genre de Stewart. Oh que non !

– Ça n'a pas été de la tarte, sourit Stewart. Sans parler du fait que j'ai dû voir un peu plus du corps de Junior que je ne l'aurais souhaité. En l'occurrence, le mini agent Meyer, si vous voyez ce que je veux dire.

– À plus ! grognai-je en me levant de table.

Des pas me suivirent hors du réfectoire.

– On a trente secondes avant la fermeture des portes, murmura Papa à mon oreille.

Mon cœur battit plus fort. Nous faisions cela tous les jours depuis une semaine, mais ça m'angoissait toujours autant.

# CHAPITRE TROIS

Je réussis à sortir par l'issue secrète sans me faire repérer. Papa m'attendait dans le tunnel. L'obscurité était totale.

– Tu as une lampe torche ? murmurai-je.

Un minuscule point lumineux s'alluma près de moi et éclaira le sol de terre battue devant nous. Je soufflai sur mes mains et les frottai l'une contre l'autre. Il devait faire à peine 10 °C ici.

– Qu'est-ce qui se passe ? Stewart t'a encore énervé ? demanda Papa.

– Tu peux pas savoir comme elle me gonfle ! C'est quoi, son problème ? m'exclamai-je en tapant du pied dans un caillou.

– Désolé, je ne peux pas jouer les papas et m'en mêler. Ça ne ferait qu'empirer les choses. Elle mérite une bonne correction, je ne dis pas le contraire, mais il faut que tu voies les choses de son point de vue.

– Je croyais que tu ne voulais pas jouer les papas...

– Non, pas les papas, les agents expérimentés. Elle a fait une croix sur sa vie il y a deux ans et elle a bossé comme une brute pendant que toi, tu faisais la fête et les quatre cents coups. Ce qui est normal, puisque c'était son boulot, mais quand tu as débarqué ici et que tu t'es mis à avoir de meilleures notes qu'elle, ça ne pouvait que l'énerver.

– Je ne voyais pas les choses comme ça, c'est vrai. Enfin, quand même... dis-je, avant de repérer la corde qui nous amènerait au niveau du sol. Je passe en premier.

Je commençai à grimper, avec la satisfaction de savoir que j'en aurais été incapable trois mois plus tôt. C'était une ascension de quinze mètres, avec un seul petit rebord à mi-chemin si on avait vraiment besoin d'une pause.

Il s'agissait de l'issue de secours en cas de panne d'ascenseur. Cela dit, le groupe comptait au moins quatre agents qui savaient tout sur la réparation d'ascenseur. Quand j'atteignis le haut de la corde, des gouttes de sueur roulaient sur mon visage. Je basculai par-dessus le rebord et atterris sur la terre ferme.

Le visage chauffé par le soleil, je respirai à pleins poumons et humai les odeurs de la cascade voisine, ce qui me détendit aussitôt. Bientôt, les cheveux bruns de Papa émergèrent du trou.

– Allez, vieillard, dis-je en tendant la main pour l'aider.

– Bon sang, ça devient de plus en plus dur ! protesta-t-il, légèrement essoufflé, en se laissant tomber par terre.

Nous nous installions toujours près de la cascade qui dévalait le flanc de la montagne, au cas où quelqu'un aurait réussi à cacher sur nous un micro – le bouillonnement de l'eau brouillerait le son. Je me frayai un chemin dans la végétation jusqu'à un carré d'herbe.

Une fois arrivé, Papa sortit son téléphone et me le tendit.

– J'ai des photos, si tu veux. Je sais que tu t'inquiétais pour elle, il y a quelques semaines.

– Non, j'aime mieux pas, dis-je en m'allongeant sur l'herbe. Préviens-moi juste s'il y a un souci.

– Comme tu voudras.

– Tu crois vraiment qu'elle ne sera pas repérée par les EDT ? Et Adam non plus ?

– Oui, et sinon, je le saurais aussitôt grâce aux précautions que nous avons prises, répondit-il en s'étendant près de moi. C'est ce que je fais de mieux, Jackson. C'est ce que j'ai fait avec Courtney et toi pratiquement toute votre vie. Fais-moi confiance.

– Je te fais confiance.

Au coup d'œil qu'il me jeta, je devinai qu'il hésitait à me poser une question ou à soulever un sujet délicat, mais il se décida bien vite à parler.

– Le docteur Melvin s'inquiète à ton sujet. D'après lui, tu as un peu trop bien réussi le test aujourd'hui... Contrôler sa fréquence cardiaque à ce point-là, c'est déjà beau, mais pour un nouveau avec à peine trois mois d'entraînement... Surtout après...

– Après avoir failli tuer l'agent Freeman, complétai-je.

– Ce n'est pas ce que j'allais dire. Mais tu as dépassé toutes nos attentes aujourd'hui, et le docteur Melvin m'a aussi montré les résultats de ton test de contrôle émotionnel de la semaine dernière. Deuxième meilleure note de tout le groupe.

– Qui a eu la meilleure ? demandai-je, avant que nous répondions tous les deux en chœur : Stewart. Et alors ? Il n'y a pas de quoi s'inquiéter parce que j'ai eu une bonne note.

– Si, si tu l'as obtenue en mentant, martela Papa. Le déni n'est que la première étape du travail de deuil. Si c'est à ce stade que tu en es, alors ça va poser problème quand tu devras accomplir de vraies missions.

*Et après le déni, il y a quoi ?*

– Les étapes du deuil ne s'appliquent qu'en cas de décès, et en l'occurrence elle n'est pas morte, rétorquai-je, sur la défensive. Et puis, Papa... commençai-je avant de prendre une profonde inspiration pour me calmer. Holly et moi, on en était au stade de la lune de miel. Une ou deux semaines de plus, et on se serait sauté à la gorge pour un rien. J'avais la sale habitude de faire des conneries à répétition, et elle avait des exigences très élevées, à juste titre, d'ailleurs.

Il me dévisagea un long moment, puis un sourire fendit son visage.

– Ça alors ! Tu as vraiment réussi ce test en mentant ! L'officier supérieur en moi est très impressionné, mais le père se fait du souci.

– Ne t'inquiète pas. On doit tous apprendre à gérer les problèmes pour aller de l'avant, pas vrai ?

Il aurait été malvenu que je me plaigne à Papa au sujet de Holly quand je savais qu'elle allait bien, alors que lui avait perdu pour toujours la femme qu'il aimait. Sans cela, j'aurais pu m'ouvrir un peu plus à lui.

– J'aurais adoré te voir déclarer ta flamme à une jeune fille, se gaussa-t-il. Franchement, je ne pensais pas que ça arriverait un jour. Cela n'avait jamais été une priorité pour toi, d'être avec quelqu'un. Enfin bon, c'est très bien, l'indépendance... Mais je voulais ça pour toi... et pour Courtney.

– Eh bien, tu ne me verras sans doute plus jamais déclarer ma flamme à qui que ce soit.

J'en étais convaincu, mais sans savoir si c'était parce que je n'oublierais jamais Holly, ou bien parce que je l'oublierais mais choisirais de rester seul, comme Papa.

– J'aimerais tant qu'Eileen puisse te voir comme ça. Elle avait tellement de projets, et..., commença-t-il avant de s'interrompre pour lever les yeux vers le ciel. Enfin, bref, elle serait fière de toi. Ça, j'en suis sûr.

Un long silence s'installa entre nous.

– Putain, ce que c'est déprimant, tout ça ! murmurai-je enfin, ce qui nous fit rire et atténua la tension. Désolé, il fallait que ça sorte.

– Tu as bien raison. Au fait, le test d'aujourd'hui vous a semblé difficile, à Kendrick et à toi ? La première partie, je veux dire... la suite, je sais que ça a été rude pour la plupart d'entre vous.

– Non, on a su s'adapter, rétorquai-je en m'étirant avant de me rallonger. Comment ça se fait que j'en sache si peu sur Kendrick ? Il n'y a pas grand-chose dans son dossier.

– Elle a un parcours différent des autres. Elle est inscrite en fac de médecine, tu sais. C'est pour ça qu'elle a rejoint le groupe si récemment. Elle suivait des cours.

– Comment elle peut déjà en être si loin dans son cursus à seulement vingt et un ans ?

– Elle est très intelligente et très créative, surtout dans le domaine de la recherche médicale et de la génétique. Le chef Marshall et Kendrick ont convenu que l'entraînement de base était un bon point de départ pour elle. Elle sera très bien sur le terrain. Le docteur Melvin la fait déjà travailler sur des projets de recherche dans le cadre de ses expériences à venir.

– Pas sur les clones, j'espère.

– Tu sais bien qu'il ne s'intéresse pas à ce genre de choses.

– Oui, oui, on me l'a déjà dit... des milliards de fois, lui rappelai-je en croisant les bras derrière ma tête pour contempler le ballet des nuages. Marshall nous a donné une mission, à Kendrick et à moi. Il a l'air de penser qu'on doit renforcer nos liens de confiance.

– J'en ai entendu parler, oui, dit-il en se relevant pour se diriger vers l'entrée secrète.

– Tu n'aurais pas une idée d'épreuve qui pourrait être compliquée pour elle ? demandai-je en me mettant debout à contrecœur, sachant que nous devions rentrer.

– La chirurgie, répondit Papa avec un sourire. Faire des points de suture, réduire une fracture, pratiquer une autopsie...

– Pourquoi, elle n'est pas censée s'y connaître, en médecine ?

– Elle sait très bien ce qu'elle doit faire, dit-il en resserrant le nœud qui fixait la corde à un gros rocher. Il est déjà arrivé que les recrues aient besoin de soins médicaux, et elle a paniqué. Elle maîtrise la théorie sur le bout des doigts, mais c'est la pratique qui lui pose problème.

Parfait, voilà qui ferait un joli défi. Au moins, ce ne serait pas une mission potentiellement mortelle, juste un problème de phobie.

Je passai le premier pour redescendre. Nous étions presque arrivés quand j'entendis une voix de l'autre côté de la porte. Papa se figea et tendit l'oreille. La paroi s'ouvrit, et le chef Marshall apparut devant nous, les bras croisés, de puissantes lumières à l'arrière-plan.

— Je voudrais vous dire deux mots, agent Meyer, lança-t-il.

Papa franchit l'ouverture et je le suivis. C'est alors que je remarquai Stewart, postée juste derrière Marshall.

*Sale cafteuse !* Mais comment avait-elle su ?

— Tout est de ma faute, m'empressai-je de dire. Je suis sorti en douce, et mon père est venu à ma recherche.

— Intéressant, commenta Marshall en me toisant. Ce n'est pas la version que j'ai entendue.

Je jetai un coup d'œil à Stewart, qui regarda Papa et parut légèrement inquiète.

— Il y avait de toute évidence des raisons de s'alarmer, commenta Marshall. Le non-respect des règles entraîne des pertes humaines. Votre père devrait le savoir mieux que quiconque. Vous pouvez ajouter trente-cinq kilomètres à votre objectif de préparation physique des deux semaines à venir.

— Parfait, déclarai-je en passant à côté de lui pour prendre le couloir.

Malheureusement, il fallut que Stewart se comporte en garce finie et me suive.

– Je savais bien que tu ne supporterais pas l'isolement. Ton père doit te refiler des tuyaux sur tous nos tests. Sale tricheur !

Je serrai les poings, mais je pris une profonde inspiration et m'efforçai de me détendre.

– Très bien, tu peux croire ce que tu veux. Je n'ai pas respecté les règles, tu m'as pris la main dans le sac. On passe à autre chose.

– Oh non ! Sûrement pas, me contra-t-elle en me bloquant le passage vers ma chambre, un large sourire sur le visage. Qu'est-ce que tu fabriques de si important ? Tu essaies d'obtenir un ticket de sortie, c'est ça ? La CIA n'est pas aussi glamour que tu le pensais ?

Je la repoussai sur le côté et m'engouffrai dans ma chambre avant qu'elle ait pu ajouter quoi que ce soit. Puis j'attrapai une poignée de crayons sur mon bureau et la lançai à travers la pièce.

– Mais qu'est-ce qui te prend ?

Je sursautai et me cognai la tête contre l'étagère. Kendrick était allongée sur mon lit, son portable collé à l'oreille et un bras devant le visage pour se protéger du vol plané de crayons.

– Pardon, mais la femme de ménage fait ma chambre, expliqua-t-elle.

« Femme de ménage » désignait les deux recrues les moins bien notées de la journée, qui recevaient comme punition de nettoyer toutes les chambres.

Je m'assis à mon bureau et me pris la tête entre les mains.

– Non, non, tout va bien, disait Kendrick au téléphone. Juste un petit accident de crayons volants.

Je tendis l'oreille pour essayer de deviner à qui elle parlait. D'après mes observations, la plupart des recrues n'appelaient pas grand monde, en tout cas, pas pour bavarder.

– Bon, je te rappelle, d'accord ?

Dès qu'elle eut raccroché, je me tournai sur mon fauteuil pour lui faire face. Je préférais qu'elle apprenne par moi ce qui s'était passé avec Papa, plutôt que par Stewart.

– Comment ça se fait que tu n'appelles jamais personne ? demanda-t-elle. Tu avais une vie mondaine trépidante, d'après Stewart. Tu dois avoir des tas de copains à contacter, à New York.

– Pour quoi faire ? Je n'ai pas franchement de temps libre, et je ne peux rien leur raconter sur mes activités de ces derniers mois, alors...

– Oui mais quand même, il faut garder le contact avec la réalité. Bon, alors, c'est quoi cette histoire de lancer de crayons ?

Je lui racontai ce qui venait de se passer avec Stewart, Papa et Marshall, convaincu qu'elle le prendrait mieux que Stewart, mais je fus tout de même surpris par sa réaction.

– Quelle garce ! Et puérile avec ça. Non mais c'est vrai, on est au collège, là ou quoi ?

– C'est exactement ce que j'ai dit !

Kendrick se concentra un instant, puis elle se rassit d'un bloc et un large sourire apparut sur son visage.

– Ça y est ! Je sais ce que je vais t'imposer comme tâche.

Je m'en réjouis, car je supposai que cela n'avait plus rien à voir avec l'escalade, comme je l'avais redouté.

– Ah oui, quoi ? Jouer à « je te tiens par la barbichette » avec Stewart ? Les yeux bandés, peut-être ?

– Non. Tu dois l'embrasser ! Genre, devant tout le monde. Lui rouler une pelle dans les règles de l'art.

– N'importe quoi ! Déjà, je me prendrais un coup de pied dans les burnes avant même de pouvoir m'approcher, et en plus, je ne vois pas en quoi c'est un défi, ça. Je n'ai pas peur d'embrasser quelqu'un, et ça ne va pas faire de moi un partenaire plus fiable pour toi, ni un meilleur agent.

Kendrick se leva et vint se placer derrière moi pour me poser les mains sur les épaules.

– Il faut que quelqu'un remette cette meuf à sa place. Elle va te menacer *ad vitam* de déballer tous les moments embarrassants de ton existence, ça lui sert de garantie. « Dis donc, Junior, depuis quand t'as plus ton appareil dentaire ? » ou « Attends que je raconte à tout le monde à quoi ressemble ton cul », minauda Kendrick en imitant Stewart à la perfection.

Le pitch me séduisait de plus en plus.

– Bon, d'accord, je t'écoute.

– Tu dois l'embrasser pour lui montrer qui est le patron, poursuivit-elle après m'avoir fait pivoter sur ma chaise. Cette fille a l'impression que tu es sa chose. Personnellement, j'en ai ras le bol, de ses conneries.

– Euh, ce n'est pas très *girl power*, ton truc, non ?

– Crois-moi, c'est nécessaire, répondit-elle après réflexion. Et tu n'es plus un gamin, alors qu'elle te traite comme ça... Ça n'a rien à voir avec la guerre des sexes. Elle a quoi, un an et demi de plus que toi ?

– Que va penser Marshall quand tu lui diras que ma mission est d'aller embrasser quelqu'un ?

– Je m'en fiche pas mal. Il n'avait qu'à fixer des limites à nos défis. Allez, on y va avant que tu te dégonfles ! ordonna-t-elle en me faisant lever. Elle est sans doute dans la salle de fitness.

Elle me poussait déjà vers la porte, pour enfiler les trois couloirs qui menaient à la grande salle de musculation. Stewart s'y trouvait en effet, s'entraînant au close-combat avec l'agent Parker. J'allais entrer quand Kendrick me retint.

– Attends, il faut te mettre dans la peau du personnage. Sois sexy.

Parce que je ne l'étais pas déjà ?

Nos regards se reportèrent sur Stewart à cause d'un bruit sourd. Elle venait de projeter Parker, qui était bien plus costaud que moi, sur le dos, et riait de le voir peiner à respirer.

– Je ne vais pas y arriver, marmonnai-je.

– Mais si, allons !

Je secouai les bras comme un boxeur avant de monter sur le ring. *C'est un test, rien qu'un autre test.* Et puis, j'avais déjà dû flirter avec des femmes dans le cadre de ma formation à la CIA. Cela m'avait permis d'accéder à des données secrètes en Chine, et, une fois, d'obtenir une glace gratuite.

– Tu n'as qu'à jouer ton rôle et Jenni Stewart ne te fera plus jamais chier, m'encouragea Kendrick.

Alors là, le jeu en valait la chandelle. En supposant que j'y arrive. Je me dirigeai vers Stewart.

*Fais semblant, fais semblant, fais semblant.*

Kendrick entra derrière moi et sauta sur un tapis de course. Tous les stagiaires avaient moins de vingt-trois ans, or je n'avais jamais vu un mec s'approcher de Stewart en dehors des entraînements de close-combat. Elle tendit la main à Parker pour l'aider à se relever, mais la retira au dernier moment et lui donna un coup de pied dans le ventre. Honnêtement, j'étais surpris qu'il se soit laissé feinter comme ça.

Enfin elle perçut ma présence.

– Junior, t'es venu faire un petit match, ou tu préfères évacuer tes frustrations en jetant des trucs contre le mur de ta chambre comme un môme de deux ans ?

Je pris une profonde inspiration et m'obligeai à me concentrer sur mon objectif.

– Un match ? Pourquoi pas ?

– Super ! se réjouit-elle avec son sourire d'agent machiavélique.

Kendrick toussa bruyamment derrière moi. Elle devait croire que je me défilais.

Debout face à moi, le visage crispé, Stewart plongea en avant, mais je réussis à l'attraper à bras-le-corps et à la soulever pour l'entraîner hors du tapis. Je la reposai quelques secondes plus tard avec un gros soupir.

– Désolé, je ne peux pas... pas comme ça.

Allant puiser dans mon passé de grand séducteur, je me rapprochai d'elle.

– Je suis désolé de m'être emporté. Tu as bien fait de me dénoncer.

– Je savais que tu finirais par être d'accord.

Elle se tourna vers les autres agents présents dans la salle, sans doute pour s'assurer que tout le monde avait entendu mon semblant d'excuse.

– Attends, dis-je en l'attrapant par la main. Il y a autre chose.

*Ce n'est rien qu'un petit baiser sans importance.* La partie de mon cerveau « je suis toujours amoureux de la fille avec laquelle je ne peux pas être » restait débranchée, comme depuis des semaines maintenant. L'agent en moi savait que Kendrick avait raison : la vengeance prend bien des formes différentes.

Mes mains effleurèrent le cou de Stewart et un soupçon de confusion se peignit sur son visage.

– Mais qu'est-ce que tu...

Je ne la laissai pas terminer. Et ce ne fut pas un doux et chaste baiser. Ce fut un baiser fougueux et viril. Je sus que l'agent en moi était toujours opérationnel quand je me rendis compte que j'avais chronométré cette étreinte : vingt secondes. Sans me frapper, sans résister, Stewart garda les bras ballants tandis que je l'enserrais dans les miens. Elle se laissait faire. Et ce fut même elle qui mit sa langue dans ma bouche. Non, mais, on rêve !

J'attendis que quarante secondes se soient écoulées, puis je déplaçai ma bouche près de son oreille et murmurai tout bas pour que personne d'autre ne puisse entendre :

– Voilà ce qu'on récolte quand on me traite de gamin.

Je la relâchai si vite qu'elle faillit tomber à la renverse, puis je sortis de la salle comme si un dur à cuire comme moi faisait ça tous les jours. Kendrick m'emboîta le pas, suivie de Parker.

– Alors là, respect ! me complimenta-t-elle en me tapant dans la main. Oh ! la vache, j'aurais voulu pouvoir filmer !

– T'as des couilles, mon pote ! commenta Parker. D'autant plus qu'elle aurait pu te les écrabouiller d'une seule main.

– M'en parle pas !

– Je ne sais pas si tu as remarqué, mais elle ne t'a pas franchement repoussé. Peut-être que nos techniques d'observation sophistiquées nous ont fait passer à côté de l'évidence : quand on aime bien quelqu'un, on fait semblant de le détester, conclut Kendrick.

– Je croyais que ça marchait juste à l'école primaire, ça, ironisa Parker.

Kendrick avait raison : Stewart me semblait bien avoir reçu une petite dose de la torture qu'elle m'infligeait depuis des mois.

Soudain, des sirènes hurlèrent à l'intérieur du bâtiment et des lumières rouges clignotèrent. Notre trio se figea dans le couloir. Il ne pouvait y avoir qu'une seule explication.

# CHAPITRE QUATRE

— Nous venons d'intercepter une menace de mort diri-
gée contre la chancelière allemande, annonça Marshall, qui
arpentait à grands pas l'immense salle commune. Nous
avons des raisons de croire que les EDT en sont à l'origine. Nous avons exactement deux heures pour empêcher
l'assassinat de l'un des personnages politiques les plus
éminents du monde.

— Excusez-moi, chef, intervint l'agent Freeman. Pouvez-
vous nous renseigner sur la source ?

Les yeux du chef Marshall se posèrent sur lui comme
pour lui signifier quelque chose par la pensée.

— Désolé, je ne peux pas divulguer cette information
à ce stade.

— Nous allons tous sur le terrain ? demanda une recrue.

Marshall secoua la tête, et j'entendis presque les grognements que personne n'osa émettre. Nous brûlions tous de
décrocher une vraie mission, moi y compris.

— Puisque nous n'avons jamais vu plus de trois ou
quatre EDT en un même lieu et puisque cette mission
s'annonce relativement simple, nous avons décidé de ne pas

débarquer en force pour ne pas compliquer la situation. L'agent Meyer père et l'agent Freeman dirigeront chacun une équipe de deux, annonça Marshall, ce qui fit grogner tout haut plusieurs recrues, cette fois.

Nous étions quatorze. Il y avait fort à parier que mon entorse au règlement allait m'éliminer, mais je serais loin d'être le seul.

Je me détendis un peu : aucune raison de paniquer puisque j'allais rester vissé sur un siège à compulser des données dans la salle de communications. Je m'appuyai contre le mur et Kendrick en fit autant.

– Voyons les choses du bon côté, me souffla-t-elle. J'ai vu que tu avais une guitare dans ta chambre. Tu pourras me jouer la sérénade pendant que je ferai de la saisie de données.

Je levai les yeux au ciel, mais mis un point d'honneur à sourire, puisque visiblement elle essayait juste d'être sympa.

– L'agent Freeman prendra Stewart et Parker, décréta Marshall en balayant le groupe du regard.

Encore des grognements.

– Ne vaudrait-il pas mieux que j'y aille avec ma partenaire ? intervint Mason. N'y a-t-il pas un risque d'utilisation d'explosifs ? J'ai les meilleures notes en déminage…

– Pas cette fois-ci, trancha Papa.

Mason rougit sous ses taches de rousseur, mais ne s'avoua pas vaincu.

– Et imaginons que…

– C'est comme ça, Mason, l'interrompit Papa plus fermement pour clore le sujet.

– L'agent Meyer père emmènera l'agent Kendrick...

Marshall se tourna vers ma partenaire, qui se redressa sur son siège et manqua se décrocher la mâchoire.

– Ainsi que l'autre agent Meyer.

Je crus que mon cœur allait sortir de ma poitrine tant il battait fort. *Encore heureux qu'on ne soit plus attachés sur notre fauteuil de torture...* Je me tournai vers Papa, qui évita mon regard et conserva une expression impassible.

– Les autres, vous restez ici pour assurer la surveillance de routine et suivre l'avancement de la mission.

Grognements plus sonores. La décision finale ayant été prise, aucune des recrues n'avait plus rien à perdre. Quant à moi, je retenais mon souffle. Kendrick, elle, essuyait ses mains moites sur son pantalon. Parker et Stewart avaient l'air confiants et enthousiastes. Tout le contraire de l'équipe Meyer. *Pauvre Papa !*

– Allez vous changer, dit-il aux quatre heureux élus. Mettez une tenue de touriste typique. Vous avez trois minutes.

Le grand jour, enfin ! Terminé, les fausses missions d'entraînement des trois derniers mois. Restait une question : pourquoi Marshall nous avait-il choisis, Kendrick et moi, plutôt que d'autres aux capacités plus pointues ? Il avait forcément une raison très précise, mais j'ignorais laquelle.

Si j'avais appris une chose au cours de mes trois mois de formation, c'est que toute tâche ou mission impliquait une certaine part de mise à l'épreuve psychologique. Se méfier de tout et de tout le monde.

Kendrick et moi contemplions le magnifique château illuminé pour les touristes noctambules.

– C'est mon premier séjour à Heidelberg, et évidemment il faut que ce soit pour le boulot, se plaignit-elle.

Je déambulai avec Kendrick jusqu'à ce que nous soyons postés de part et d'autre de Papa. J'aperçus Freeman qui entraînait son équipe de l'autre côté du château.

– La chancelière et sa famille seront là dans vingt minutes, nous informa Papa. Ils vont partir de l'angle nord-est et progresser vers l'ouest. Pas d'armes à feu, sauf en cas d'absolue nécessité. Nous devons passer totalement inaperçus, compris ?

– Oui.

– Parfait, alors, rejoignez vos positions et ne bougez pas d'un poil sans mon ordre direct, compris ? répéta Papa en me regardant droit dans les yeux en guise d'avertissement.

– Il préférerait que tu ne sois pas là, devina Kendrick.

– Oui, j'ai bien vu. Marshall a sans doute choisi de lui faire payer notre escapade. Et il sait que tous les agents restés au QG vont m'en vouloir à mort d'avoir été choisi.

Après avoir acheté nos billets, j'entraînai tranquillement Kendrick jusqu'au point prévu.

L'aspect le plus pénible de nos missions, c'est qu'on ne pouvait pas simplement contacter la chancelière et lui déconseiller ce déplacement, parce que, dans ce cas, les EDT ne viendraient pas non plus. Nous ne saurions plus où les trouver, et eux fomenteraient à notre insu une autre attaque contre la même personne. Mieux valait les laisser se rapprocher du but et les coincer à ce moment-là. Mais c'était évidemment plus risqué.

Adossés aux remparts, nous attendions, immobiles, haletants, sous une petite bruine. Freeman signala à toute l'équipe l'arrivée de la chancelière et de son entourage. Quelques minutes plus tard, ils passèrent devant nous. Huit sujets en tout. Et nous n'étions que six pour assurer leur protection.

Kendrick tendit la main, sur laquelle la pluie tombait plus dru.

– Je crois qu'ils sont là, déclara-t-elle.

– Les EDT ? Comment tu le sais ?

– La pluie, répondit-elle, les yeux rivés sur le ciel.

Puis elle baissa vivement la tête, l'air penaud, avant de détourner le regard en laissant échapper un « merde ». Je me souvins alors de la brusque tempête qui nous avait surpris sur le bateau, Papa, Holly, Adam et moi, avant que je quitte l'autre ligne temporelle.

– Attends une seconde, dis-je en lui attrapant le bras. Qu'est-ce que tu racontes sur la pluie ? C'est un truc que tu as appris dans tes cours de spécialité ?

– Jackson, s'il te plaît, ne...

– Laisse tomber, l'interrompis-je. Ne me dis rien.

*J'essaierai de comprendre plus tard, quand j'aurai le temps d'y réfléchir.* Il y avait forcément une raison pour laquelle ils essayaient de me cacher ça.

J'entendis alors Stewart crier en français dans mon oreillette. Je perçus une légère panique dans sa voix.

– Qu'est-ce qu'elle a dit ? demandai-je à Kendrick.

– Il y a une bombe dans le coin nord… Un truc qu'elle n'a jamais vu avant.

Je croisai son regard et je sus que nous étions au pied du mur. Papa ne pouvait plus nous laisser plantés là. Justement, il accourut et, sans même s'arrêter, nous parla par-dessus son épaule.

– Allez-y !

Pas besoin de me le dire deux fois. La pluie tombait maintenant à verse alors que nous courions le long des chemins de ronde.

– Ils auraient mieux fait de prendre Mason, du coup ! lança Kendrick.

– Tu as réussi à percer le secret du fauteuil de torture, alors tu sauras très bien désamorcer une bombe.

Stewart apparut, qui courait vers nous.

– Mais qu'est-ce que tu fous ? lui criai-je. Qui s'occupe de la bombe ?

– Personne, j'ai suivi les…, commença-t-elle, l'air apeuré.

Freeman, Papa et Parker nous rejoignirent.

– Qui surveille la bombe ? demanda aussitôt Freeman.

– J'ai suivi la procédure. J'ai attendu une minute trente, mais personne n'est arrivé. Ce putain de truc est totalement zarbi !

Papa leva la main pour la calmer et inspecta les alentours.

– Bon, Kendrick, allez-y avec Stewart et appelez Mason au téléphone si besoin… Jackson et moi, on va côté ouest. Freeman et Parker, vous ne lâchez pas la chancelière.

Voir mon père en pleine action était à la fois une découverte et un soulagement. Un vrai meneur d'hommes.

– Comment cette bombe a pu arriver là ? demandai-je. Il y a bien une équipe qui a tout passé au crible il y a une heure, non ?

– La bombe n'était pas là il y a une heure, répondit une voix familière derrière nous.

Notre groupe de six se retourna d'un bloc vers le grand mur de brique tout en dégainant. Je faillis lâcher mon arme en découvrant à travers la pluie Thomas et huit acolytes, dont une femme rousse à sa droite.

– Cassidy ! marmonnai-je.

Papa me jeta un coup d'œil furtif, puis se rapprocha de moi. J'aurais voulu pouvoir regarder cette femme et ne rien éprouver, ne pas me sentir lié à elle, parce que je devinais que c'était ce qu'il souhaitait. Mais elle ressemblait tant à Courtney que la neutralité n'était pas évidente.

– Pourquoi sont-ils si nombreux ? demandai-je à Kendrick, qui secoua la tête, les mains crispées sur son arme. Ils ne sont même pas tous dans notre fichier…

– Jackson, content de te revoir ! me salua Thomas. J'espérais que ce ne serait pas dans ces conditions, mais… il est toujours fascinant de voir comment évolue le fils unique de l'agent Meyer.

Il avait légèrement accentué les mots « fils unique », détail que seuls Papa et moi pouvions relever.

– Vous êtes venus en force, dites donc ! commenta Freeman.

Il regarda ensuite derrière nous, où je découvris la chancelière et son entourage, conscients de la menace qui pesait sur eux mais hésitants quant à l'attitude à adopter. C'est alors que la foudre s'abattit sur un arbre tout proche, et le bruit lourd d'une grosse branche tombant sur le château détourna notre attention.

Mon cœur battait à tout rompre et j'avais du mal à respirer, sachant que nous étions en infériorité numérique et que l'affaire s'annonçait bien plus sérieuse que le chef Marshall ne l'avait prévu.

Thomas leva les mains et s'avança vers nous.

– Nous comprenons bien pourquoi vous êtes là, commença-t-il. Et je le dis avec le plus grand respect pour votre dévouement, mais il faut que vous partiez et que vous laissiez les événements se dérouler. Le futur n'en sera que meilleur pour tous, je vous le promets.

– Pourquoi ici ? Pourquoi elle ? demanda Papa en désignant la chancelière d'un signe de tête.

Sans voir le groupe derrière nous, je les entendais marmonner en allemand, notamment les deux gardes du corps qui avaient sorti leurs armes.

– Elle se trouve à l'origine d'un enchaînement complexe d'événements, et nous avons l'obligation morale d'y remédier pour façonner le monde à venir, expliqua Thomas avant de plonger son regard dans les yeux de Papa. C'est un ordre direct d'Eyewall.

Papa tressaillit, comme si cela signifiait quelque chose pour lui, alors que moi, je n'y comprenais rien. *Eyewall ?* Personne ne bougea, ce qui dut leur suffire comme réponse, car la moitié des EDT disparut.

Kendrick poussa un petit cri. Je tournai la tête pour voir Cassidy derrière elle, qui l'étranglait avec son avant-bras. Je n'eus même pas besoin d'intervenir, car ma partenaire la propulsa au sol en deux temps trois mouvements et lui injecta dans le cou la substance que nous autres, ignorants en matière de médecine, appelions la « drogue anti-voyage dans le temps ». Cassidy ferma les yeux et Kendrick me jeta un regard affolé.

Thomas restait immobile face à nous, alors que ses sbires sautaient d'un endroit à un autre. La plupart ne seraient pas capables d'effectuer ces sauts de puce plus de deux ou trois fois avant que l'épuisement se fasse sentir – du moins, l'espérais-je.

Une trouée s'ouvrit dans leur ligne de défense, et j'en profitai pour me détacher du groupe et essayer d'aller dénicher la bombe. Kendrick me suivit, consciente que j'aurais besoin de son aide.

– Jackson ! hurla Papa.

Mais un EDT aux cheveux bruns surgit derrière lui, et Papa dut le projeter au sol. Stewart abandonna son assaillant et courut devant nous vers la tour où devait se trouver la bombe. Des cris fusèrent dans le groupe de la chancelière, dont Freeman et Parker s'escrimaient à couvrir tous les membres. Thomas suivit Stewart des yeux, et soudain il disparut. Allait-il la pourchasser ?

– Évacuation ! cria Freeman.

Je faillis les rejoindre, lui et Papa, mais, par-dessus l'épaule de Kendrick, je repérai une petite silhouette rousse qui courait vers la tour.

*Ça ne peut pas être elle... si ?*

– Fonce ! criai-je à Kendrick en la poussant en direction de la sortie, vers laquelle se dirigeaient Freeman et Papa.

Elle hésita, puis me lança un dernier regard avant de se mettre à courir. J'empruntai le long couloir au pas de course et montai deux étages. J'entendais Papa et Freeman m'appeler, mais je ne pouvais pas leur obéir. À la seconde où j'atteignis la tour, je la vis : Emily.

Je fus hélas ! distrait par l'apparition d'un autre EDT, un grand blond qui atterrit sur la marche devant moi et m'attaqua si vite que je m'écartai d'un bond sans réfléchir aux conséquences de ce mouvement. L'homme dégringola dans l'escalier jusqu'à un palier, où il resta étendu à regarder le ciel en gémissant.

Je descendis quatre à quatre et sortis une des seringues de mon kit de mission, espérant pouvoir la planter dans la zone adéquate. Imitant Kendrick, j'enfonçai l'aiguille dans la veine palpitante de son cou. L'homme poussa un râle, mi-gémissement, mi-rire et secoua la tête.

– Tu peux te battre comme ça tant que tu veux, Jackson, mais ça ne suffira jamais. Il faut que tu utilises tes capacités.

– Pourquoi ? Pour que je fasse péter la planète ? Ce n'est pas comme si je pouvais changer le cours des événements. Il n'y a qu'une personne qui en soit capable.

– Détrompe-toi, rétorqua-t-il en secouant vivement la tête. Il en existe d'autres comme Thomas, et il existe aussi d'autres façons de modifier l'avenir. Penses-y... Tu l'as déjà fait une fois.

Il ferma enfin les yeux. Mes tempes palpitaient si fort que j'eus du mal à réfléchir pendant quelques secondes.

Que voulait-il dire ? *Tu l'as déjà fait une fois.* Le compte à rebours virtuel de la bombe qui résonnait dans ma tête me ramena à la réalité, et je remontai à toutes jambes l'escalier vers la tour. La fillette était encore là. Il ne s'agissait assurément pas d'une illusion. Du haut de ses onze ans, elle s'affairait sur cet engin complexe et massif.

– Emily !

Je dus enjamber une branche cassée pour l'atteindre. Emily leva les yeux vers moi, puis se remit à désassembler la bombe avec des gestes vifs. Stewart avait raison : cet engin était étrange, tout en verre, avec des tubes et des fioles de liquides colorés qui coulaient dans tous les sens. Mason avait peut-être étudié ce genre de truc dans ses cours de spécialité en Technologies Futures, mais moi, je n'avais jamais rien vu de tel.

Emily se parlait à elle-même, et je voyais ses mains trembler à mesure que les tubes s'empilaient près d'elle quand elle les retirait du gros coffrage en verre. Enfin, elle s'accroupit, la main sur la poitrine.

– Ouf ! Vingt secondes de marge.

Je m'agenouillai face à elle et tendis la main vers un des tubes, où flottait un liquide bleu clair, mais elle me retint.

– Ne touche à rien, surtout.

– Que fais-tu ici ? Et comment tu as su désamorcer ce truc ?

Elle se releva et épousseta les genoux de son jean.

– On doit le détruire. Personne ne doit le voir. La technologie est trop… avancée.

– Et comment fait-on ? la pressai-je.

Puis je vis de loin une autre victime de l'orage, gisant au pied des marches : une grosse branche, comme celle que je venais d'enjamber pour m'approcher d'Emily, hérissée de rameaux et de feuilles d'un vert vif. Et tout au bout, clairement visibles, des braises. L'espoir d'un début d'incendie.

– Traîne celle-ci jusqu'à la bombe ! ordonnai-je à Emily. Et arrange-toi pour poser les feuilles au centre.

Après avoir dévalé l'escalier en sautant par-dessus le corps de l'EDT, j'attrapai précautionneusement l'autre grosse branche en la protégeant d'une main pour que le vent et la pluie n'éteignent pas les flammèches. Ce plan était sans doute une très mauvaise idée, et j'aurais peut-être mieux fait de remettre la bombe à Papa et à Freeman pour analyse, mais il fallait bien que j'accorde un minimum de confiance à Emily, qui devait tenir ses consignes d'un autre moi-même.

À la seconde où le feu se mit à crépiter, j'entraînai la fillette au bas de l'escalier pour l'emmener en sécurité de l'autre côté du château. Elle s'appuya contre un mur le temps de reprendre son souffle.

– Jackson, je ne sais pas ce qui se passe, mais les choses n'arrêtent pas de changer.

– Dans l'avenir ?

– Oui. Méfie-toi... quand tu sautes... Je crois que quelqu'un a déjà modifié certains événements depuis ton dernier voyage.

– Quels événements ?

Son visage trahit une certaine souffrance.

– Reste dans cette ligne temporelle-ci, d'accord ? Tu me le promets ? Quoi que tu puisses découvrir.

– Je vais essayer. Je te promets que je vais essayer.

– Je suis désolée de ne pas pouvoir t'en dire plus, mais il faut que je reparte.

Elle me fit un petit câlin, puis laissa retomber ses bras et disparut. Comme un mirage. J'entendis alors la voix de Papa dans mon oreillette.

– Jackson ! Mais tu es où, nom de Dieu ?

– Devant la tour ouest, Papa, répondis-je en parlant près de mon bracelet-montre.

– Nous pensons que la bombe n'est plus active. Apparemment, Thomas a décidé de mettre le feu à une aile entière du château.

*Une aile entière ?* Les dégâts n'avaient pas paru si étendus tout à l'heure. Mais, quand je regardai à l'autre extrémité, je vis en effet de la fumée noire s'élever vers le ciel. Il allait falloir beaucoup plus que cette pluie pour éteindre l'incendie.

– Quelle est notre nouvelle couverture ? On doit droguer les témoins ?

– On a déjà évacué la chancelière. Freeman emmène toute la délégation au poste de commandement n° 3. Avec un peu de chance, dans douze heures, ils auront tout oublié.

Je fis un tour complet sur moi-même pour contempler l'incendie et scruter les alentours. Aucune trace de Papa. En revanche, j'aperçus Thomas de dos, qui courait après Parker. Mon sang pulsa deux fois plus vite dans mes veines. Le désir de le tuer que j'avais éprouvé sous l'effet du gaz mnémonique me revint au galop. Je le revis balancer Holly du cinquième étage, mais je chassai cette image de ma tête. *Concentre-toi. Elle n'est pas ici.*

Je me lançai à sa poursuite, mais, alors que je me trouvais à un mètre de lui, il disparut.

– Et merde ! m'exclamai-je.

Je me retournai pour repérer d'autres EDT. Le vent redoubla et je pris l'épaisse fumée noire en pleine figure, ce qui me fit pleurer et tousser. J'allais battre en retraite quand la voix de Stewart résonna dans mon oreillette. Elle indiquait ses coordonnées et réclamait du renfort. Et bien sûr, elle était au beau milieu des flammes. *Mais pourquoi est-elle allée se fourrer là-dedans ?* Avait-elle reçu l'ordre d'aller récupérer la bombe ? Aucun de nous n'avait d'équipement anti-incendie.

Je me couvris le visage de mon polo et m'engouffrai dans la section en flammes. Je m'attendais à y trouver Thomas, mais je ne vis que Stewart, attachée à un poteau. *Quelqu'un l'a ficelée à un poteau avec une corde ?*

J'avais du mal à y voir en raison des flammes et de la fumée. La tête de Stewart oscillait de droite et de gauche, elle allait perdre connaissance. M'emparant du couteau suisse qu'elle tenait à la main, je me mis à sectionner la corde au même endroit qu'elle. Je pleurais abondamment et j'avais grand peine à respirer. Enfin, la corde tomba à terre, et je rattrapai Stewart avant qu'elle ne s'effondre, puis fonçai vers l'escalier le plus proche pour rejoindre le toit avec l'espoir qu'un hélicoptère soit en chemin.

Reconnaissons-le, j'étais bien content d'avoir à sauver Stewart et pas Kendrick, car, avec mes poumons sur le point d'exploser et trois étages à monter, dix centimètres et sept kilos de moins, ça changeait tout.

– Vous êtes où, bordel ? hurlai-je à Papa dans mon micro.

– On te voit. On arrive. L'hélico est en route.

*Alléluia !*

Une fois en haut de la dernière volée de marches, je déposai Stewart par terre avant de m'affaler près d'elle. Elle avait toujours les yeux fermés et continuait à tousser. Parker arriva le premier.

– Qu'est-ce qui s'est passé ? dit-il en s'accroupissant près de Stewart pour lui défaire les boutons de sa chemise.

– Elle a été retenue... littéralement... dans l'incendie, crachai-je entre deux quintes. Je ne sais pas combien de temps.

Des bruits de pas résonnèrent, et Papa et Kendrick apparurent bientôt. Parker et moi scrutions le ciel, où l'hélicoptère planait à proximité. Soudain, il vira et mit le cap sur nous. Papa me releva, les deux mains crispées sur le devant de mon polo.

– Ne me désobéis plus jamais, c'est compris ?

Il n'avait pas l'air en colère. Plutôt dans le même état que moi quand Holly 007 avait joué à l'acrobate sur le portique dans l'aire de jeux. Enfin, en pire...

– Je suis désolé, mentis-je.

Je ne pouvais pas lui en dire plus, puisque je n'avais jamais parlé à personne d'Emily, pas même à lui.

– Le feu a dû désactiver la bombe, cria Kendrick pour couvrir le bruit de l'hélicoptère en approche. Sinon, elle aurait déjà explosé.

À voir nos têtes, il était évident que nous pensions tous la même chose : *Qu'est-ce que c'était que ce bordel, et pourquoi Marshall nous a jetés dans la gueule du loup ce soir ?* Personne ne dit rien, mais la question silencieuse était sur toutes les lèvres.

Je relevai Stewart et l'installai sur un siège dans l'hélico, puis je me mis en quête d'un masque à oxygène. Sa tête retomba contre la vitre, et Kendrick me tendit un masque. Je l'enfilai sur le visage de Stewart, qui ouvrit à peine les yeux.

– C'est fini, tout va bien, la rassurai-je.

– On rentre au QG ! cria Papa au pilote. Demandez au docteur Melvin de nous attendre sur place.

Nous avions tous un besoin urgent de soins médicaux. Papa avait une coupure au front qui nécessiterait sans doute des points de suture, et Parker retirait sa chaussure pour révéler une cheville très enflée. Quant à moi, hormis quelques égratignures, j'étais indemne. Kendrick s'assit devant nous et nettoya la suie sur le visage de Stewart avec des lingettes.

– Elle ne respire pas trop mal, constata-t-elle.

Je décidai que c'était le moment de lui annoncer la nouvelle.

– Il faut recoudre ça, lui ordonnai-je en indiquant la plaie sanguinolente de Papa. C'est ta mission.

– Non, s'il te plaît ! me supplia-t-elle, paniquée. Tout sauf ça.

– Trop tard, ce qui est dit est dit.

– Je ne peux pas, s'excusa-t-elle en nous regardant l'un après l'autre. Je suis désolée, je ne peux vraiment pas.

– Mais si, ça ira. Enfin, ce n'est pas si terrible que ça ! la rassurai-je en regrettant déjà d'avoir choisi ce moment.

Elle secoua la tête et je crus voir des larmes dans ses yeux. Mais avec toute cette fumée, difficile d'en cerner la cause avec certitude.

L'hélicoptère décolla et vira à droite. L'incendie faisait rage malgré l'arrivée des pompiers. J'espérais qu'ils arriveraient à l'éteindre avant qu'il ne se propage aux arbres environnants. Contemplant l'étendue des dégâts, je me rappelai l'hôtel de la plage presque complètement détruit, et mon estomac se noua.

L'avenir que m'avait montré Emily, ce New York d'apocalypse, ne me paraissait plus si improbable. Mais qui avait provoqué ce désastre ? S'était-il produit avant le futur parfait que m'avait montré Thomas, ou bien s'agissait-il de deux lignes temporelles différentes ? Dans ce cas, je n'avais aucune idée de celle dans laquelle je vivais actuellement.

# CHAPITRE CINQ

Les nombreuses questions soulevées par la mission de Heidelberg m'occupèrent l'esprit durant tous les cours de la matinée. Même quand Stewart apparut à l'entraînement de tir du groupe de Protection Avancée vêtue d'une robe rouge très moulante... Remise de la veille et envoyée en mission le matin même, elle refusa de nous expliquer ce qui avait requis cet accoutrement. Bien évidemment, Freeman ne vit aucun inconvénient à la laisser débouler ainsi pendant la séance et battre à plate couture la bande de garçons. Sauf moi. J'étais plus précis qu'elle au tir sur cible, mais il arrivait que la détonation fasse resurgir le souvenir de Holly s'effondrant au sol, sa robe maculée de sang, et je me demandais si je serais un jour capable de tuer autre chose que du carton. Heureusement, personne ne le savait.

Stewart installa une silhouette en carton de mon côté du champ de tir, tandis que Freeman faisait faire à d'autres membres de mon groupe un exercice que je maîtrisais déjà.

– File-moi ton flingue, Junior.

Il me vint alors une idée et je lui tendis mon arme. Elle mit sa cible en joue et lui logea une balle dans le front.

– Joli ! la complimentai-je. Dommage que tu ne sois pas arrivée il y a vingt minutes... Freeman nous parlait d'Eyewall...

– Bien essayé, Junior ! s'esclaffa-t-elle. C'est mon groupe de spécialité qui étudie nos ennemis, pas le tien. Tes copains robotisés de la Protection Avancée ne pourraient même pas gérer ce genre d'informations si leur vie en dépendait.

Je pris note du fait qu'elle avait adressé son reproche à mes petits camarades, pas à moi. Était-ce volontaire ? Me trouvait-elle plus talentueux qu'eux ?

– Alors, tu sais de quoi parlait Thomas, toi ? insistai-je, n'ayant plus rien à perdre.

– Possible.

– C'est un autre nom donné aux EDT, ou c'est une autre unité de la CIA ?

– Laisse tomber, Junior. Tu connais les règles. Ne te mêle pas de ce que tu n'es pas censé savoir.

– Demain, nous retravaillerons cet exercice, mais avec quelques variantes, annonça Freeman après avoir rassemblé tout le monde. Vous devez tous savoir vous adapter à d'éventuels changements de plan lors d'une mission. Je suis sûr que vous avez lu les rapports sur Heidelberg. Il y a eu beaucoup d'imprévus et nous avons dû réagir au quart de tour.

– Qu'est-ce qui s'est passé là-bas, au juste ? intervint l'agent Miller. Nous autres, on était coincés ici à rien foutre.

– On aurait dû être sur le terrain, renchérit une autre recrue. Vous auriez pu tous y passer, s'il n'y avait pas eu cet incendie.

Freeman nous regarda les uns après les autres. Même Stewart baissa son arme et l'écouta attentivement quand il reprit la parole.

– Je ne crois pas que le chef s'attendait à...

– Pourquoi étaient-ils si nombreux ? l'interrompit l'agent Prescott. On n'a jamais vu plus de quatre voyageurs temporels lors d'une même attaque. Hier soir, ils étaient neuf.

Donc je n'étais pas le seul à me poser des questions.

– C'est vrai, reconnut Freeman, impassible, s'escrimant sans doute à trouver une réponse, ou plutôt un mensonge.

– Et comment sait-on qu'ils ne seront pas cinquante la prochaine fois ? demanda l'agent Miller. On est loin d'être aussi nombreux, dans notre unité.

Freeman laissa échapper un soupir et posa contre un arbre les silhouettes en carton qu'il portait sous le bras.

– Écoutez, ce groupe se spécialise en Protection Avancée exclusivement. Au-delà des infos de base qui ont été fournies à tous les agents, je ne peux pas divulguer les détails de cette mission, sauf si vous voulez qu'on décortique les techniques de close-combat ou de tir utilisées hier.

– Et l'engin explosif, alors ? Personne ne l'a pris en photo ? demanda l'agent Prescott.

Jamais nous n'avions ainsi bombardé Freeman de questions. La peur et la curiosité animaient tout le groupe.

– Prendre une photo pour que vous puissiez la regarder après n'était pas franchement une priorité, siffla Stewart.

– Va raconter ça aux mecs de Technologies Futures ! rétorqua Miller en la fusillant du regard. Le gaz d'hier, ça m'a suffi, dans le genre bizarre. J'aimerais bien savoir ce qu'on a en face de nous, qu'il s'agisse du nombre d'EDT ou de leurs armes, et je me contrefous de ce que vous avez le droit de nous dire ou pas.

Et vlan !

– Agent Miller, ça suffit ! tonna une voix.

Marshall. Bien sûr. Il trouvait toujours un moyen d'arriver au pire moment possible.

– Freeman, emmenez votre équipe en salle 6 et attendez-moi là-bas.

Freeman se raidit et secoua la tête d'un air consterné en nous regardant.

– On y va, ordonna-t-il. Et rangez vos armes, je vous prie.

– Tu vois, qu'est-ce que je t'avais dit ? jubila Stewart en lâchant son arme. Je savais que ça allait finir comme ça.

– Hé, je t'ai posé la question à toi, pas à Freeman ! Et ne me fais pas croire que tu ne t'interrogeais pas sur le nombre d'EDT qu'on a vus hier soir, toi aussi ! lançai-je avant de marquer une pause le temps de la dévisager. Ou alors, tu connais aussi la réponse à cette question-là ? Ça fait partie des Opérations Clandestines ?

– Non, lâcha-t-elle en me tournant le dos. Ça, c'est le domaine de compétences de Lily Kendrick, et je peux te garantir qu'elle sera un peu plus facile à manipuler que moi... T'as qu'à essayer de l'embrasser.

– Jolie robe, Stewart, commenta l'agent Parker alors que nous entrions dans la salle souterraine 6. Je te laisserai m'interroger si tu promets de porter le même truc.

Kendrick passa près de moi et observa la scène.

– Accroche-toi aux branches ! lui murmurai-je.

Sans même m'accorder un regard, elle les contourna et alla s'installer à l'autre bout de la pièce. À la voir claquer son cahier sur le bureau, j'en conclus qu'elle m'en voulait. Mais pourquoi ?

Je la suivis pour aller m'installer près d'elle, mais le chef Marshall entra en trombe dans la pièce. Papa, Freeman et le docteur Melvin l'accompagnaient. Les quatorze recrues s'assirent aussitôt pour ne pas envenimer la situation qu'elles avaient provoquée.

– Puisque vous ne pouvez pas vous empêcher de colporter des potins comme des collégiennes, j'ai réuni tout le groupe pour rétablir la vérité, commença Marshall.

Appuyé contre un mur dans un coin de la pièce, Papa me jeta un bref coup d'œil.

– Notre unité subit une attaque sérieuse, enchaîna Marshall. À dater de ce jour, l'entraînement est suspendu… jusqu'à nouvel ordre. Les informations récoltées pendant la mission d'hier soir ont confirmé ce que nous redoutions depuis un bon moment : le nombre d'Ennemis du Temps a beaucoup augmenté…

– Mais ce n'est pas à ça que vous vous prépariez, justement ? interrompit quelqu'un derrière moi. C'est bien pour ça que vous avez recruté tant de nouveaux agents ces deux dernières années, non ?

– Effectivement, acquiesça Marshall. Mais cela va bien au-delà de nos pires prévisions. Ils ont également constitué une armée dans le moment présent, une autre unité de la CIA dont le seul but est de nous traquer et de nous éliminer un par un.

J'en eus la nausée, mais la curiosité l'emporta et je ne pus m'empêcher d'intervenir.

– Attendez, ce groupe… comment dire… ils peuvent… ?

– Voyager dans le temps ? termina Marshall. Non, et, d'après les renseignements que nous avons pu réunir, Eyewall n'a même pas connaissance de l'existence des voyages dans le temps.

– Eyewall ? répéta Mason en même temps que moi, sauf que lui enchaîna aussitôt. Mais… Thomas a dit qu'ils avaient un ordre direct d'Eyewall ? C'est une mission de voyage dans le temps.

– En effet, agent Sterling. Eyewall existe toujours dans un futur très éloigné et crée notamment des substances comme le gaz mnémonique que nous avons utilisé sur vous. Mais l'unité Eyewall d'aujourd'hui n'a pas connaissance de ces évolutions futures. De fait, nous avons des raisons de croire qu'elle opère sur le principe que Tempest soutient des projets de recherche médicale et scientifique contraires à l'éthique.

– Qu'est-ce qui leur ferait croire ça ? demanda Kendrick.

– Dans l'année présente, il est bien difficile de convaincre un groupe d'agents de liquider un autre groupe d'agents simplement par noblesse d'âme, alors que nos conceptions actuelles de l'avenir sont surréalistes et abracadabrantes… et que le voyage dans le temps est à la fois un risque physique pour l'individu et un risque pour l'humanité. Donc avoir quelqu'un qui livre leurs batailles à notre époque rend la tâche des EDT bien plus facile.

– Alors c'est quoi, notre plan ? demanda l'agent Miller. Attaque ou défense ?

– Les deux. Le bal organisé par le sénateur Healy à New York la semaine prochaine est un événement international destiné à lever des fonds pour la recherche médicale, notamment contre le cancer. Il y aura des scientifiques et des politiciens du monde entier. Nous pensons qu'Eyewall y sera aussi et qu'ils nous y attendront.

*New York ? Il a bien dit New York ?*

– Vous partez tous cet après-midi. Vous aurez la semaine pour fouiller l'hôtel Plaza de fond en comble et identifier les agents d'Eyewall.

Marshall s'assit sur le bureau, et j'eus du mal à rester concentré tant mon cœur battait fort. *Je ne peux pas retourner là-bas.*

– Même si ce n'est pas comme ça qu'on fonctionne d'habitude, il est crucial que nous éliminions ces agents avant qu'ils ne nous débusquent.

Le silence s'abattit sur la pièce. Jamais nous n'avions reçu l'ordre de tuer. Tout ce qu'on nous avait appris, c'était à nous défendre contre les EDT en utilisant des drogues anti-voyage temporel. Nous devions ensuite les interroger pour leur soutirer des informations, ce qui nécessitait de les garder en vie. Cette nouvelle stratégie m'inspirait des sentiments plus que mitigés.

Et, surtout, je ne voulais pas retourner à New York.

– Avez-vous besoin de quelques agents pour rester ici et monter la garde ? intervins-je. Je veux bien me porter volontaire.

– Si j'en avais besoin, je l'aurais demandé, agent Meyer, rétorqua Marshall en me fusillant du regard. Vous irez à New York avec le reste de votre équipe. L'agent Freeman commandera cette mission avec le chef adjoint...

– L'agent Freeman ? Et pourquoi pas l'agent Meyer ? Et pourquoi pas vous ? demanda Mason.

Marshall jeta un coup d'œil à Papa puis se retourna vers nous.

– L'agent Meyer et moi avons une autre mission à remplir, donc nous ne serons pas du voyage à New York.

*Quoi ?*

– Il y a un chef adjoint ? s'étonna Stewart.

– Oui, et vous saurez de qui il s'agit en arrivant à New York, déclara Marshall.

À la seconde où il nous ordonna d'aller préparer nos bagages, je rejoignis Papa. Nous devions trouver une solution. Il fallait qu'il me laisse l'accompagner sur sa mission, ou bien qu'il trouve un moyen de venir à New York avec moi. Hélas ! Marshall s'interposa.

– Vous vouliez être un grand garçon et jouer à l'agent secret ? Vous y êtes. Papa ne peut pas vous suivre partout.

Je jetai un coup d'œil à mon père, dont le visage trahissait une rage que je ne lui avais jamais connue. Marshall testait notre engagement vis-à-vis de Tempest et nous punissait pour avoir fait le mur si souvent.

– Je voulais juste savoir où on allait séjourner.

– Chez vous, non ? rétorqua Marshall, l'air de se désintéresser de la question.

– Je préférerais éviter, monsieur, si c'est possible.

– Pas de problème. Nous avons un appartement sur le même palier que celui de l'agent Kendrick, répondit Marshall à ma grande surprise. Vous pouvez y passer la semaine.

Marshall appela Kendrick d'un geste de la main pour l'avertir de cet arrangement, puis il la regarda d'un air accusateur.

– J'ai cru comprendre que votre partenaire vous avait assigné une mission et que vous ne l'aviez pas accomplie. Est-ce exact ?

– Oui, reconnut-elle en baissant les yeux.

– Vous écopez de douze heures à recoudre des cadavres à la morgue, lâcha-t-il. Le docteur Melvin vous supervisera.

Kendrick blêmit, et aussitôt je m'en voulus à mort.

– Bien, monsieur, marmonna-t-elle en gardant les yeux baissés.

Dès que Marshall se fut éloigné, je tirai Kendrick par la manche.

– Tu as un appart à New York ? C'est là que tu habites ?

– Oui.

– Où ça ? Et pourquoi tu ne m'en as jamais parlé ?

– Parce que tu ne m'as jamais posé la question, soupira-t-elle. J'habite dans l'East Village.

– Dans l'East Village ?

– Ben oui, je suis en fac de médecine à l'université de New York, rétorqua-t-elle, agacée. Mais tu étais déjà au courant, non ?

En effet. Si elle se retrouvait à devoir recoudre des macchabées, c'est bien parce que Papa m'avait refilé ce tuyau. J'évitai d'en rajouter pour ne pas l'énerver encore plus.

Alors que je passais la porte, j'entendis Papa m'appeler. Je me retournai, mais le chef Marshall se trouvait entre nous, les bras croisés sur la poitrine. L'expression peinée de mon père m'angoissa un peu plus.

– Oui, Papa ?

– Fais attention à toi.

– T'inquiète.

Je sortis et rattrapai Kendrick, résolu à lui extorquer encore une réponse.

– Ça ne te pose pas de problème de retourner là où tu habites ? De risquer de croiser des gens que tu connais alors que tu es en train de faire des trucs d'agent secret ?

– Ce qui me pose surtout problème, c'est de survivre aux sept heures d'avion.

Elle ouvrit à la volée la porte de sa chambre et s'y engouffra, me laissant méditer sur le sens de cette déclaration.

# CHAPITRE SIX

Il me fallut attendre une heure et demie sur les sept heures de vol pour comprendre ce que Kendrick voulait dire. Franchement, je n'avais jamais vu quelqu'un souffrir autant du mal de l'air.

– Mais on a déjà pris l'hélico des dizaines de fois, lui rappelai-je. Qu'est-ce qu'il y a de différent ?

Elle enfonça la tête dans la poubelle que j'étais allé chiper aux toilettes quelques minutes plus tôt et vomit ce qui pouvait rester dans son estomac.

– Je vais bien pendant une heure, et après, ça donne ça.

Je hélai le docteur Melvin malgré les protestations de Kendrick, qui s'essuya le visage avec un mouchoir en papier et s'appuya contre le dossier de son siège en fermant les yeux.

– Il faut lui donner quelque chose, dis-je à Melvin. Ça fait deux heures qu'elle vomit non-stop. Ça a commencé au bout d'une heure et demie de vol.

– Je peux l'assommer avec un antinauséeux.

– À la seconde où je serai inconsciente, un de ces enfoirés de voyageurs temporels va débarquer dans cet avion pour me tuer, protesta vigoureusement Kendrick.

– Vous avez déjà vu un rapport sur une attaque d'EDT à bord d'un avion en plein vol ? demandai-je à Melvin.

– Jamais, agent Meyer, répondit-il en s'efforçant de ne pas rire.

– Il y a un début à tout, insista Kendrick avant de se pencher de nouveau au-dessus de la poubelle.

Je fis un signe de tête à Melvin, qui alla chercher une seringue et la lui planta dans le bras. Les paupières de Kendrick se fermèrent presque aussitôt. Je quittai mon siège et relevai l'accoudoir pour qu'elle puisse s'étendre. Melvin posa sur elle une couverture et sourit.

– Elle n'aura sans doute jamais aussi bien dormi depuis plus d'un mois.

J'avançai le long de l'allée et pris le dernier siège libre, à côté de Stewart. Puis je fermai les yeux, sachant pourtant très bien que je n'arriverais pas à dormir. Depuis combien de temps n'avais-je pas eu de sommeil réparateur, comme Kendrick ? Visiblement, mon corps s'était entraîné à survivre avec très peu de vrai repos.

– Jackson ? Réveille-toi, me dit Stewart en me secouant par l'épaule. On arrive dans cinq minutes.

*Elle m'a appelé Jackson et pas Junior ?*

Je me frottai les yeux et m'étirai.

– Ça alors, j'en reviens pas d'avoir dormi. Il y a eu une visite d'EDT ?

– Ouais, ils étaient une dizaine, plaisanta Stewart en refermant sa tablette. On avait la flemme de se lever, alors on a envoyé le docteur Melvin s'en occuper.

J'éclatai de rire, puis j'étouffai un bâillement.

Derrière le hublot, New York nous apparaissait de plus en plus nettement tandis que nous approchions du sol.

– Tu es content de rentrer chez toi ? demanda-t-elle.

– Pas vraiment.

Elle croisa mon regard, l'air déroutée. Pourquoi ne voudrais-je pas retrouver ma confortable petite vie ?

– Et toi ? C'est quoi, ta couverture new-yorkaise ? Tu as bien passé deux ans ici, non ?

– Il se trouve que je viens du même quartier que toi, répondit-elle avec un sourire malicieux. Enfin, pas pour de vrai, mais ça m'a servi de couverture à l'occasion. L'enfant gâtée d'un Irlandais. J'ai un appart dans l'Upper East Side, à quelques immeubles du tien. Et cette petite mission test que j'ai accomplie hier m'a valu une voiture très rapide.

*Elle n'a pas la peau un peu foncée pour une Irlandaise ?*

– Génial, marmonnai-je.

*Alors moi, mon père se fait envoyer je ne sais où, et Stewart, elle, elle gagne une voiture !* J'allais sans doute devoir supporter son accent irlandais pour le restant de la semaine.

Kendrick était toujours inconsciente au moment de l'atterrissage, et Melvin nous prévint qu'elle resterait dans les vapes encore une ou deux heures. Elle fut transportée à l'arrière d'une voiture et dormit pendant tout le trajet depuis l'aéroport jusqu'à chez elle. Durant ces vingt minutes de parcours à travers New York, je gardai tous mes sens en éveil et je ressentis une étrange impression de liberté, mais pas forcément rassurante. Plutôt comme si je n'avais plus la moindre protection.

Quand le chauffeur déposa nos bagages devant l'entrée de l'immeuble, je n'avais toujours pas réussi à réveiller Kendrick. Je dus l'extraire du véhicule et la jeter sur mon épaule, laissant sa tête bringuebaler dans mon dos. Une fois devant la porte de son appartement, je cherchai ses clés dans son sac, et c'est alors que je perçus un bruit à l'intérieur.

Mon cœur s'emballa. Je passai aussitôt en mode agent et sortis mon arme, tout en gardant un bras serré autour des jambes de Kendrick. Je tournai doucement la poignée et j'entendis quelqu'un marcher dans l'appartement.

– On ne bouge plus ! hurlai-je.

Alors que je pointais mon arme en direction de la cuisine, un grand blond déboula dans le salon en brandissant un long couteau.

– Lâchez ça tout de suite ! ordonnai-je en levant mon arme, le doigt sur la détente.

– Oh ! bon sang ! s'écria le type, les yeux exorbités. OK... euh... posez-la par terre et je vous donne mon portefeuille... tout ce que vous voudrez.

Au son de la panique dans sa voix, je baissai mon arme. Je remarquai alors qu'il portait un tablier rose et sentis des effluves de tomates et d'oignons qui mijotaient dans la cuisine.

– Hum, désolé. J'ai dû me tromper d'appartement.

– Attendez ! C'est bien chez Lily, ici. Je suis Michael.

– Michael ?

– Son fiancé.

*Fiancé ? Comme dans futur mariage ? Kendrick va se marier ?* Et avec un type qui n'avait visiblement jamais suivi le moindre cours d'autodéfense de sa vie ? Dans le genre potins de collégiennes, voilà un scoop qui allait faire le buzz à Tempest !

Je rangeai mon arme et me décidai à jouer le jeu de l'histoire de couverture que Kendrick s'était inventée, au moins jusqu'à ce qu'elle se réveille et puisse me mettre au parfum.

– Désolé, je vous ai pris pour un cambrioleur...

J'allongeai Kendrick sur le canapé tandis que Michael posait son couteau sur la table basse.

– Lily, tu vas bien ? s'inquiéta-t-il en se penchant sur elle.

– Elle a été malade dans l'avion. Le médecin lui a refilé un truc pour qu'elle puisse dormir. On travaille ensemble, ajoutai-je en voyant qu'il me regardait toujours comme s'il craignait que je ne lui tire dessus.

– Tous les employés du CDC sont armés ?

CDC ? Comme dans Centers for Disease Control, l'agence américaine de veille sanitaire ? Je n'étais pas sûr de pouvoir jouer ce rôle. *Pourvu que Michael en sache aussi peu sur le CDC que sur l'autodéfense.*

– C'est la nouvelle procédure standard, mentis-je.

Son visage se détendit, puis il sauta sur ses pieds.

– Je vais aller chercher vos bagages. Vous devez être épuisé de l'avoir portée dans l'escalier.

Je laissai Michael s'occuper des valises et en profitai pour essayer une nouvelle fois de réveiller Kendrick, qui bougea un peu et finit par ouvrir les yeux.

– On est déjà arrivés ?

– Oui, tu es chez toi.

Je l'aidai à s'asseoir. C'est alors que je découvris la décoration de la pièce. Partout du rose et des motifs fleuris.

Des livres sur les préparatifs du mariage jonchaient la table basse. Une vraie bonbonnière. Tout sauf l'appartement d'un agent secret.

*Bonne couverture, il faut croire.*

– Et j'ai eu le plaisir de rencontrer ton fiancé.

– Oh ! merde…, gémit-elle en se massant les tempes.

– Tu n'aurais pas pu me prévenir ? Je lui ai collé un flingue sous le nez ! J'ai cru que c'était un agent d'Eyewall ou un EDT.

– C'est pas vrai ! Dis-moi que tu plaisantes.

Je secouai la tête au moment où Michael revenait, chargé de deux valises.

– Ah, Lily ! Tu es réveillée !

Elle sauta du canapé et bondit pratiquement par-dessus la table basse pour se jeter dans ses bras.

– Euh, bon, ben… je vais aller découvrir mon appartement, intervins-je en contournant le couple enlacé.

– Attends, tu vas bien rester à dîner ! protesta Michael. Tu mérites un bon repas après avoir supporté Lily pendant des semaines.

– Ça me ferait plaisir, Jackson, insista Kendrick en arquant un sourcil.

Ce dîner était-il un moyen d'acheter mon silence sur cette histoire de fiancé ? Il me faudrait sans doute le découvrir.

– Bon, d'accord, si vous insistez.


– C'est le meilleur coq au vin que j'aie jamais mangé, complimentai-je Michael.

– Michael fait une école de cuisine, m'apprit Kendrick. Il a presque terminé, et il a déjà des tonnes de propositions dans certains des meilleurs restaurants de New York.

Ainsi donc, Lily Kendrick, agent au cuir tanné de la CIA, allait épouser un chef. Ce scoop devenait de plus en plus juteux.

– Et c'est parfaitement mérité.

Michael me sourit et remplit mon verre de vin.

– Alors, comment tu t'es retrouvé à bosser pour le CDC et à faire médecine ? Tu m'as plutôt l'air de sortir à peine du lycée.

Je m'essuyai avec ma serviette, histoire de gagner un peu de temps pour réfléchir.

– Je ne suis pas vraiment étudiant en médecine, commençai-je.

Kendrick toussa dans sa serviette, mais je l'ignorai. Il m'était impossible de me faire passer pour un futur médecin. Cela dépassait tout bonnement mes compétences.

– Je fais surtout de la saisie de données pour le CDC, des trucs de base niveau stagiaire. Malheureusement, je ne suis pas un petit génie des sciences, comme certains... fis-je avec un regard appuyé vers Kendrick. Mon père bosse dans l'industrie pharmaceutique, donc, en fait, c'est lui qui m'a fait entrer au CDC. Tu sais comment ça marche.

– C'est une affaire de famille, alors, commenta Michael. Moi c'est pareil : mes parents ont un restaurant dans le New Jersey. Enfin, rien d'extraordinaire, mais je passais mon temps à créer des nouveaux plats et des fois, ils les mettaient même au menu.

Michael était un grand maigrichon sympathique qui n'aurait sans doute pas su quoi faire avec le couteau dont il m'avait menacé plus tôt, hormis émincer des oignons. Comment avait-il croisé le chemin d'un agent de la CIA et l'avait-il séduite ?

Après le repas, Kendrick me raccompagna à la porte tandis que Michael débarrassait.

– Merci d'avoir… joué le jeu, me dit-elle. J'aurais dû te prévenir, mais c'est juste que…

– C'est notre job, c'est ça ? De mentir aux civils ?

*D'oublier qui nous sommes et qui nous avons été.* J'ouvris la porte et regardai dans le couloir.

– Tu sais où est ton appart ? s'inquiéta-t-elle.

– Eh bien, tu es au 20 B et moi au 20 F. Je devrais pouvoir trouver.

Je n'eus qu'une dizaine de mètres à parcourir pour arriver chez moi. Je sortis la clé que m'avait remise Marshall et ouvris la porte, puis la refermai derrière moi. L'odeur de poussière et de moisi me sauta au nez.

– Il y a un macchabée, ici, c'est pas possible ! grommelai-je.

– Il faut juste faire un peu le ménage, dit une voix derrière moi.

Je pivotai sur moi-même en pointant mon arme vers un coin du studio, où je distinguais vaguement une silhouette masculine.

– Du calme, Jackson. Je suis juste là pour vous transmettre un message de votre patron.

– Quel est le code d'authentification ? demandai-je, selon le protocole standard.

Il récita à la perfection les mots de code de la semaine avant de faire un pas dans ma direction. À la lueur des phares d'une voiture qui passait dans la rue, j'entraperçus son visage. Je baissai mon arme et cherchai à tâtons l'interrupteur, qui se trouvait sur le mur près de la porte d'entrée. Une unique lampe s'alluma. Un vieil homme aux cheveux gris me souriait.

– Sénateur Healy ?

– Ah, vous m'avez reconnu, alors !

*Peut-être parce qu'on a prévu de s'inviter à votre soirée la semaine prochaine...*

– Oui, je vous ai vu à la télé et dans le journal, balbutiai-je. Que... qu'est-ce que vous faites là ?

*Et comment connaissez-vous nos codes d'authentification top secret ?*

– Ces mois d'entraînement vous ont un peu mis sur les nerfs. Il va falloir vous détendre et réintégrer le monde réel.

Il ôta son veston et le jeta sur son bras.

– Je sais tout sur vous, Jackson. Pas de secrets entre nous, compris ?

*Qu'est-ce que tu crois ? Je ne suis plus un gamin de cinq ans, mon pote.*

– Mais bien sûr.

Il eut un sourire narquois, comme s'il lisait mes pensées.

– Vous n'avez pas idée de ce que ça me réjouit de vous voir atteindre ce potentiel incroyable.

– Vous disiez avoir un message pour moi ?

– Juste quelques petites choses que le chef Marshall ne pouvait pas vous dire à proximité des autres. Au passage, vous avez fait du très bon boulot à Heidelberg. J'ai entendu dire que l'agent Stewart commence à vous apprécier.

– Je ne formulerais pas exactement la chose comme ça. *Ce n'est quand même pas lui, le chef adjoint, si ?*

Il passa dans la kitchenette et fit courir un doigt sur le comptoir.

– Nous voudrions que vous cultiviez cette relation. Devenez son ami. Et éventuellement, allez plus loin si ça vous chante.

– Euh... vous êtes en train de me dire que le chef Marshall veut que je sorte avec l'agent Stewart ?

– Faites comme vous pourrez, on comprendra. *Visiblement, il l'a déjà rencontrée.*

– Autre chose, monsieur ?

– Oui, répondit-il en me regardant d'un air soudain grave. Lily Kendrick est d'une importance vitale pour ce projet, pour cette unité, et il n'est pas question qu'elle soit... distraite.

– C'est un excellent agent. Je ne crois pas que vous ayez à vous inquiéter de quoi que ce soit.

Je la défendais d'un ton assuré, mais j'avais le sentiment que nous n'étions pas sur la même longueur d'onde.

– Parfait, mais n'oubliez pas que vous aussi, vous êtes un excellent agent, encore plus doué que les autres. Quelles que soient les missions qu'on va vous confier, ne perdez pas de vue qui vous êtes. Et surtout, n'oubliez pas ce que vous êtes capable de faire. J'ai le sentiment que vous êtes encore très loin d'avoir exploré tout ce potentiel.

Était-il en train de me dire de ne pas arrêter les voyages dans le temps ? Ça y ressemblait, alors que Marshall m'avait interdit de faire le moindre saut sans son autorisation.

– Mais pourquoi, si je n'en ai pas besoin ? Ce n'est pas risqué ?

– Si, reconnut-il. Vous ne pouvez plus vous permettre de faire n'importe quoi, mais je peux vous garantir que vous allez vous retrouver dans des situations où ce sera le bon choix. Vous voyez sans doute de quoi je veux parler ?

Était-ce sa façon d'essayer de découvrir si j'avais déjà voyagé dans le futur ? Peut-être savait-il certaines choses sur son avenir et voulait-il s'assurer que je sauverais sa peau en effectuant un saut dans le temps si nécessaire.

Il se dirigeait déjà vers la porte alors que je m'efforçais encore de digérer tout ça.

– Ne vous inquiétez pas pour Kendrick, on s'en occupera, lança-t-il. Concentrez-vous plutôt sur Stewart.

Je posai la main sur la porte pour l'empêcher de sortir.

– Attendez, qu'allez-vous faire à Kendrick ?

– Ne vous inquiétez pas. Je vous l'ai déjà dit, Lily est très importante pour notre unité. Et sa sécurité aussi.

J'ôtai ma main et il ouvrit la porte aussitôt.

– Nous allons nous revoir bientôt, poursuivit-il. Vous serez un invité de marque à ma soirée.

– Un invité ? m'étonnai-je.

J'avais cru y aller en mission, vêtu d'une combinaison noire, tapi dans les ombres de la salle de bal du Plaza.

– Vous allez assister à cette soirée en tant qu'invité représentant l'entreprise de votre père... en son absence, évidemment, dit-il avant de sortir.

Je refermai à clé et parcourus des yeux ce studio qui sentait la mort. L'appartement de Kendrick comptait deux chambres, et il y avait des meubles. Ici, rien, à part un lit escamotable. Pas étonnant que Marshall ait si promptement répondu à ma demande de logement. J'aurais pu rentrer à la maison, mais alors il aurait gagné ce petit jeu auquel je ne savais pas que nous jouions.

Je tirai sur le bois du lit pour l'ouvrir et, après un coup d'œil au matelas couvert de moisissures et puant la pisse de chat, je le refermai aussitôt. Je jetai mon sac à dos sur le plancher et posai la tête dessus. J'aurais voulu appeler mon père pour lui parler de ma rencontre avec le sénateur Healy, mais je savais qu'il était déjà parti en mission avec Marshall.

Je passai plus d'une heure à me tourner et me retourner par terre en repensant à toutes les insinuations du sénateur. Pourquoi avait-il mentionné Stewart ? Peut-être savait-il quelque chose sur le futur, un conflit entre nous qui allait provoquer un bouleversement majeur. Ça ne semblait pas si improbable...

Je n'avais jamais été si seul depuis des mois. Le rythme intensif de notre entraînement et le confinement dans nos chambres au QG souterrain m'avaient tant épuisé que je n'avais pas eu le temps de penser à autre chose. Je finis par m'obliger à dormir, parce que les pensées irrationnelles se multipliaient et qu'il fallait absolument que je reste sous contrôle. Toujours.

# CHAPITRE SEPT

– Beurk ! Ils t'ont refilé un de ces taudis, mon pauvre Jackson !

Je n'avais pas encore ouvert les yeux, mais le soleil brillait déjà à travers les fenêtres sans rideaux.

– Comment t'es entrée ? demandai-je à Kendrick.

Elle tendit la main pour m'aider à me relever et fronça le nez de dégoût.

– J'ai crocheté la serrure. Tu devrais investir dans un verrou plus costaud. Je n'arrive pas à croire que tu aies pu dormir ici.

– Je pense que Marshall a encore voulu me punir, dis-je en époussetant mes vêtements avant d'aller farfouiller dans ma valise. Tu n'aurais pas du savon, chez toi ?

– Allez viens. Et tu ferais mieux d'apporter ta valise, sinon les rats pourraient y squatter en ton absence.

Vingt minutes plus tard, je sortais de la douche en sentant un peu plus les fruits que je ne l'aurais souhaité, mais je préférais ça à une invasion de bactéries. Kendrick était dans la cuisine, occupée à briquer les plans de travail.

– Où est Michael ? lui demandai-je.

– Il est allé aider son père au restaurant.

– Pourquoi tu ne m'as pas dit que tu vivais avec quelqu'un ?

– Il n'habite pas vraiment ici. Son école est à New York, il faisait la navette depuis la maison de ses parents dans le New Jersey, alors il a couché ici plusieurs fois, et j'ai fini par lui dire de laisser ses affaires. Il n'y a pas de quoi en faire tout un plat, et de toute façon, je ne suis pas souvent là.

– Le chef Marshall est au courant, pour Michael ?

– Pas que je sache, dit-elle avec un regard méfiant. Je n'ai pas menti, ni rien... C'est juste que... je ne l'ai jamais mentionné.

– Alors c'est quoi, l'idée ? Tu vas demander une permission à Marshall pour pouvoir te marier ? Et tu crois qu'il va marcher ?

– Je n'en sais rien !

Elle jeta l'éponge dans l'évier et s'agrippa si fort au plan de travail que ses jointures blanchirent.

– De toute façon, ça n'a plus d'importance, s'emporta-t-elle. Tu vas aller lui dire, exactement comme tu lui as raconté que j'avais refusé de recoudre ton père dans l'hélico... et le truc sur la pluie, quand j'ai gaffé.

*Alors c'est pour ça qu'elle m'en voulait tant il y a deux jours.*

– Je n'ai rien dit à Marshall... Ça doit être quelqu'un d'autre.

Elle secoua la tête, l'air abattu.

– Qu'est-ce que tu veux, Jackson ? Qu'est-ce qui te fera tenir ta langue ?

– Que tu me donnes quelques réponses.

Je savais très peu de choses sur elle, ce qui ne m'avait pas trop dérangé jusque-là, mais, depuis la visite du sénateur Healy la veille au soir, je voulais découvrir pourquoi Kendrick était si importante.

– Avant la France, tu t'entraînais depuis combien de temps ?

– Depuis six mois avec Tempest. Surtout ici, à New York, et un peu à Washington l'an dernier pendant les vacances d'hiver. Je suis entrée à la CIA il y a deux ans. C'est là que je me suis installée à New York et que j'ai commencé la fac de médecine.

*Alors elle aussi, elle s'est engagée à dix-neuf ans.* Je pris une chaise et m'assis.

– Et tu habitais où, avant ?

– À Chicago. Ce sera tout ?

– Encore une dernière question, dis-je avant d'hésiter un instant. C'est la météo, c'est ça ? La météo est modifiée par les voyages dans le temps ?

Elle s'appuya contre le plan de travail et prit une profonde inspiration avant de hocher la tête.

– C'est comme ça qu'on suit leur piste, en repérant les perturbations. Réfléchis : Tempest, Eyewall...

– Tempest, ça veut dire tempête, OK. Quant à Eyewall...

– C'est le mur d'orages autour de l'œil du cyclone, là où se produisent les phénomènes les plus violents.

– Tempest se confronte à un ennemi plus fort que lui, résumai-je en ravalant ma peur.

– Espérons que non.

Pourquoi Papa et Marshall me cachaient-ils cette histoire de changements météorologiques ? Et si je voyageais dans le temps par accident ? Ne devrais-je pas être au courant, juste au cas où ? Ou Papa craignait-il que je ne me mette à analyser les conditions météo pour partir seul en mission suicide traquer les EDT ? Et peut-être Marshall redoutait-il que je ne les trouve et que je ne passe dans leur camp ?

– Bon, sans rancune ? demanda Kendrick.

– Oui, la rassurai-je en stockant ces informations pour plus tard.

Elle eut l'air soulagée et m'accorda même un sourire.

– Il nous reste quelques heures avant le rendez-vous au Plaza. Pour ce matin, je suggère un grand nettoyage de ton appart. Après, il faut que j'aille chercher des bouquins à la librairie de NYU. Et d'ailleurs, tu ferais peut-être bien d'acheter quelques trucs, toi aussi, pour que ton studio ressemble un peu plus à une piaule d'étudiant.

– Tu veux qu'on fasse le ménage ?

– Ce serait la première fois de ta vie, peut-être ?

– Toi aussi, tu vas me balancer tes blagues sur les gosses de riches, comme Stewart ? rétorquai-je en lui donnant une tape sur la tête avec une enveloppe qui traînait sur la table. Sache donc que j'ai une certaine expérience dans les arts ménagers.

– Ça, il faudra que je le voie pour le croire, me défia-t-elle en me lançant une paire de gants en caoutchouc.

Je me frottai les mains en inhalant l'odeur des livres neufs.

– C'est parti ! Qu'est-ce que je dois acheter pour relooker mon appartement d'emprunt en piaule d'étudiant ?

– Des manuels, une blouse blanche, des fiches cartonnées...

– Je me la joue étudiant en médecine ?

– Oui, ou terroriste poseur de bombes.

Après vingt bonnes minutes passées dans le magasin, j'avais réuni un gros paquet d'articles divers, que je posai sur le comptoir en tendant à la caissière ma carte de crédit.

– Tu ne penses pas que ça fera trop artificiel ? murmurai-je à Kendrick en russe pour tromper les oreilles indiscrètes. On n'est jamais là que pour une semaine...

Kendrick ouvrit la bouche pour répondre, mais je ne l'écoutai même pas, car je venais d'entendre une voix bien connue provenant de derrière un présentoir voisin. Une voix qui fit battre mon cœur.

*Holly... Ma Holly... Holly 009...*

– J'aime bien regarder la liste de lecture pour voir s'il y a des trucs intéressants.

– Voilà une manière originale de choisir un cours, commenta une voix masculine.

Je dus prendre appui sur le comptoir pour ne pas tomber. Que pouvait bien faire Holly Flynn dans la librairie de NYU en même temps que moi ?

*Elle ne me connaît pas. Ce n'est pas ma Holly. Ce n'est plus ma Holly.*

Il fallait juste que je me retienne de ne pas courir l'embrasser ou commettre un autre geste impulsif aussi débile. J'avais réussi à gérer en 2007, je pouvais recommencer. Je ne voulais pas la voir, pas maintenant, pas après m'être imposé trois mois de reprogrammation mentale. Cela étant, il serait très irresponsable de partir sans avoir au moins vérifié de mes propres yeux qu'elle allait bien.

– Je reviens tout de suite, avisai-je Kendrick, qui avait le nez plongé dans un livre de biochimie avancée.

Plus anxieux et mal à l'aise que face aux EDT à Heidelberg, je jetai un coup d'œil dans la travée où Holly se trouvait, à côté d'un vendeur. Je crus que mon cœur allait s'arrêter de battre. Je ne l'avais pas vue depuis des mois et les émotions étaient toujours aussi intenses. J'aurais voulu m'enfuir en courant, mais pas moyen. Je me retournai pour lui dissimuler mon visage. Peu après, quelqu'un me rentra dedans et une pile de livres tomba de l'étagère.

– Oh ! zut, je suis désolé, s'excusa le vendeur.

Je me penchai pour l'aider à ramasser les livres. Quelques secondes plus tard j'avais sous le nez les pieds de Holly et nous tendions le bras vers le même livre. Je savais ce qui allait se passer, et je ne fis rien pour l'empêcher.

Je m'en sentais incapable.

Elle leva les yeux vers moi et retira sa main de sur le livre pour en attraper un autre.

– Celui-là va sur l'étagère derrière toi.

J'ouvris la bouche pour répondre, mais aucun son n'en sortit, et je me doutais bien que ma façon de la dévisager devait paraître un peu étrange.

– Euh... d'accord.

Du coin de l'œil, je vis Kendrick s'approcher de nous, lestée d'un énorme sac.

– Tu es prêt, Jackson ?

Je me relevai lentement, et Holly en fit autant, avant de me tendre le livre en question. Je continuai de la dévisager. Et elle de même.

– Je te connais ? demanda-t-elle. J'ai l'impression de t'avoir déjà vu...

Un long silence suivit sa question, et finalement Kendrick agita la main devant mes yeux.

– Hou hou, Jackson Meyer, vous êtes là ?

*Je peux y arriver. Je dois m'en tenir à ma couverture. C'est simple.* Je passai en mode agent secret et endossai mon rôle.

– Je ne crois pas qu'on se connaisse, non.

– Oh, désolée, dit Holly en rougissant. C'est trop bizarre, parce qu'il y a un Jackson Meyer inscrit dans mon cours de Littérature contemporaine.

*Ah oui ? Et depuis quand elle suit des cours d'été ? Je ne me souviens pas qu'elle ait jamais fait ça.* Bien fait pour moi. Je n'aurais pas dû demander à Papa de ne pas me révéler trop de détails.

– C'est un nom relativement courant, intervint Kendrick.

– Ou alors, j'ai payé quelqu'un pour suivre ce cours à ma place et je viens de me griller, répondis-je avec un sourire que j'espérais convaincant.

Holly éclata de rire.

– Eh ben, tu devrais te faire rembourser, parce qu'il ne te ressemble pas du tout.

Elle jeta un coup d'œil vers la porte, où un type genre athlétique, cheveux bruns bouclés, sourit à sa vue. Mon cœur battit deux fois plus fort quand il s'approcha de nous, vint se poster derrière elle et lui posa un baiser sur la joue. J'enfonçai les mains dans mes poches pour ne pas serrer les poings.

*Qui c'est, ce mec ? Où est passé David ?*

– Je vais jeter un coup d'œil aux T-shirts, Hol, dit-il avant de s'éloigner de nouveau.

– C'est qui ? m'inquiétai-je à la manière d'un petit ami fou de jalousie.

Holly eut l'air perplexe un instant avant de sourire.

– Tu l'as déjà vu à la télé, c'est ça ?

– Brian Belmont ! s'exclama Kendrick avec un ton de midinette excitée que je ne lui connaissais pas. Le quarterback titulaire de UCLA !

Holly acquiesça d'un signe de tête, mais posa un doigt sur ses lèvres.

– Il n'a pas trop envie de parler foot, en ce moment. Il vient de subir une opération à l'épaule et il ne pourra pas jouer de la saison.

– Oui, j'en ai entendu parler, confirma Kendrick d'un air compatissant.

Elle dut mal interpréter mon expression stupéfaite, parce qu'elle me donna une bourrade avant d'ajouter :

– Je suis une fan absolue de football universitaire. Et t'as pas intérêt à te foutre de moi.

– Ah, mais oui, sa tête me revient ! m'exclamai-je en regardant Brian, planté devant un présentoir de T-shirts siglés NYU.

La vraie Holly 009 et moi l'avions croisé lors d'une fête déguisée dans le New Jersey. Il était venu avec David, et ils nous avaient surpris en train de nous bisouter sur un banc peu de temps après la rupture de David et Holly. Brian fréquentait le même lycée qu'elle, mais il avait un an de plus, comme moi.

*Et maintenant, elle sort avec lui ? Qu'est-ce qui a bien pu se passer ?*

– Viens lui dire bonjour, si tu veux, suggéra Holly à Kendrick. Il ne mord pas, ni rien.

Agacé, je leur emboîtai le pas. Je scrutai la silhouette de Holly pour y repérer quelque chose de familier, son sac, son porte-clé, bref, tout ce qui pourrait être elle. Parce que visiblement, elle avait un autre petit ami et un autre cursus scolaire.

– Coucou, Brian ! Apparemment, tu as des fans jusque sur la côte Est, annonça Holly en désignant Kendrick du doigt.

Brian raccrocha un T-shirt sur le portant et fit un demi-sourire à Kendrick.

– C'est vrai ? Je ne savais pas que les étudiants de NYU s'intéressaient à l'équipe de foot de UCLA.

– Je suis étudiante en médecine. On forme une race à part, rétorqua Kendrick.

– Eh bien, habitue-toi au nouveau titulaire, parce que je ne crois pas que je vais passer beaucoup de temps sur le terrain, cette saison, déclara Brian.

*Oh, quel dommage ! Pauvre Brian Belmont !*

– J'ai beaucoup potassé les protocoles de rééducation. Tu suis quel genre de programme ? demanda Kendrick.

Brian lui répondit en détail, mais je ne prêtai pas attention à leur conversation tant la vue de son bras autour de la taille de Holly m'obnubilait. Je dressai mentalement une liste de dix manières différentes et très douloureuses de lui faire retirer cette main.

*Pourquoi David ne me dérangeait pas alors que ce mec, si ?*

Parce que je savais qu'elle n'éprouvait pas de sentiments très profonds pour David, et que ce n'était pas un enfoiré. Ce mec-ci, je ne savais rien sur lui. C'était peut-être un salaud de première.

*Ta couverture... Tu es sous couverture...*

En outre, le but de la manœuvre était d'éviter ainsi à Holly de se faire balancer d'un toit par Thomas d'ici deux mois.

– C'est dingue que personne ne t'ait proposé cette opération, continuait Kendrick. La recherche a fait des progrès hallucinants. Il se trouve que je connais le chirurgien qui la pratique ici, à New York. Je pourrais sans doute t'obtenir une consultation gratuite.

*Non, ne l'aide pas ! Ou plutôt si, plus vite on le remet sur pied, plus vite il repartira pour Los Angeles.*

– Sérieux ? demanda Brian. Ce serait trop génial. J'étais sûr qu'il y avait un truc un peu extrême à tenter mais que personne ne voulait m'en parler.

– Super ! se réjouit Kendrick. Donne-moi ton numéro et je m'arrangerai pour qu'il te contacte.

J'attendis qu'ils échangent leurs numéros. Ma jalousie s'était estompée pour laisser place à une solitude comme je n'en avais jamais connu. Je remarquai à peine Kendrick, une minute plus tard, qui me tirait par la manche pour m'entraîner hors du magasin, dans la direction opposée à celle prise par les deux tourtereaux.

– C'était génial, non ? s'enthousiasma-t-elle.

– Super, marmonnai-je.

– Mais qu'est-ce qui te prend ? me reprocha-t-elle en s'arrêtant de marcher pour me faire face.

– J'ai faim, c'est tout. Tu retardes l'heure de mon goûter.

Elle leva les yeux au ciel.

– T'es inquiet parce que cette fille a rencontré un type qui porte le même nom que toi et que ta couverture est peut-être grillée ?

– Oui, c'est ça, mentis-je.

– On doit retrouver Freeman au Plaza dans une heure. Tu veux qu'on y aille en avance et qu'on se balade dans Central Park ?

– D'accord.

Ben tiens : une promenade évocatrice de multiples souvenirs, c'était exactement ce dont j'avais besoin ! Mais dans une semaine, je serais de retour en France, auprès de Papa, et je pourrais mettre tout ça de côté et me concentrer sur mon travail.

11 JUIN 2009
COORDONNÉES :
HÔTEL PLAZA, MANHATTAN

Cher Adam,

J'ai failli t'appeler, cet après-midi. Surtout pour me convaincre que tu es bien une personne réelle et que je ne suis pas en train d'écrire à un ami imaginaire.

Voir Holly m'a achevé. Littéralement. Et quatre heures de la surveillance la plus chiante de mon existence n'ont pas aidé à me changer les idées. Le seul truc intéressant de toute cette mission à New York, c'est que Freeman nous a montré les tunnels et stations de la CIA dans des souterrains sous l'hôtel. C'est comme un village, là-dessous. Il y a même un labo. Kendrick y a passé une heure avec le docteur Melvin.

Le clou de la journée, ça a été quand les quatorze recrues ont été amenées dans une salle de classe en sous-sol et que le sénateur Healy a fait son entrée. Disons juste que le choc que j'ai ressenti hier soir, c'était rien comparé à la réaction du groupe. Personne ne soupçonnait l'implication de Healy, et encore moins son statut de chef adjoint.

Papa n'a toujours pas répondu à mes textos, ce qui n'est pas très surprenant vu qu'il est en mission. Mais n'empêche, ça me stresse un peu. À tel point que je vais peut-être faire un truc idiot, ce soir, genre passer devant ta maison pour voir si tu y es. Je sais que Holly ne m'a pas reconnu, mais quelque chose me dit que toi, tu me reconnaîtras peut-être. Il n'y a aucune raison logique à cela, juste une intuition. Ou peut-être que j'ai juste envie d'y croire. J'ai vraiment besoin de m'occuper l'esprit ce soir, histoire de ne pas faire une connerie.

Jackson

– Je n'en reviens pas que le sénateur Healy fasse partie de Tempest ! Et qu'il remplace Marshall, c'est dément !

– Tu vas arrêter de nous le répéter en boucle ? lança Stewart à Kendrick.

Stewart, Mason, Kendrick et moi dînions dans un restaurant thaï proche du Plaza.

– Il y a plein de trucs qu'on ignore sur cette unité, intervins-je. On est vraiment tout en bas de l'échelle de l'information.

– Freeman a eu l'air aussi surpris que nous, remarqua Kendrick. Il était au courant, d'après vous ?

Silence général. Aucun d'entre nous n'avait de réponse à cette question, ou du moins n'avait envie d'en faire part aux autres.

– Le monde réel, ça craint, lança Mason pour changer de sujet. Je n'arrive pas à croire qu'on s'est trimballés jusqu'à New York pour se taper des inspections de locaux que n'importe quel agent un tant soit peu compétent du FBI aurait pu faire.

– Les agents du FBI sont loin d'être compétents, lâcha Stewart.

– Ils ne vont pas nous laisser nous encroûter trop longtemps, quand même ?

– J'espère que non, répondit Mason. L'agent Meyer doit bien se foutre de nous et de nos missions minables, lui qui est à fond dans une opération géniale.

La seule pensée de mon père face au danger suffit à affoler mon cœur. Où pouvait-il bien se trouver ?

– On devrait peut-être t'acheter un matelas neuf pour ton lit dégueu, suggéra Kendrick. Comme ça, on améliorerait la qualité de vie du prochain agent de la CIA qui utilisera cet appart. Enfin, je dis ça, mais je n'ai jamais vu personne sortir de cette piaule, avant. Michael m'a raconté qu'il avait peut-être...

– Michael ? l'interrompit Stewart d'un air intrigué et amusé.

Kendrick se rendit compte de sa gaffe, et elle me jeta un coup d'œil avant de pousser un soupir.

– Oui, Michael. Mon fiancé.

Je lâchai bruyamment mon couteau sur mon assiette. *Elle leur balance ça comme ça ? Après tout le binz qu'elle m'a fait ce matin ?*

– Quoi ? s'écrièrent en chœur Mason et Stewart.

– Oui, mon fiancé... Je vais me marier. Je ne sais pas trop quand... Sans doute quand on aura fini la formation et qu'on aura nos affectations définitives.

Les affectations définitives n'étaient pas monnaie courante à la CIA. La situation de Papa était très particulière, et même lui voyageait tout le temps. Dans quel monde d'illusions vivait donc Lily Kendrick ? Je l'avais toujours prise pour quelqu'un de réaliste.

– Eh bien, voilà autre chose ! commenta Stewart, l'air stupéfait. Enfin, si on continue à nous confier des missions aussi chiantes que celle-ci, on aura tout le temps qu'on voudra pour se marier et faire des mômes. Personnellement, je préférerais encore me flinguer, mais si ça te plaît, à toi...

– T'es vraiment trop conne. On ne te l'a jamais dit ?

Je dus me retenir d'éclater de rire, parce que Kendrick avait fait cette affirmation très sérieusement, comme si elle voulait apporter son aide à Stewart. Les yeux de Mason allaient de l'une à l'autre, mais Stewart se contenta de sourire et d'agiter la main.

– Je crois que tous les gens que je connais me l'ont dit au moins une fois, mais franchement je n'en ai rien à foutre. Au moins, je n'aurai pas de déceptions dans la vie.

Kendrick eut l'air un peu déstabilisée, mais je comprenais très bien ce que voulait dire Stewart.

Si Papa avait été là, il m'aurait dit de continuer à m'activer, de me trouver une distraction. Je jetai un coup d'œil à Stewart, qui secouait toujours la tête d'un air affligé, et je me levai soudain.

– Allez viens ! lui dis-je. On va prendre un verre au bar avant que vous ne sortiez la boîte à gifles, toutes les deux. On risquerait de tous se faire arrêter.

Avec un grognement, elle me suivit et s'installa près de moi sur un tabouret. Le barman nous lança un coup d'œil interrogateur. Je commandai deux bières, et il nous réclama aussitôt nos papiers. Même Stewart n'avait pas vingt et un ans, mais nous disposions chacun de dizaines de fausses pièces d'identité nous donnant entre seize et vingt-six ans.

– Qu'est-ce que tu mijotes, Junior ? me demanda Stewart.

– Rien. Je sauve Kendrick de tes griffes. C'est une fille sympa, toi non. Ça me semblait la chose à faire.

Je bus une gorgée en attendant que Stewart explose.

– La gentillesse ne sert à rien, dans ce métier, commenta-t-elle. Il faut bien que quelqu'un le lui fasse comprendre.

– Ce n'est pas elle qui s'est retrouvée saucissonnée à Heidelberg et qui a failli y laisser sa peau, rétorquai-je en arquant un sourcil.

Comme prévu, le visage de Stewart se tordit de rage.

– Ce n'est pas ma faute si Thomas s'est matérialisé juste devant moi et ensuite juste derrière. Tu crois peut-être que ça m'a fait plaisir que ce soit toi qui me sortes de ce pétrin ? Je suis sûre que tu aurais préféré sauver Kendrick.

Tout en décollant l'étiquette de ma bouteille, j'éclatai de rire, quand bien même Stewart était à deux doigts de me balancer un grand coup de pied dans les couilles.

– Quoi ?

Les yeux rivés sur ma bouteille, je continuai de rire.

– Rien, rien, répondis-je. Je me rappelle juste que, ce jour-là, je me suis estimé heureux que ce soit toi, parce que Kendrick aurait été beaucoup plus lourde à trimballer sur trois étages.

– Il y a au moins un avantage à être naine, dans ce métier, fit Stewart avec un demi-sourire.

– Tu veux autre chose ? demandai-je en désignant sa bouteille presque vide.

– Toutes ces calories après une journée passée le cul sur nos chaises, ça n'est pas très raisonnable, soupira-t-elle.

– Je te propose un marché, lançai-je en la voyant d'une humeur à peu près potable. On boit une autre bière, et demain matin on se fait un jogging de dix kilomètres, tous les deux.

Stewart me dévisagea pendant que nous attendions notre commande. Elle avait un air de défi, et pourtant elle hésita avant de reprendre la parole.

– Tu pourrais passer voir mon appart un jour... enfin, ce soir.

– D'accord, répondis-je, nous surprenant tous les deux.

Je ne savais pas trop ce qui m'avait poussé à accepter. Peut-être la demande du sénateur Healy que je passe plus de temps avec Stewart, ou bien la rencontre avec Holly et Brian.

J'avais besoin de me la sortir de la tête, et vite fait. Je devais me retenir d'appeler Adam ou, pis encore, de lui rendre visite.


– T'es sérieux ? Tu vas volontairement passer du temps en tête-à-tête avec Jenni Stewart ? De ton propre gré ? s'étonna Kendrick.

Après ma deuxième bière, elle m'avait entraîné de force dans les toilettes des dames, et il me fallut bien lui avouer que je ne comptais pas rentrer en métro avec elle ce soir.

– Allez, quoi, Jackson ! Si tu as un plan secret, je veux en être, me supplia-t-elle. Ou alors tu craques vraiment pour Stewart, et si c'est le cas, je vais tout faire pour t'en dissuader.

– Mais non, je ne craque pas pour elle ! m'agaçai-je.

– Alors pourquoi tu ne veux pas m'expliquer ?

Je ne pouvais pas répondre à cette question, donc je changeai rapidement de sujet.

– Pourquoi tu leur as raconté, pour Michael et toi ? Ce matin, tu étais prête à me soudoyer pour que je ne dise rien, et…

– Parce que je savais qu'ils ne me croiraient pas. Leur annoncer franco était la meilleure façon de m'en assurer, répondit-elle sans hésiter.

J'en restai scié. Il y avait sans doute une certaine logique dans cette réponse, mais je n'étais pas vraiment sûr de gober son histoire. Peut-être cela faisait-il aussi partie de son plan. Peut-être Michael prétendait-il seulement être chef et travaillait-il en fait pour Eyewall. *Qui peut le savoir ?*

# CHAPITRE HUIT

Dans l'appartement de Stewart, tout avait l'air flambant neuf et impersonnel. Je déambulai dans le salon en regardant des photos sans âme accrochées aux murs. Accoudée à la cheminée, Stewart m'observait. Quand je finis par me tourner vers elle, la vraie raison pour laquelle elle m'avait invité et pour laquelle j'avais accepté me frappa de plein fouet, comme si je ne m'étais pas autorisé à en prendre conscience jusqu'à cet instant précis.

Je ramassai un inhalateur qui traînait sur la table basse. C'était le seul objet personnel de toute la pièce.

– Je ne savais pas que tu faisais de l'asthme. Ce n'est pas dans ton dossier.

Elle s'approcha pour récupérer l'inhalateur et le fourrer dans son sac, toujours accroché en bandoulière à son épaule.

– C'est juste une lésion pulmonaire passagère due à l'inhalation de la fumée.

– Finalement, je suis arrivé un peu trop tard, en Allemagne ?

– En fait, c'est un peu pour ça que je t'ai invité ce soir, dit-elle en poussant un soupir exaspéré. Freeman m'a ordonné de ne pas suivre Thomas et je suis passée outre. C'est pour ça que je me suis retrouvée piégée. J'ai laissé Parker seul avec deux EDT.

– Freeman ne l'a pas mis dans le rapport, ça ! m'étonnai-je. Il a dit que tu t'étais retrouvée isolée parce qu'il n'avait pas entendu ton appel à cause des parasites dans son oreillette.

– Je sais ce qu'il a dit. J'ai lu le rapport un milliard de fois.

Il était rare que je puisse la regarder de si près et sans être trop énervé pour prêter attention aux détails. Je la trouvais un peu éteinte par rapport à la Jenni de 2007.

– Tu sais combien de fois j'ai désobéi à un ordre ? soulignai-je.

– Oui, je sais, et c'est pour ça que je t'en parle. Tu ne risques pas de cafter, vu que sinon, tu t'en prendrais plein la tronche. Je suis experte en chantage.

Elle était si proche de moi que je pouvais plonger dans son décolleté. Je levai les yeux pour éviter la tentation.

– Je ne cafterai pas, pas besoin de me menacer.

Ses changements d'humeur incessants m'épuisaient. Ce n'était pas pour faire plaisir à Healy que je voulais percer l'armure de Stewart : j'avais besoin de savoir s'il y avait une vraie personne, là-dessous. Je poussai un soupir las et m'éloignai d'elle.

– Je ne te comprends pas. Je sais bien que c'est le but recherché, mais t'es vraiment pénible à fréquenter.

Elle eut l'air surprise, l'espace d'un instant.

– Je ne suis pas si différente de toi. Réfléchis. Toi aussi, tu peux te montrer très impersonnel.

– Pourquoi tu m'as demandé de venir, Stewart ?

Elle passa les doigts sur le manteau de la cheminée comme si elle voulait vérifier qu'il n'y avait pas de poussière.

– Parker pense que je refoule mes sentiments pour toi, et maintenant Mason est de son avis, alors que ce n'est pas vrai. Je ne t'aime pas. Et des fois, je te déteste, même.

– Je n'ai jamais pensé que tu m'aimais, confirmai-je. Parker s'amuse à te faire chier.

– Donc on est au clair, là-dessus ?

– Oui, complètement.

Deux secondes plus tard, elle m'embrassait. Un vrai baiser. Je la repoussai aussitôt sans même réfléchir.

– Mais qu'est-ce que tu fais ?

– Tu ne m'aimes pas et je ne t'aime pas, dit-elle posément. Donc ça va parfaitement coller entre nous.

– Ne le prends pas personnellement, toi qui es si sensible, mais j'ai beaucoup de mal à nous imaginer tous les deux en train de faire quelque chose d'un tant soit peu romantique.

– Très bien, dit-elle lentement, l'air déstabilisée. Peut-être que c'est de ma faute. Toutes mes couvertures récentes étaient plutôt agressives. Je pourrais travailler sur quelque chose de plus séduisant.

Je secouai aussitôt la tête. La dernière chose dont j'avais besoin, c'était d'une Stewart séductrice qui me manipulerait. J'étais prêt à prendre la porte. Tout cela avait été une grosse bêtise. Mais je me rappelai soudain l'envie dévorante que j'avais eue d'appeler Adam et constatai qu'elle n'avait nullement diminué d'intensité. *Reste encore un peu... Ça te changera les idées.*

– Et si tu essayais juste de me raconter quelque chose sur toi qui soit vrai ? Pas de couverture.

– Je déteste les fèves.

Elle alla dans la cuisine et en revint une minute plus tard avec une bouteille de vodka, du jus d'orange et deux verres.

– Secret numéro deux ! enchaîna-t-elle. Je deviens beaucoup plus honnête quand j'ai trop bu.

Elle posa bouteilles et verres sur la table basse et s'assit à l'autre bout du canapé, puis fit un signe de tête en direction des boissons. Une invitation. J'hésitai avant d'attraper la bouteille. Je n'avais pas bu d'alcool fort depuis très longtemps. La perte de contrôle sur soi due à l'ébriété me faisait peur. Enfin, me faisait peur maintenant, en tout cas.

Stewart me regarda remplir nos deux verres. Je bus une grande gorgée. Elle m'imita et fit une grimace en avalant.

– Mes parents m'ont virée de la maison quand j'avais seize ans, m'annonça-t-elle en regardant ses mains. En fait, ils m'ont obligée à partir à la fac plus tôt.

– Tu es allée où ?

– D'abord à Columbia, ensuite à NYU, répondit-elle avant de boire une plus grosse gorgée. J'ai tenu deux ans, et puis je me suis fait arrêter et j'ai fini en taule.

Je me frottai les yeux. Maintenant, j'avais besoin de me saouler rien que pour supporter ses conneries. À supposer que je m'oblige à rester plus longtemps en sa compagnie.

– Je ne crois pas t'avoir déjà vue dans ton rôle de taularde.

– T'es vraiment trop con ! Tu ne reconnaîtrais même pas la vérité si elle te pétait à la gueule, siffla-t-elle. Je me suis créé des fausses identités dans mes deux facs. Après, j'ai hacké le système informatique et j'ai fait en sorte que mes alias aient payé la totalité de leurs droits d'inscription. Apparemment, c'est un délit fédéral, et comme j'avais déjà dix-huit ans...

– Tu as fini en prison. Combien d'identités tu avais ?

– Dix, avoua-t-elle en éclatant de rire devant mon incrédulité. J'ai tout bien fait. J'allais à tous les cours, je me suis inscrite à des assoces sur le campus. J'ai juste fait une mini boulette et le FBI a pu remonter la piste des faux paiements. Après, tout est allé très vite. Mes parents n'ont répondu à aucun de mes appels, et on m'a envoyée dans une prison pour femmes en Virginie. Au bout de deux mois, ton père est venu me rendre visite. Il a dit qu'il était au courant de mes exploits et il a proposé de me faire sortir, de m'embaucher comme agent, mais il y avait un gros hic.

– Quoi ?

Elle termina son verre et s'affala un peu plus dans le canapé.

– Je devais changer de nom. La totale. Plus jamais de contact avec ma famille. Je n'y ai même pas réfléchi à deux fois. Je crois que c'est pour ça que Marshall m'avait laissée moisir deux mois en prison. Il devait me surveiller avant même que je me fasse choper.

– Ouais, sans doute.

Me racontait-elle la vérité ? Son histoire tenait la route, si improbable soit-elle, et justifiait son recrutement à un très jeune âge. D'un autre côté, apprendre qu'elle avait depuis longtemps la pulsion de se faire passer pour d'autres était un peu dérangeant. En gros, elle vivait déjà sous couverture avant que cela ne soit requis par son métier.

– C'était quoi, ton nom ?

– Kathleen Goldman. Ma mère est irlandaise jusqu'au bout des ongles, et mon père est moitié juif, moitié afro-américain. Quant à moi, je ne sais pas trop, du coup ! gloussa-t-elle.

– Une Américaine typique, en gros. Et assez métissée pour pouvoir endosser différentes origines ethniques. Très utile pour les couvertures, à la CIA.

Elle remplit à nouveau nos verres, alors que je n'avais même pas remarqué que le mien était vide.

– Tu as eu droit à beaucoup plus que cinq minutes de franchise, alors j'arrête là.

– OK.

Je me levai, et toute la pièce se mit à tourner.

J'avais cru que la révélation de ces détails personnels allait me toucher, mais rien de ce qu'elle avait dit ne prouvait qu'elle était une chic fille. À part peut-être une chose…

– Tu l'as détesté, mon père, de t'avoir condamnée à cette vie ?

Elle se leva à son tour et remit en place le coussin du canapé.

– Non, pas du tout. Je sais que tu n'as jamais fait de prison, alors tu vas devoir me croire sur parole, mais deux mois de taule, ça m'a paru durer dix ans. Je n'aurais jamais survécu sans...

Elle se retourna vivement, mais ne termina pas sa phrase.

– Sans quoi ?

– Sans qu'on me donne le droit de flinguer quelqu'un ou de faire un truc illégal.

Elle but une autre goulée de vodka directement à la bouteille, alors même que son verre était plein.

Je ne savais pas quoi dire. À l'évidence, elle ne m'avait pas donné la réponse qu'elle envisageait initialement. D'ailleurs, en y repensant, Jenni Stewart n'avait jamais rien dit de mal sur mon père. Jamais. Et je lisais la peur dans son regard. Elle ne voulait pas que je comprenne, que je devine qu'il existait au moins une personne au monde qu'elle ne détestait pas. Or, j'avais compris, évidemment. La manière dont Papa lui avait parlé après le test du gaz mnémonique... la douceur dans sa voix... Il se souciait de Stewart de la même façon qu'il se souciait de Courtney et de moi. Il ne pouvait pas s'en empêcher. *La compassion...* Voilà ce qu'il avait dit à Thomas lors de leur conversation en 2005.

Stewart se rapprocha d'un pas chancelant qui révéla son ivresse et m'embrassa une nouvelle fois. Cette fois-ci, ce fut lent, pour me laisser une chance de reculer, ce que je ne fis pas. Ce déballage de son passé avait été aussi pénible pour moi que pour elle. Ses mains se posèrent doucement sur mon visage. Plus une once d'agressivité en elle. Mon cœur s'accéléra, mais je ne savais pas si c'était un bon signe ou un avertissement.

Il me fallut une seconde pour comprendre qu'elle m'entraînait vers sa chambre. Du moins le supposai-je. Dès notre entrée dans sa chambre, j'arrêtai d'avancer.

– C'est une mauvaise idée, lui dis-je.

– Pourquoi ?

*Parce que je ne t'aime pas. Je ne suis même pas attiré par toi.*

– À cause du boulot, tu vois ? On serait hyper mal à l'aise si…

Elle passa les mains sous ma chemise, la fit passer par-dessus ma tête et la jeta à terre… Message hautement symbolique. *Distraction.* J'avais besoin de distraction. Et si moi j'en avais besoin, peut-être qu'elle aussi ?

Ses lèvres se promenaient sur mon cou, et ce n'était pas désagréable. Bien au contraire.

– Attends… Arrête une seconde.

Elle baissa les bras et fit un pas en arrière, mais sans me lâcher la main.

– Qu'est-ce qui ne va pas, Jackson ?

– Déjà, t'es bourrée et je crois que moi aussi, dis-je en m'asseyant au bord du lit. Et c'est juste un autre genre de manipulation, non ?

– Et alors ? Qu'est-ce que je pourrais bien essayer d'obtenir, à part ce qui va se passer ce soir ? Te briser le cœur ? T'amener à avoir une aventure sans lendemain ?

*Ce n'est pas faux.*

– Ce n'est pas faux.

– Tu peux toujours retourner dans ton studio vide et puant... tout seul.

La simple idée de me retrouver sur mon lit à ressasser mes souvenirs de Holly, à m'inquiéter au sujet de mon père... Holly avec Brian... Ses mains baladeuses... Je ne voulais pas faire face à tout ça. Pas ce soir.

*C'est juste du sexe... Du sexe pour le fun...* Et j'en avais déjà eu, des relations sans lendemain. J'attrapai la main de Stewart et l'attirai à mon côté avant que les vieux souvenirs ne viennent envahir mes pensées. Après un long échange de regards, je me rapprochai d'elle. Je n'avais rien d'autre en tête que cette simple équation :

*Bombasse + mec qui veut en oublier une autre + aucun projet d'avenir = le parfait coup d'un soir.*

C'était juste des maths. Des maths et du sexe...

Sa robe tomba par terre près de ma chemise, puis Stewart monta sur moi et m'embrassa dans le cou tandis que mes mains exploraient son corps avec moins d'hésitation.

– Je pensais que tu serais plus facile à séduire, commenta-t-elle, la bouche près de mon cou. Je sais ce que tu fais depuis trois mois, et surtout ce que tu ne fais pas. Sérieusement, ça fait combien de temps que...

Je n'entendis même pas la fin de sa phrase. Par ces simples mots, elle venait de déverrouiller un compartiment de mon esprit que je m'étais efforcé de dissimuler à tous, y compris à moi. Ces souvenirs retrouvés étaient encore plus dangereux que le gaz mnémonique... Je les sentis me submerger comme un raz-de-marée, irrésistibles, impitoyables.

– Il faut que je te dise... Il y a longtemps que je n'ai pas fait ça.

Je déposai Holly sur le lit et m'allongeai près d'elle.

– Longtemps ? Mais tu vis sur quelle planète ? Ça ne fait que...

– On va faire comme si ça faisait... plusieurs semaines, dis-je en posant mon index sur ses lèvres.

– Comme si tu revenais après t'être perdu en mer ?

– Exactement.

Elle ôta son haut de maillot de bain tout en me regardant. Elle m'offrait un somptueux spectacle, mais je ne pouvais ôter mes yeux de son visage, de son sourire. La combinaison parfaite de douceur et d'audace. Je tendis le bras et effleurai ses courbes voluptueuses. Elle en eut la chair de poule.

Je voulais lui dire tant de choses, lui exprimer mes sentiments, mais je ne trouvais pas les mots. Qu'aurais-je pu dire d'autre que Je t'aime ?

Je la pris par les hanches pour la faire rouler sur le flanc droit et me retrouver au-dessus d'elle. Si je ne pouvais pas le lui dire, je pouvais au moins le lui montrer. J'enlevai mon maillot et me penchai pour embrasser Holly, qui me serra fort dans ses bras. Le temps sembla se ralentir, et il ne restait plus qu'elle et moi, et rien entre nous. Exactement comme cela devait être. Pour toujours.

Un moment plus tard, nous étions allongés en travers du lit, encore un peu essoufflés. Nous avions trop chaud et nous étions trop exténués pour nous glisser sous la couverture. Holly se retourna pour me faire face. Nos corps étaient à quelques centimètres de distance.

Je la regardai un long moment, incapable de bouger. Personne n'avait le droit de se sentir si heureux et si entier. Cela devait être un crime. Finalement, elle tendit le bras et me toucha les cheveux, ce qui me sortit de ma transe.

– À quoi tu penses ? demanda-t-elle.

– Je me disais juste que tout était parfait. Restons comme ça pour toujours... On s'installe dans cet hôtel, on laisse tomber les études et tout le reste... Et on ne remet plus jamais de vêtements, non plus.

Elle éclata de rire, puis posa la main sur ma nuque pour me rapprocher d'elle.

– Si tu me le proposais pour de vrai, je te dirais sans doute oui.

Je me relevai sur un coude, trouvant soudain les mots que je cherchais plus tôt. Je lui caressai le dos du bout des doigts.

– J'ai un grand secret à te confier.

– Et pour une fois, je ne t'en avais pas demandé. Ça change !

– Beaucoup de choses ont changé, dis-je en enroulant une mèche de ses cheveux autour de mon doigt. Tu te rappelles la première fois qu'on a fait l'amour... Et après, quand on était sous la douche ?

– Oui, je m'en souviens.

Je la regardai droit dans les yeux pour qu'elle sache que je lui disais la vérité.

– J'ai failli te le dire, ce jour-là. Je t'aime. Mais j'ai hésité parce que je ne l'avais jamais dit à personne. Je ne me suis jamais senti comme ça avec quelqu'un.

*Elle secoua la tête sans rien dire. Son silence m'inquiéta.*

*– Et toi ? lui demandai-je.*

*Elle me donna un petit baiser, puis s'éloigna pour que je puisse voir son visage.*

*– Je n'aurais pas pu coucher avec toi sans t'aimer. Mais je n'attendais pas la même chose de toi... pas même aujourd'hui. Ce n'est pas un genre de règle absolue que j'aurais. C'est juste que je sais que je ne peux pas le faire si je n'aime pas la personne. Mais bon, c'est moi, c'est tout.*

*Je la pris dans mes bras.*

*– Moi aussi. Enfin, maintenant. On ne peut plus revenir en arrière.*

*– Tu vas toujours être aussi fleur bleue, toi ? pouffa-t-elle.*

*J'aurais voulu trouver une repartie spirituelle, affirmer ma virilité, mais je ne pouvais penser qu'à une chose : elle savait. Avant même la première fois, elle savait qu'elle m'aimait. Et c'est pour ça que cela avait été si merveilleux.*

Je fus ramené à la réalité aussi vite que je l'avais quittée. J'eus soudain une conscience aiguë d'avoir une fille presque nue allongée sur moi, ce qui provoqua une réaction intense. Je poussai Stewart sur le côté et m'écartai d'elle.

– Mais qu'est-ce que... ?

L'expression sidérée qu'elle avait était si inhabituelle chez elle que j'en fus encore plus déstabilisé.

– Hum... Je... Accorde-moi une minute.

Je me levai et m'engouffrai dans la salle de bains en verrouillant la porte. Je me penchai au-dessus du lavabo et m'aspergeai le visage d'eau froide, pathétique tentative de nettoyer les souvenirs qui me hantaient. Mon cœur battait à tout rompre, je me sentais écartelé entre le désir, la chaleur et la douleur insoutenable d'avoir à nouveau perdu Holly. Je levai les yeux pour me regarder dans le miroir, et je sus que cette aventure sans lendemain avec Stewart n'allait pas avoir lieu.

Ce soir-là, j'avais dit à Holly : *On ne peut plus revenir en arrière.* Aujourd'hui, contrairement à hier, ces mots résonnaient comme une malédiction. J'avais été brisé de manière irréparable, au point de ne plus pouvoir envisager un coup d'un soir, ni même regarder une beauté comme Stewart avec un minimum d'attirance.

*Putain, ça craint !*

Quand je m'obligeai à quitter la salle de bains pour me confronter à Stewart, elle dormait profondément, couchée en chien de fusil au milieu du lit. Je lui remontai l'édredon sur les épaules, couvrant toute sa peau nue. Un flacon de médicaments sur la table de chevet m'attira l'œil. Je le saisis pour lire l'étiquette.

Bingo ! J'avais trouvé de quoi survivre à cette nuit sans faire une grosse bêtise. *Des somnifères.* J'en avalai deux, puis allai me jeter sur le sofa du salon. Vingt minutes plus tard, j'avais sombré dans un profond sommeil dépourvu de rêves.

# CHAPITRE NEUF

Le lendemain matin, après m'être rappelé que je me trouvais chez Stewart, je restai allongé sur le canapé en essayant de faire le point. J'aurais cru me réveiller en éprouvant de la culpabilité. De la culpabilité d'avoir trompé Holly. Mais en fait, ce que je ressentais était pire que de la culpabilité : le vide total.

Peut-être était-ce là ce que ressentaient les EDT. Ou bien la part logique de leur cerveau dominait-elle et n'avaient-ils pas à se soucier de sentiments irrationnels comme l'amour ou la soif de vengeance ? C'était bien ce que m'avait dit le docteur Melvin, non ?

J'entendis la douche s'arrêter dans la salle de bains attenante à la chambre. Je me levai pour aller ramasser ma chemise par terre et regardai par l'entrebâillement de la porte : Stewart était debout face à moi, enveloppée d'une serviette. Je faillis me détourner pour la laisser s'habiller, mais elle restait là, immobile, fixant des yeux un point dans le vide. Et je compris que quelque chose n'allait pas. Je finis par ouvrir la porte et entrer.

– Stewart ? l'appelai-je en claquant des doigts devant son nez.

– Hein ?

– Tu vas bien ?

– Heu, oui, ça va. C'est juste que… je viens de me souvenir de quelque chose, marmonna-t-elle, encore à moitié en transe.

Je la devinai ailleurs parce que le ton de sa voix était égal, dépourvu de son agressivité habituelle.

– De quoi tu t'es souvenue ?

Elle me contourna pour repasser dans la chambre, où elle ouvrit un tiroir.

– Je crois que ça fait longtemps que tu sais… pour ton père… et la CIA, dit-elle.

Mon cœur menaça de sortir de ma poitrine, mais je l'obligeai à se calmer.

– Non, c'était il y a quelques mois. Tu le sais, d'ailleurs.

Elle secoua aussitôt la tête. Je lui tournai le dos le temps qu'elle s'habille, ce qui me laissa le loisir de me ressaisir avant qu'elle ne remarque ma réaction proche de la panique.

– Je n'arrive pas encore à mettre le doigt dessus. J'ai juste l'impression que tu savais, et que je savais que tu savais… mais après, c'est le trou noir.

Je me préparai à ce qu'elle me passe à son détecteur de mensonges personnel. Qu'est-ce qu'elle me chantait là ? Peut-être Kendrick avait-elle raison de mettre en doute sa santé mentale, surtout vu ce que Stewart avait fait avant d'entrer à la CIA.

– Je ne suis pas sûr de comprendre ce que tu veux dire, avouai-je, essayant de me calmer.

Elle passa la tête par le col de son T-shirt.

– Mais enfin, t'as pas encore tilté ? On a été drogués... avec des drogues qui modifient les souvenirs !

*Bon, elle ne m'accuse peut-être pas de mentir, finalement.*

Mais était-elle en train de faire une crise de paranoïa ? En tout cas, je ne voulais pas être celui qui lui annoncerait qu'elle était peut-être cinglée. Vraiment cinglée. C'était bien le genre de Marshall, ça, de recruter une timbrée en prison.

*Et c'était bien mon genre de presque coucher avec la timbrée.*

– Je n'aurais jamais cru que ton père ferait un truc pareil, ni à toi ni à moi.

Je n'avais qu'une envie, c'était de me casser, et vite, mais je ne pouvais pas l'abandonner comme ça en pleine détresse.

– Tu pourrais lui poser la question, quand il reviendra ?

Elle me regarda, prit une profonde inspiration et hocha la tête.

– Ouais, c'est sans doute la meilleure solution. Bon, il faut que j'aille retrouver Mason.

– Moi aussi, fis-je avec un soupir de soulagement. Enfin, je veux dire, il faut que j'y aille.

Elle enfila une paire de chaussures et emprunta le couloir. Juste avant d'atteindre la porte d'entrée, elle me jeta un coup d'œil par-dessus son épaule.

– Et laisse tomber cette attitude à la con, Jackson. Je t'ai déjà dit qu'il n'y avait pas de quoi en faire tout un plat. Tout ce qui s'est passé hier soir, c'est oublié.

– Bon, alors, il n'y a pas de lézard ?

Avant Holly, j'avais posé cette même question à quelques filles, qui m'avaient toujours assuré que tout allait bien, et après je m'étais fait insulter par leurs copines parce que je ne les avais jamais rappelées. Mais là, c'était Stewart. Elle n'avait aucune amie.

– Rien n'a changé depuis hier, si c'est ça que tu veux dire.

J'attrapai ma chemise par terre et l'enfilai rapidement.

– Ben, tant mieux, alors.

Dans l'ascenseur, je tentai d'élaborer une stratégie. Marshall et Papa étant injoignables, à qui pouvais-je parler de l'instabilité mentale de Stewart, enfin, de ce qui venait de se passer ? À Kendrick, certes, sauf qu'elle n'avait aucune autorité pour faire quoi que ce soit. Le rôle du sénateur Healy était trop ambigu pour que j'envisage sereinement d'aller lui confier une information intime. Quant à Freeman, il se contenterait de dire qu'il devait attendre de voir ce qu'en pensaient Papa ou Marshall.

Ne restait donc que le docteur Melvin.

Je m'arrêtai devant la porte de son cabinet. La dernière fois que j'étais venu, Adam et moi avions volé des données dans son ordinateur. Adam... Lui saurait quoi faire. Si le docteur Melvin ne pouvait pas m'aider, il me faudrait peut-être violer la règle que je m'étais imposée et aller lui rendre une petite visite.

*Non !* Depuis que j'avais croisé Holly la veille, la carapace d'agent secret que j'avais travaillé si durement à me construire se fissurait peu à peu.

Je frappai doucement à la porte et j'entendis la chaise rouler sur le sol. Le docteur Melvin ouvrit la porte, encore assis sur son siège, avec un large sourire.

– Jackson ! Comment vas-tu ?

– Ça va, dis-je en refermant la porte derrière moi.

Il éteignit son écran d'ordinateur et m'indiqua du doigt la table d'examen. À chaque visite, je n'échappais pas à une vérification de mes constantes. J'attendis qu'il m'ait passé le tensiomètre autour du bras avant de lui parler.

– Il y a une question que j'ai toujours voulu vous poser : vous avez d'autres patients ? Je veux dire, des gens normaux ?

Il sourit et enfonça les embouts du stéthoscope dans ses oreilles.

– J'ai beaucoup de patients, et ils se débrouillent très bien pour avoir l'air de gens normaux.

– Alors, vous traitez seulement les agents de Tempest ? en conclus-je. Et Stewart ? Vous la voyez, parfois ?

– Non, elle a obtenu l'autorisation de consulter un médecin de ville en cas de besoin, si elle se retrouve quelque part où elle a accès à un autre praticien que moi. Je n'ai jamais eu de raison de l'étudier d'un point de vue médical.

– Ça, c'est réservé pour ma pomme. Parce que je suis une aberration de la nature.

Il gloussa et appliqua le pavillon du stéthoscope sur mon dos.

– Si par aberration, tu veux dire cas unique, alors oui. Mais je suis aussi presque tous les autres.

– Sauf Stewart, insistai-je.

Il fourra le stéthoscope dans la poche de sa blouse blanche et se rassit sur son siège.

– C'est pour ça que tu es venu me voir ? Pour parler de l'agent Stewart ?

– Oui... J'en aurais bien parlé à mon père, mais il est en mission avec Marshall.

Melvin fit une petite moue. On lisait en lui comme dans un livre. Il se laissait trop facilement soutirer des informations, et il me faudrait doser mes révélations si je ne voulais pas qu'il les retransmette involontairement.

– Elle était très bizarre, ce matin, poursuivis-je. Enfin, plus que d'habitude. Elle a flippé à propos d'un souvenir qui lui revenait. En gros, elle pense que ça fait très longtemps que j'ai découvert le rôle de Papa à la CIA, mais qu'on nous a donné à tous les deux une drogue pour modifier nos souvenirs.

À voir le docteur Melvin bondir de sa chaise, j'en eus la chair de poule.

– Elle se souvenait d'un événement en particulier ? demanda-t-il. Ou d'une conversation ?

Je ne cherchai pas à calmer mon cœur qui battait fort, car rien ne servait de dissimuler quand le docteur Melvin avait l'air aussi inquiet que moi.

– Alors, c'est vrai ? Elle a été droguée ? On a été drogués ?

– Non, répondit-il aussitôt. C'est pire que ça... peut-être... je n'en sais trop rien.

– C'est vrai qu'elle a fait de la prison ?

– Oui, mais je suis surpris qu'elle t'ait raconté ça.

Il fit courir un doigt sur les multiples dossiers alignés dans son armoire à archives et en sortit un.

– Je me demandais si... eh bien... si, peut-être, elle n'avait pas toute sa santé mentale, avançai-je.

Il haussa les épaules, le nez plongé dans l'épais dossier.

– Je veux bien admettre qu'elle avait un comportement plutôt extrême à l'adolescence, mais c'est parce qu'elle s'ennuyait. Et en ce moment, disons que... oui, elle présente quelques symptômes de dépression. Oh, très légers, ce qui n'est pas inhabituel dans ce métier, mais suffisamment marqués pour que Marshall exige qu'elle essaie de nouer des amitiés réelles.

– Marshall veut qu'elle se fasse des amis ?

Voilà peut-être pourquoi le sénateur Healy m'avait demandé de passer plus de temps avec elle. Il avait bien précisé que le message venait de Marshall.

Le vieux docteur se laissa tomber sur sa chaise et, à sa manière de me regarder, à l'intensité de son expression, je sus que la conversation allait porter sur quelque chose de beaucoup plus sérieux que les amitiés futures de Jenni Stewart.

– Tu te rappelles le jour où tu m'as annoncé que tu pouvais voyager dans le temps ? La toute première fois ?

– Vous voulez dire en 2007, dans l'autre ligne temporelle ?

– Oui. Est-ce que je t'ai jamais demandé si tu t'étais déjà vu toi-même pendant un saut ?

Je n'y comprenais plus rien. Il le savait déjà, ça. Papa et moi lui avions tout raconté au mois de mars.

– Euh oui, mais vous savez très bien comment tout ça fonctionne.

– J'étais assis sur une table basse dans le QG secret. Toi, tu étais sur le canapé, tu portais un T-shirt bleu, récita-t-il en regardant un point dans le vide au-dessus de mon épaule. C'est bien ça ?

– Oui, mais pourquoi...

– Toi et ton père, vous ne vous seriez jamais donné la peine de me dire la couleur du T-shirt que tu portais. Vous m'avez résumé toute cette histoire en une séance de dix minutes chrono...

Soudain, ses yeux s'arrondirent comme si son cerveau brillant venait de lui fournir une réponse à ce mystère.

– Je me souviens d'événements qui ont eu lieu dans une autre ligne temporelle ! s'exclama-t-il. Et Stewart, c'est pareil.

– Quoi ? Comment ça ?

– Il y a deux jours, j'ai eu un genre de flash, mais je n'y ai pas prêté attention, parce que je me suis dit que ton père ou toi vous m'aviez raconté la scène. Mais je pense qu'une partie de mon cerveau ne voulait pas laisser passer ça, et depuis, j'analyse ces demi-sauts. Ceux que les autres ne peuvent pas faire.

*Sauf Emily. Elle, elle sait faire un demi-saut.*

– Oui, et alors ?

– Eh bien, tu comprends comment fonctionne un véri-table saut complet, n'est-ce pas ? Dans un saut complet, tu ne crées pas une nouvelle ligne temporelle et tu ne sautes pas dans le passé d'une même ligne temporelle.

– Oui, je crois. L'avenir peut être modifié... instantanément, c'est ça ?

– Ton père et Marshall ont préféré ne pas te fournir trop d'informations. Pour ton bien, évidemment.

*Évidemment.*

– À notre connaissance, Thomas est le seul à pouvoir y arriver sans que cela le tue. Si toi tu étais capable, comme lui, disons de sauter cinq ans en arrière dans le passé, tu te verrais.

– Mais je croyais que mon autre moi disparaissait quand je faisais un saut complet.

– En effet.

– La vache, alors ça marche vraiment comme dans les films, si on fait ça, murmurai-je.

– Quand tu effectues un demi-saut, je crois que tu es tout près de réaliser la même chose que Thomas, dit-il calmement, comme s'il n'y croyait pas lui-même. Il est possible que tes capacités soient en train d'évoluer et que ces lignes temporelles que tu as créées soient en train de fusionner.

– Ça veut dire que mon cerveau va exploser, ou que le monde va disparaître, ou quoi ?

– Je ne crois pas. Et il est possible qu'il ne se passe rien de plus... Ce petit flash de 2007 que j'ai eu et l'attitude de Stewart ce matin sont peut-être dus au fait que nous avons une intelligence très supérieure à la moyenne. Notre esprit est entraîné à ne jamais négliger le moindre détail, la moindre image. Une personne normale n'en serait pas affectée, et il est fort probable que Stewart et moi ne verrons plus jamais rien d'autre.

– Vous me dites ça juste pour m'empêcher de paniquer ?

– Non, mais c'est ce que je te dirais de toute façon, dit-il en secouant légèrement la tête.

C'était le moment idéal pour lui poser certaines des questions qui me tracassaient depuis Heidelberg. Je descendis de la table d'examen et attrapai un stylo et un papier, sur lequel je griffonnai le schéma des lignes temporelles que j'avais consigné dans mon journal. Le docteur Melvin fit rouler sa chaise vers moi et regarda mon œuvre.

– Monde A ? Monde B ?

– C'est juste des noms que j'ai donnés aux différentes lignes temporelles dans lesquelles je me suis retrouvé.

– Ça me rappelle ce jeu vidéo auquel vous n'arrêtiez pas de jouer, avec Courtney, gloussa-t-il en agitant les pouces comme sur une manette de console. Comment ça s'appelait, déjà ?

– Super Mario Bros, dis-je avant de lui montrer le bout de papier. Bon, alors, si j'ai quitté le Monde A et que j'ai créé le Monde B, et que je suis retourné dans le Monde A, pas à la date exacte de mon départ, mais deux mois avant le 30 octobre 2009, alors, techniquement, j'ai changé le futur, c'est ça ?

– Oui, en effet, confirma-t-il en hochant lentement la tête. Même le changement le plus minime de date d'atterrissage dans le Monde A la deuxième fois changerait le futur pour toujours.

Je me laissai tomber sur l'autre chaise. Les pièces du puzzle commençaient à s'assembler. *Les sauts à la Thomas ne sont pas la seule manière de changer le futur...* L'EDT d'Heidelberg ne m'avait pas raconté de craques.

– Prenons un exemple. Supposons qu'à cet instant précis je décide de faire un saut complet pour retourner dans le Monde B, par exemple en octobre 2007, et que je revienne aussitôt ici...

– Dans le Monde C, compléta le docteur Melvin pour suivre mon raisonnement.

– Sauf que j'arrive il y a deux heures et que, au lieu de venir à votre bureau je décide d'aller, euh... je ne sais pas... disons chez Starbucks, et que cette conversation ne se produise jamais. J'ai changé le futur, pas vrai ? Ce n'est pas si différent d'un saut à la Thomas, d'un saut complet dans la même ligne temporelle.

La lassitude qui s'affichait sur son visage me poussa urgemment à insister pour obtenir des réponses.

– Jackson...

– Et alors, si je voulais repartir d'où j'étais venu, je saute dans le Monde B pour quelques secondes, et là, je peux revenir au Monde C, mais deux heures après le moment d'où je suis parti la fois d'avant, donc ce serait à cette seconde exacte...

– Tu ne peux pas, m'interrompit-il d'un ton ferme.

– C'est juste une hypothèse... Je sais bien que Marshall a dit de ne pas...

– Je veux dire que c'est impossible.

Il me prit le stylo des mains et retourna la feuille pour dessiner son propre schéma au verso.

– Revenons-en à ce que tu as véritablement fait, commença-t-il. Tu as quitté le Monde A pour le Monde B, et tu es revenu dans le Monde A, mais le 13 août et non pas le 30 octobre. Une fois que tu as posé ce jalon en revenant de l'autre ligne temporelle, tu n'as plus qu'une seule manière d'avancer dans le temps. Peu importe le nombre de fois où tu reviens du Monde B, le 13 août sera toujours le présent pour toi. Je crois que c'est ce que tu appelles ta *home base*, c'est ça ?

Je poussai un soupir en me renfonçant dans mon siège.

– Donc il faut que je le vive, que je reste. Septembre et octobre seront différents de ce qui s'est passé la première fois, mais le changement n'est pas instantané.

– Exactement.

– Et les sauts à la Thomas fonctionnent comme ça aussi ? Les sauts complets, je veux dire.

– Oui. Considère-les comme des demi-sauts : tu reviens presque au moment exact où tu es parti. Sauf que, bien sûr, les changements ne sont pas possibles dans le cas de demi-sauts.

– Attendez. Mais alors, comment Thomas a-t-il pu m'amener…

Je m'interrompis aussitôt, me rendant compte que je venais de divulguer mon saut avec Thomas dans ce futur d'une perfection angoissante, alors que je n'en avais parlé à personne, pas même à Papa, parce que cela aurait impliqué de lui révéler l'existence d'Emily, ce qui m'était impossible.

– T'amener où ? relança Melvin, les sourcils froncés. Quand est-ce que Thomas a fait un saut avec toi, Jackson ?

– Avant... la dernière ligne temporelle que j'ai quittée... le Monde A... c'était très loin dans l'avenir... forcément...

Une autre explication m'apparut, et j'en fus bouleversé.

– Et si lui venait de cette année-là, s'il y vivait, alors il en serait capable, c'est ça ? conjecturai-je.

– En effet.

Le docteur Melvin restait figé, attendant que je tire moi-même des conclusions à haute voix. En raison des récentes gaffes de Kendrick, j'aurais juré que c'était ce sujet qu'elle passait son temps à étudier dans ses cours de spécialité. Visiblement, Biologie Théorique recouvrait beaucoup de choses à Tempest.

– Les EDT viennent du futur ? avançai-je. Alors Marshall me mentait, quand il m'a dit... dans le Monde B, en 2007... il m'a dit que le gène Tempus évoluait au fil du temps et qu'on avait retracé son évolution à travers l'histoire. C'étaient des conneries, ce qu'il m'a raconté ?

– Il ne mentait pas. Le gène Tempus évolue avec le temps. Sauf que le processus n'a pas encore commencé. Donc, pour quelqu'un comme Thomas, le gène Tempus peut être retracé dans l'histoire. Son histoire à lui est ton avenir à toi.

– Alors les EDT sont là-haut...

Pour une raison qui m'échappait, j'avais toujours situé l'avenir au-dessus de moi, comme le Canada en géographie.

– La téléportation, les vitamines, les gamins qui font de l'escalade comme des mini-superhéros, tout ça, et puis d'un coup ils décident que ça pourrait être marrant d'essayer le voyage dans le temps et d'aller tuer la chancelière allemande ou une autre personnalité, histoire de pouvoir légalement fabriquer des clones ou des super bébés ou je ne sais quoi dans deux cents ans ?

J'étais bien conscient du ridicule achevé de mes exemples, mais simplifier les choses me permettait d'y voir plus clair. Deux cents ans ? J'avais juste lancé ça comme ça, mais, en toute honnêteté, je doutais que tous ces trucs futuristes délirants que m'avait montrés Thomas puissent se produire dans un laps de temps aussi court.

– Ce n'est pas si simple, répondit Melvin.

– C'est pour ça que vous ne pouviez pas vraiment me donner une réponse... enfin, l'autre vous, quand je vous ai demandé si quelqu'un allait empêcher le docteur Ludwig de s'adonner à la fabrication de clones. Il n'est sans doute même pas encore né, et il ne naîtra pas avant je ne sais combien de temps. Si ça se trouve, je suis son arrière-arrière-arrière-grand-père, même !

Pour des raisons confuses, je trouvais en partie rassurantes ces révélations sur l'origine très lointaine des Ennemis du Temps. Certes, le monde s'agrandissait d'un coup : on allait bien plus haut que le Canada, là... Mais tous ces délires de voyages dans le temps et de clonage ne relevaient pas naturellement de mon monde, ou du moins, n'auraient pas dû en relever. Je pouvais y croire et en accepter l'existence, mais comme un élément appartenant au même avenir que les voitures volantes avec pilote automatique.

– Jackson !

J'obligeai mon esprit à revenir à l'instant présent après ces divagations. Melvin avait posé les mains sur mes épaules et me secouait gentiment.

– Jackson ? Nous testons nos agents... pour la CIA, pour le FBI. On leur fait passer toute une batterie d'examens pour déterminer qui est capable mentalement de gérer ces informations, ces connaissances sur l'avenir et les événements futurs.

Il enleva les mains de mes épaules et continua à scruter mon visage, peut-être en quête de signes de folie.

– Il va de soi que tous les agents Tempest sont capables d'appréhender le concept du voyage dans le temps, poursuivit-il. Mais tous ne peuvent pas travailler proprement et efficacement s'ils sont au fait de trop de détails. Et tu es l'un de ceux-là.

J'éclatai de rire alors même qu'il n'y avait là rien de drôle.

– Il se trouve que je peux voyager dans le temps, donc je suis totalement capable de gérer.

– Il ne s'agit pas juste du risque de perdre la raison. Nous avons besoin d'individus dont nous savons avec certitude qu'ils ne deviendront pas incontrôlables ou assoiffés de pouvoir parce qu'ils sont au fait de l'avenir. Tu n'es pas censé savoir tout cela, Jackson, dit-il en se massant les tempes, les yeux clos. Je ne sais pas trop quoi dire à ton père et à Marshall. Si je suivais les règles, il faudrait que j'aille tout raconter tout de suite à Healy et à Freeman. Ils te retireraient de cette mission. Mais peut-être que c'est pour le mieux. Du moins jusqu'à ce qu'on puisse être sûrs...

– Sûrs de quoi ? répétai-je, le sang pulsant dans mes veines. Sûrs que je vais faire ce qu'on me dit de faire sans poser de questions ? Sûrs que je ne vais pas décider tout d'un coup que j'ai très envie de devenir le maître du monde ?

– Calme-toi, Jackson. Ce n'est pas de ta faute.

Je repoussai la chaise et me dirigeai vers la porte. J'avais entendu assez de conneries pour la journée.

– Aucun examen ne vous dira jamais ce qu'une personne peut gérer ou non. Et vous n'avez aucune idée de ce que je peux gérer moi.

Je le laissai assis là, interdit. Je savais qu'il n'allait pas parler de Stewart au sénateur Healy parce qu'il avait eu l'air aussi surpris que nous de le voir débarquer un beau jour comme cadre dirigeant de Tempest. Il ne lui balancerait jamais quelque chose d'aussi énorme sans être d'abord passé par Marshall ou Papa. En plus, il n'avait pas révélé à Healy son étrange expérience de déjà-vu mêlant deux lignes temporelles. Et maintenant, je savais que j'étais dans le vrai en supposant que Marshall m'avait affecté à la Protection Avancée parce qu'il avait peur que je ne me retourne contre Tempest... que je ne devienne assoiffé de pouvoir, comme avait dit le docteur Melvin.

Que Papa m'ait caché toutes ces informations ne m'horripilait pas autant, car son unique souci était de me simplifier la vie, de m'épargner trop de responsabilités ou d'obligations. D'un autre côté, son choix prouvait aussi qu'il ignorait ce dont j'étais capable. Si j'arrivais à surmonter le fait que ma petite amie se soit fait balancer d'un toit, je pouvais facilement digérer, sans devenir fou, le fait que les EDT viennent du futur et que certains, en fonction de leurs capacités, altèrent le cours du temps en rebondissant d'un autre monde pour réintégrer celui de départ. Peut-être que d'autres étaient capables de réussir un saut à la Thomas, mais on ne m'autorisait pas à le savoir.

*Peut-être que moi aussi, je peux faire un saut à la Thomas ?*

Comme cette conversation avec le docteur Melvin avait eu lieu à l'autre bout de la ville, et que j'avais déambulé pendant près d'une heure dans Central Park en ressassant ces nouvelles informations, j'arrivai en retard à mon rendez-vous avec Kendrick au Plaza pour notre tranche horaire de surveillance. Elle me toisa d'un air dégoûté.

– Un grand classique : on se pointe en retard et dans les mêmes habits que la veille.

– Désolé, j'ai eu une matinée délirante et je n'ai pas eu le temps de repasser chez moi.

– Épargne-moi les détails.

Elle ne m'adressa plus la parole de la matinée, hormis quelques échanges professionnels sur les données recueillies. Au terme de nos quatre heures, ce fut le retour à la maison, à deux, en silence. Pourtant, elle finit par craquer.

– Je n'en reviens pas que tu aies pu passer la nuit avec Stewart ! balbutia-t-elle. Tu n'as pas eu peur de te faire attaquer pendant ton sommeil ?

– Ce n'était rien, on n'a même pas...

– Rien ? s'indigna-t-elle. Mais t'es vraiment trop con ! Elle a des problèmes. Tu n'as pas le droit de jouer avec les gens comme ça !

Moi, jouer avec Stewart ? L'infime possibilité que Kendrick puisse avoir raison me mit suffisamment en colère pour changer le fil de la conversation.

– Et toi, alors ? Tu mènes Michael en bateau, et dans quel but ? Il ne te connaît même pas.

Une expression pathétique, à la fois blessée et furieuse, se peignit sur son visage. Elle serra les dents, se retourna et poursuivit son chemin jusqu'à l'arrêt de bus. Pendant le trajet, j'essayai de comprendre pourquoi je m'en étais ainsi pris à elle. L'idée que je puisse être aussi insensible que Stewart me dérangeait plus que je ne voulais l'admettre.

Je me rappelai soudain la tête que Kendrick avait faite la veille quand je lui avais demandé où elle habitait avant de s'installer à New York. Ses secrets résidaient dans la réponse à cette question, je le sentais.

Une fois arrivés à notre immeuble, je la suivis jusqu'à son appartement et refermai la porte derrière nous.

– Dis-moi ce qui est arrivé à ta famille.

Elle repoussa une mèche de cheveux qui lui tombait sur le visage et se posta devant moi, bras croisés.

– Et tes parents à toi, qu'est-ce qui leur est arrivé ?

Je dus avoir l'air perplexe, parce qu'elle leva les yeux au ciel et compléta sa question.

– Un des premiers tests que j'ai dû effectuer à mon arrivée en France, c'était d'analyser l'ADN de tous les agents Tempest à leur insu. Je sais que ton père n'est pas ton père biologique.

Les hypothèses se bousculèrent dans ma tête. *Est-ce qu'elle sait que je suis à moitié EDT ?* Marshall ne l'aurait jamais laissée me tester s'il avait pensé qu'elle puisse le découvrir. Une autre idée me frappa alors : une fois de plus, elle me révélait des informations liées à sa spécialité ; une fois de plus, on se disputait. Qu'est-ce que cela signifiait ? On partageait des secrets, on se chamaillait... Lily Kendrick était-elle en train de devenir mon amie ? Voilà qui n'avait jamais fait partie du plan.

– J'ai découvert la vérité sur mon père peu de temps avant toi, avouai-je enfin.

– Je suis désolée, dit-elle, la colère quittant aussitôt son visage.

– Il reste toujours mon père. Ça ne change pas grand-chose.

Elle prit une profonde inspiration et ferma les yeux un instant.

– Mes parents et mon petit frère sont morts il y a deux ans. C'est pour ça que je suis entrée à la CIA, et plus précisément dans cette unité. Et je ne t'en dirai pas plus, OK ?

– OK.

– Stewart et toi, ça ne me regarde pas. Je n'en parlerai plus.

– Super.

– Alors, Stewart et toi, vous avez vraiment...

– Dis donc, tu viens de dire que ça ne te regardait pas, lui rappelai-je en lui plaquant une main sur la bouche. Quelle hypocrite tu fais !

Avec un petit sourire, elle passa instantanément à l'action. En une demi-seconde, elle m'avait tordu le bras derrière le dos.

– Je n'aime pas qu'on me traite de tous les noms. Tu ferais bien de dire un truc gentil, pour te rattraper.

Elle tira plus fort sur mon bras et je feignis un gémissement.

– Aïe, tu m'as déboîté l'épaule… Sérieux, lâche-moi !

– Ne la bouge surtout pas ! s'affola-t-elle en s'exécutant aussitôt.

– Ha ha, je t'ai bien eue ! jubilai-je en sautant par-dessus le canapé. Et maintenant, essaie un peu de recommencer !

– Tu es fait comme un rat ! se réjouit-elle.

Nous étions en train de nous mesurer de la sorte, chacun attendant que l'autre lance l'assaut, quand Michael entra et nous surprit dans cette situation singulière.

– Euh, salut ! Qu'est-ce qui se passe ?

– On n'est pas du même avis sur les mérites comparés de deux vaccins antigrippaux, répondit Kendrick sans me quitter des yeux.

– Ah, alors là, je ne vais pas m'en mêler.

Il avança jusqu'à elle et elle se retourna pour l'embrasser. J'en profitai pour sauter par-dessus le canapé et saisir la poignée de porte en un éclair.

– À plus, Lily !

– Zut ! pesta-t-elle, tandis que je refermais derrière moi.

# CHAPITRE DIX

Le sénateur Healy m'a donné les dernières instructions pour la mission : je suis censé être un invité à la soirée et rien de plus. Kendrick, qui a été l'interne de certains des médecins présents, joue elle aussi les invitées.

J'ai un aveu à faire. Tard hier soir, dans un moment d'insomnie et de désespoir, j'ai pris un train pour le New Jersey et je suis passé devant la maison d'Adam. Je ne l'ai pas vu, ni rien, et les lumières étaient éteintes, mais il n'avait pas verrouillé sa voiture. Alors je suis monté côté conducteur, j'ai regardé sa collection de CD, et quand je suis tombé sur l'album de Jeff Buckley, Grace, je l'ai fourré dans ma poche et je suis parti avec. C'est le préféré d'Adam, je le sais. Et je n'aurais pas pu dire pourquoi j'éprouvais le besoin de l'avoir, mais il déclenchait un vague souvenir. Peut-être que j'avais juste besoin de laisser mon empreinte dans la vie de cet Adam-là.

J'entrai avec Kendrick dans la salle de bal de l'hôtel Plaza. En tenue de soirée, smoking pour moi et robe rose pour elle, nous étions tous deux équipés d'armes, d'oreillettes, d'injections anti-voyage dans le temps et de téléphones portables. Cette soirée ne serait donc pas tout à fait le genre relax et sympa.

Nos vies ayant récemment pris une tournure routinière et ennuyeuse, nous étions un peu sur les nerfs. Non pas que nous voulions du danger à toute heure du jour et de la nuit, mais l'absence de menace semblait faire croître notre angoisse. *Il va se passer quelque chose, quelque chose d'énorme.* Voilà en tout cas l'impression que j'avais.

– Tiens, le héros de la soirée, remarqua Kendrick en m'indiquant de la tête la longue table regroupant le sénateur Healy et des personnalités politiques internationales. Alors, tu paries sur qui ? L'ambassadeur chinois est une cible de choix. En revanche, je doute fort que quiconque veuille flinguer le Lituanien.

Je tirai une chaise pour elle tout en passant la tablée en revue.

– Moi, je parie sur notre hôte.

– Alors là, ce serait du lourd, commenta-t-elle avec un sourire.

Plusieurs des convives installés face à nous à la table d'honneur parlaient à leurs voisins dans leurs langues respectives. Je passai le bras sur le dossier de la chaise de Kendrick et me penchai pour lui murmurer à l'oreille :

– Tu serais capable de lire sur les lèvres et de traduire en anglais en même temps ?

– Je commence par la droite, et toi tu démarres à gauche.

– Du russe, ma langue préférée !

Un homme d'âge mûr triturait son nœud papillon tout en marmonnant à sa voisine. Il me suffisait de l'observer, puis de rembobiner les images dans ma tête pour traduire.

– Le Russe dit qu'il a horreur de cette habitude américaine de remettre tout le temps des glaçons dans son verre. Ça donne un goût de flotte et il ne va jamais arriver à se bourrer la gueule.

Kendrick éclata de rire sans quitter des yeux la Française.

– Elle parle de ses enfants à l'Italien. Rien de très intéressant.

– Alors, on pratique ses talents d'espions internationaux ? lança le sénateur Healy derrière nous.

Je me retournai vivement, et Kendrick avec moi.

– Je vous taquine, gloussa-t-il. Jackson, veuillez me présenter cette ravissante jeune femme qui vous accompagne.

Il se tourna vers Kendrick et lui posa une main sur le dos. Il cherchait à tester notre capacité de rester sous couverture.

– Je connais le père de Jackson depuis des années, lui expliqua-t-il. Il s'est toujours montré très coopératif sur les questions de politique du médicament. Sa compagnie a fait un don de plus de cent mille dollars ce soir.

– C'est très généreux, commenta Kendrick.

– Oui, c'est un homme remarquable. Je suis déçu qu'il n'ait pas pu être des nôtres, dit-il en rivant ses yeux dans les miens.

– Ah, euh… dis-je avant de me racler la gorge. Sénateur Healy, je vous présente Lily Kendrick.

– Peut-être voudriez-vous rencontrer certains de nos invités d'honneur ? proposa-t-il avec un large sourire.

Alors que nous nous levions, j'entendais quasiment Kendrick se réciter dans sa tête tous les noms et les données personnelles de cette assemblée cosmopolite. Le sénateur Healy attrapa le dos de ma veste pour me retenir le temps que Kendrick nous distance.

– Nous étions convenus que vous passeriez du temps avec l'agent Stewart ou je me trompe ? siffla-t-il dans mon oreille.

Aurais-je dû proposer à Stewart de m'accompagner ? Healy avait dit à Kendrick de jouer le rôle d'une invitée, et nous en avions tous deux conclu qu'elle était censée venir avec moi.

– C'est ce que j'ai fait, monsieur, répondis-je posément. Mais je n'avais pas compris que vous parliez aussi de ce soir.

– Bon, reste le plan B, alors, lâcha-t-il avec un soupir exaspéré.

*Le plan B ?*

– N'hésitez pas à vous faire mousser, me dit-il une fois arrivé à sa table. Saluez-les chacun dans leur langue maternelle.

Pourquoi cette suggestion, alors que j'étais censé être un fils de P-DG new-yorkais, pas un agent de la CIA maîtrisant différentes langues étrangères ? Je progressai avec Kendrick le long de la tablée en suivant les instructions du sénateur, ce qui déstabilisa les interprètes. Quand j'atteignis le Russe, je lui serrai la main et lui dis bonjour en russe. Je ne me souviens pas des propos qui suivirent, parce que mes yeux tombèrent sur une jeune femme en robe rose à l'autre bout de la salle.

– Oh ! putain, c'est pas possible ! marmonnai-je.

Kendrick prit congé du Russe et m'éloigna de la table.

– Qu'est-ce qui se passe ?

Incapable de lui répondre, je dévisageais Holly, debout près de son Brian. Jamais je n'avais été aussi consterné de la voir. Et cela n'était pas dû à la présence de son bel athlète. Le fait qu'elle soit là en même temps que moi ne relevait pas d'une coïncidence, mais forcément d'une attaque. L'œuvre de Thomas ? Il avait dû la débusquer.

– Ça va mal tourner, ce soir, informai-je Kendrick. Crois-moi.

Ses yeux, d'abord braqués sur moi, balayèrent la pièce, et elle se fendit d'un sourire.

– Ah, alors tu as repéré ma surprise !

– Pardon ?

– Arrête de la fixer ! dit-elle en me donnant une bourrade. J'ai bien vu comment tu bavais devant elle, l'autre jour. Pourquoi tu crois que j'ai proposé à son mec de le mettre en contact avec un chirurgien orthopédiste ?

– Quoi ?

Moi qui m'étais imaginé tous les bâtiments new-yorkais depuis lesquels Thomas pouvait balancer Holly, j'apprenais que Kendrick m'avait monté un rencard très élaboré qui impliquait le nouveau petit ami de Holly.

– Pourquoi sont-ils là ?

Elle désigna un petit homme chauve assis à côté de Brian.

– Voilà le chirurgien qui va réparer le beau gosse pour qu'il puisse retourner en Californie marquer plein de touchdowns. J'ai assuré des gardes avec lui l'année dernière. Un type incroyable. Et ça grouille de médecins, ici, au cas où tu ne l'aurais pas remarqué. C'est une soirée caritative pour la recherche contre le cancer.

– On n'avait pas encore reçu nos affectations en tant qu'invités quand tu as fait ami-ami avec le dieu du foot.

– J'essayais juste de créer un lien, et peut-être de le réexpédier à l'autre bout du pays, dit-elle avec un sourire timide. J'ai hacké la boîte mail du sénateur pour obtenir la liste des invités. J'y ai repéré mon chirurgien orthopédiste préféré, et je lui ai envoyé un mail pour lui suggérer d'inviter son tout nouveau patient, qui, ai-je supposé, viendrait avec la jolie blonde qui te fait tant saliver.

Je poussai un énorme soupir de soulagement.

– C'est vrai de vrai ? Jure-moi que tu ne me racontes pas des bobards.

– Tu n'imagines même pas à quel point je me suis décarcassée pour goupiller tout ça. C'était le seul moyen. Tu ne pouvais pas passer ton temps à essayer de tomber sur elle par hasard, ça aurait fait trop malsain. Mais là, on est des étudiants en médecine, on se mélange à la foule, et elle n'est même pas sur la liste des invités puisque c'est lui, officiellement...

– Ah, alors je suis étudiant en médecine, maintenant ?

– T'as qu'à dire qu'on avait un cours en commun... Chimie organique, par exemple. Elle nous a vus à la librairie, alors...

Je me recoiffai du bout des doigts et remarquai sans surprise que j'avais les mains qui tremblaient. Quand cesserais-je jamais de m'inquiéter de menaces éventuelles sur la vie de Holly ?

– J'ai besoin de m'asseoir...

– Tu ne vas même pas aller lui parler ?

– Non merci, sans façon.

Je me dirigeai vers notre table, Kendrick sur les talons, et me laissai tomber sur une chaise tant j'avais les jambes en coton. Mon soulagement l'emportait sur le choc de cette deuxième rencontre avec Holly. *Et son nouveau mec...*

– Allez, Jackson ! geignit Kendrick. J'essaie de te monter un plan avec une fille pour t'éviter les coups d'un soir avec Stewart.

– Ça n'est arrivé qu'une seule fois, lui rappelai-je.

*Et on n'est même pas allés plus loin que les préliminaires...* Pour une raison qui m'échappait, je ne détrompai pas Kendrick à ce sujet. Peut-être parce que cela ne changeait pas grand-chose. Je ne me sentais ni héroïque ni chevaleresque de ne pas être allé jusqu'au bout avec Stewart. Juste seul. Et cela aurait été pareil si j'avais couché avec elle : je n'aurais fait souffrir personne puisque je n'avais personne. C'était ça, le plus pathétique.

Et c'était exactement pourquoi aimer quelqu'un, ça craint.

– Bon, au cas où tu te poserais la question, elle s'appelle Holly, et elle a un casier judiciaire vierge, m'annonça Kendrick en s'asseyant près de moi. Même pas une contravention...

– Elle est déjà en mains, je te signale, rétorquai-je pour essayer de mettre un terme à ce plan qui ne devait pas se produire.

– Très bien, lâcha-t-elle en se levant. Reste là à te morfondre tout seul pendant que moi je vais discuter avec les invités et peut-être me trouver un cavalier pour une danse ou deux.

– Amuse-toi bien !

Je me pris la tête entre les mains, bien heureux que les lumières soient tamisées et que la musique démarre. Tous les projecteurs étaient braqués sur la piste de danse, ce qui me laissait dans un coin d'ombre. Juste ce dont j'avais besoin à l'heure actuelle.

Je n'eus que quelques minutes de répit avant de percevoir que deux personnes venaient me flanquer.

– Salut, Stewart ! Salut, Mason ! Quoi de neuf ?

Je jetai un coup d'œil à ma droite et à ma gauche. Mason était déguisé en voiturier et Stewart, en uniforme de serveuse, tenait un plateau de bouchées au crabe. Elle me glissa une oreillette dans l'oreille qui n'en avait pas déjà une.

– On a planqué un micro sur le docteur Melvin, murmura-t-elle. J'ai essayé de lui parler de mon petit problème récent, et il a une attitude hyper bizarre, depuis. Je pense qu'il sait quelque chose.

Je hochai la tête et parcourus la foule des yeux à la recherche du vieux docteur. Il venait sans doute d'arriver, sinon je l'aurais déjà repéré.

– On file dehors, près des poubelles, m'indiqua Mason. On n'est pas censés être dans la salle de bal.

Ils se fondirent dans la foule, me laissant de nouveau seul. Trop occupé à surveiller tout le monde, je n'avais pas remarqué que les activités de levée de fonds avaient commencé. Le maître de cérémonie annonça des numéros de table pour la danse à cinquante mille dollars.

Si j'avais prêté attention au monde réel au lieu de guetter des agents d'Eyewall ou de déjouer des menaces de mort à l'encontre de diplomates du monde entier, j'aurais peut-être découvert la tentative romantique de Kendrick de me jeter dans les bras de l'unique personne que je devais par-dessus tout éviter. Je plissai les yeux quand le projecteur s'arrêta sur ma table. Puis il se braqua sur celle de Holly. Kendrick vint se couler sur un siège près de moi et émit un rire presque démoniaque.

– Essaie un peu de te défiler, Jackson.

Je me cachai le visage entre les mains avec un grognement. Les deux vieilles dames assises à notre table poussèrent des gloussements réjouis et applaudirent quand elles comprirent que c'était moi qui avais été tiré au sort. Je ne pus m'empêcher de jeter un coup d'œil à Brian et Holly quand on annonça son nom à elle : elle avait les yeux tout ronds. Je savais qu'elle n'appréciait guère de se retrouver ainsi au centre de l'attention.

– Et maintenant, nos deux heureux élus n'ont plus qu'à venir nous faire une petite danse. Juste un petit tango, et un don de cinquante mille dollars sera adressé à la fondation Make-a-Wish.

Kendrick me pinça le bras jusqu'à ce que je me lève. Puis une main m'enserra l'autre bras : à ma gauche, le sénateur Healy affichait son sourire bidon de politicien et saluait la foule de la main. Je songeai alors que les agents de la CIA feraient d'excellents politiciens. Ils sont tellement habitués à mentir.

– Qu'est-ce qui vous prend ? maugréa-t-il. Ne restez pas planté là comme un imbécile.

Ce n'était franchement pas ma personne préférée au monde à cet instant. Je dégageai mon bras.

– Et pendant que vous serez au milieu de la piste de danse, je veux que vous me disiez ce que se racontent l'ambassadeur chinois et son amie, compris ?

– Oui, monsieur, ronchonnai-je.

Je le sentis se raidir sous l'effet de la colère. Puis il se dirigea vers le maître de cérémonie pour faire le prochain tirage au sort des numéros de table et de siège. Je n'avais d'autre choix que d'avancer sur la piste. Pas moyen de me cacher. Entouré par cette foule d'invités innocents qui m'applaudissaient en souriant, je remarquai que le récepteur dissimulé sur ma manche avait été déconnecté.

*C'est le sénateur Healy.*

Comment avait-il réussi ce tour de passe-passe sous mon nez ? Réponse : parce que j'étais trop distrait par Holly. Mais honnêtement, ce type me fichait de plus en plus la trouille. Et il éveillait mes soupçons. Il me rappelait beaucoup le chef Marshall.

L'air totalement humilié, Holly vint se placer près de moi au centre de la piste de danse vitrifiée.

– Pourquoi c'est tombé sur nous ? murmura-t-elle.

*Merci Lily Kendrick, mon imbécile de partenaire.*

– C'est le tirage au sort, ça.

– Ce serait quand même moins horrible si on n'était pas les seuls à devoir danser, remarqua-t-elle avec un petit rire nerveux.

*Oh, non, ça ne changerait rien du tout.* Je m'obligeai à sourire et lui tendis la main.

– Allez, c'est pour la bonne cause, non ?

Elle m'enlaça d'un geste hésitant, puis rit de nouveau quand la musique démarra.

– Ils sont forts pour piéger les gens, hein ? remarqua-t-elle. Soit tu danses avec un inconnu, soit tu laisses mourir un gamin sans qu'il ait pu vivre le rêve de sa vie en allant à Seaworld.

– Tout juste. Il n'y aurait qu'un salaud fini pour dire non.

Je m'efforçai d'avoir l'air cool... ou au moins à peu près normal. Mais, sans même y penser, je la rapprochai de moi et resserrai les doigts sur sa main.

– Alors, tu as croisé d'autres Jackson Meyer, récemment ?

– Non, mais je sais pourquoi ta tête me disait quelque chose, l'autre jour, répondit-elle en me souriant.

Voilà qui affola mon cœur, que je dus forcer à se calmer, étant donné qu'elle était plaquée contre ma poitrine.

– Ah bon ?

– Il y a ta photo dans la salle du conseil, au YMCA de la 92ᵉ Rue, m'apprit-elle avec un sourire timide. Parce que ta famille a fait un très gros don au programme d'activités périscolaires.

Je poussai un soupir de soulagement. Il ne s'agissait donc pas d'un flash bizarre de la Holly 007, comme les souvenirs qui étaient revenus à Stewart et Melvin.

– Oui, j'y ai passé pas mal de temps.

– J'ai eu un entretien pour un job de moniteur de centre aéré. J'ai suivi la formation pendant deux semaines…

– Et tu n'y bosses pas, alors ? Qu'est-ce qui s'est passé ?

J'expirai doucement pour me ressaisir. J'avais bien changé ma vie, moi, alors celle de Holly avait peut-être aussi été altérée.

– Ça avait l'air super, mais j'ai eu l'occasion de prendre des cours anticipés cet été à la fac, alors…

– Ah, d'accord…

Malgré mon entraînement intensif d'agent secret, j'aurais bien du mal à ne pas me griller, ce soir.

Avoir été pendant quelques jours officiellement amoureux de quelqu'un qui m'avait rendu cet amour ne faisait guère de moi un expert en la matière, mais je savais une chose avec certitude : debout là près de Holly, je me sentais tout sauf vide.

J'effleurai sa joue du bout des doigts, percevant la chaleur qui irradiait de son cou alors qu'elle rougissait. Deux centimètres de plus, et j'aurais pu enfouir mon nez dans ses cheveux. Mes yeux se fermèrent et j'inspirai profondément. J'aurais payé cent fois le montant du don pour me sentir aussi bien le restant de mes jours. Je savais que mes doigts pourraient trouver le chemin du minuscule grain de beauté qu'elle avait sur les reins ou de la cicatrice rose pâle qui s'étirait sur son flanc droit. Il n'y avait pas un centimètre de son corps qui ne soit gravé dans ma mémoire. Je me rendis alors compte qu'il était merveilleux de savoir tout ça, mais aussi que je détestais l'idée qu'un autre puisse le savoir.

Je la serrai plus fort. Elle me dévisageait, à présent, et j'en oubliai ce que je faisais. J'oubliai qu'elle ne me connaissait pas. J'oubliai tout. Ma bouche se rapprocha de la sienne, mes doigts glissèrent le long de son dos et mon cœur battit la chamade, rythme parfait qui me fit tanguer vers l'avant jusqu'à ce que nos bouches ne soient plus séparées que par une mince pellicule d'air.

Ce fut le moment exact où la réalité me sauta à la figure. Le corps entier de Holly se raidit. Ses yeux coururent aux quatre coins de la pièce, comme si elle voulait qu'on vienne la sauver.

De moi.

Les dernières notes de la chanson s'éteignirent et je baissai les bras. Holly ne recula pas tout de suite.

– Euh… Désolé… C'était… enfin, bref…, balbutiai-je en guise d'excuse.

Je lui tournai alors le dos pour éviter d'aggraver mon cas. Du coin de l'œil, je vis le sénateur Healy s'approcher d'elle et lui murmurer quelque chose. Sans doute des excuses, ou une explication à mon évidente folie.

J'avais du mal à respirer, mais je ne savais trop si c'était la tristesse ou un début de crise de panique. Quoi qu'il en soit, il fallait que je sorte de là vite fait. Je me frayai un chemin jusqu'à la porte, puis m'adossai au mur dans le hall de l'hôtel.

*Oh ! nom de Dieu, ça craint. Ça craint un max.* Tous ces témoins qui nous avaient vus ensemble, Holly et moi. Les agents de Tempest et d'Eyewall... Le sénateur Healy... Fermant les yeux, je tentai d'imaginer une justification à mon attitude. Une histoire de couverture.

– C'est qui, la blonde ? me demanda Mason.

J'ouvris les yeux. Il était debout juste à côté de moi, lui aussi appuyé contre le mur.

– Euh, personne... Il y a eu un tirage au sort et je me suis retrouvé coincé.

Mason parcourut la salle des yeux, observant, surveillant, en bon agent qu'il était.

– Stewart a pété un plomb. Tu crois qu'elle est jalouse ?

J'eus à peine le temps de lever les yeux au ciel qu'il éclatait de rire et m'en expliqua la raison.

– Elle est douée, cette fille. Elle vient de me dire « va te faire foutre » en quatre langues !

Il indiqua son oreille d'un doigt, et je supposai que Stewart avait dû hurler dans son oreillette.

– On n'a pas ce genre de rapport avec Stewart, protestai-je en n'osant trop espérer qu'il me croirait.

Il masqua d'un doigt le minuscule bout de métal caché sous son col de chemise et murmura :

– Mais enfin… tu sais… vous êtes bien sortis ensemble, tous les deux, non ?

– On peut en parler plus tard ? soupirai-je.

– Pas de souci.

Il allait s'éloigner, mais je l'arrêtai, m'efforçant d'avoir l'air imperméable aux événements de la soirée.

– Au fait, comment ça s'est passé, l'autre soir ?

Je l'avais aidé à aborder une fille que nous avions rencontrée pendant une surveillance devant l'hôtel. Il l'avait invitée à sortir, et je n'avais pas encore eu le compte rendu de leur rendez-vous.

– Pas mal, pas mal du tout, répondit-il avec un sourire. Tiens, j'ai chipé ça dans un minibar au cinquième étage, me dit-il en me tendant une mignonnette de Jack Daniel's qu'il avait sortie de sa poche de veste. Tu m'as l'air d'avoir besoin d'un remontant.

Je jetai un coup d'œil à la bouteille de potion magique. J'aurais dû me mettre à boire à la seconde où j'avais repéré Holly. On m'avait assigné le rôle d'un invité, ce soir. Était-ce ma faute si cela impliquait la consommation de boissons alcoolisées ? D'autant qu'on ne m'avait confié aucune autre mission que de me balader partout avec mes caméras et mes micros cachés pour que les enregistrements soient ensuite dépouillés par un autre agent.

– Merci, mon pote.

– De rien. Je te devais bien ça.

Les portes de la salle de bal s'ouvrirent, laissant échapper la musique de danse. Mason disparut, et je sifflai la mignonnette en deux longues goulées. Le sénateur Healy passa alors la porte en me cherchant des yeux. Sans un mot, il m'indiqua du doigt la salle de bal. Quand je passai devant lui, il marmonna à mi-voix :

– Qu'est-ce qui ne va pas, chez vous ? Ça grouille d'agents Eyewall et de terroristes internationaux, là-dedans, et vous, vous vous amusez !

Je serrai les poings, puis m'obligeai à les rouvrir et déposai le flacon vide dans sa main.

– Jetez ça à la poubelle pour moi, vous voulez bien ?

Kendrick se trouvait à l'autre bout de la salle, assise toute seule au bar. Je pris le siège voisin et commandai un autre verre.

– Dis-moi la vérité. J'ai eu l'air d'un con, non ?

Elle prit son verre de vin à deux mains et garda les yeux fixés sur le bar.

– T'as déjà entendu les autres se foutre de ton côté mec ordinaire qui se reconvertit en agent secret ?

– Oui, dis-je avant de boire une gorgée, appréciant la brûlure de l'alcool dans ma gorge.

– Eh bien, je suis une des rares qui ne te connaissaient pas avant que tu deviennes... ça, fit-elle avec un geste qui semblait signifier que j'avais « agent secret » tatoué sur le front. Mais j'avais quand même deviné quelque chose sur toi.

– Ah oui ? Quoi ?

– Il n'y a qu'une seule raison qui pousserait quelqu'un à échanger ta vie d'avant avec celle qu'on a maintenant.

– Un krach boursier ?

– La vengeance, dit-elle en baissant les yeux.

Je me rappelai alors son air sinistre quand elle m'avait raconté que sa famille vivait à Chicago, et l'autre jour aussi, quand elle m'avait confié que ses parents et son petit frère étaient morts.

– Comme pour toi, c'est ça ?

– Mais ça ne marche pas. Pas longtemps, en tout cas. Au bout d'un moment, tous ces souvenirs tristes se changent en colère, et après, tu ne ressens plus grand-chose.

C'était comme si elle avait sorti de mon crâne toutes mes peurs et tous mes soucis pour me les agiter sous le nez, et je n'avais pas besoin de ça. Pas maintenant. J'éclusai mon verre et me levai.

– Je vais aller... faire un tour.

Kendrick secoua la tête et fit signe au barman de me resservir.

– J'ai fini mon sermon, tu peux arrêter de flipper. Je voulais juste que tu saches que... c'est Michael qui m'a ramenée à la vie. Je n'avais pas envie de ressentir ça, non plus, de céder à ces sentiments, mais ils m'ont fait progresser. Cette relation ne peut pas être mauvaise, puisque le simple fait d'être avec lui me rend plus efficace dans ma mission de sauver des vies...

Je me rassis et sirotai mon verre en silence. Puis elle se mit à rire.

– Qu'est-ce qu'il y a de si drôle ?

– Ça faisait très « allongez-vous sur mon divan », mon speech.

– Oui, enfin, plutôt « sur mon tabouret de bar », en l'occurrence.

– Ha, ha. J'ai droit à un câlin ?

Je parcourus la salle du regard en feignant l'embarras.

– Pas en public. J'ai une réputation à préserver, moi.

Elle se pencha pour me déposer un baiser sur la joue.

– Voilà, comme ça, toi aussi tu portes une touche de rose.

Je me retournai sur mon tabouret pour pouvoir continuer ma surveillance de la pièce.

– Tu crois qu'un peu de ton rouge à lèvres va m'aider à séduire une jolie fille ce soir ?

– Si ça ne les fait pas fuir, oui ! plaisanta-t-elle en indiquant de la tête l'endroit où Holly discutait avec Brian et le chirurgien censé lui opérer l'épaule.

– Crois-le ou non, mais j'ai le chic pour me prendre un râteau dans les moments importants, avouai-je.

Je consultai ma montre et gémis en constatant que seule une heure et demie s'était écoulée. Encore quatre à tenir. Une éternité.

Mon poste d'observation au bar me donnait à la fois une vue imprenable et un bon prétexte pour lever le coude. Kendrick faisait la conversation en passant de groupe en groupe, et moi, je restais le cul vissé sur mon tabouret à boire un peu trop. *OK, plus qu'un peu trop.* J'entrepris de noter chaque détail, de calculer, de mémoriser.

Quelques verres de plus et j'oubliai les remarques de Kendrick, puis je relâchai ma surveillance des prétendus terroristes internationaux, parce que Holly dansait avec Brian. Accoudé au bar, je me régalai de la vision sexy de ses hanches ondulantes. C'était plutôt sympa de redevenir un type normal, qui pouvait reluquer une paire de fesses sans penser à quoi que ce soit d'autre, surtout pas à des histoires de vie ou de mort.

– C'est laquelle qui vous a tapé dans l'œil ? demanda le barman derrière moi.

– La blonde au milieu, la petite avec les hauts talons, répondis-je en pointant ma bouteille de bière en direction de Holly.

– Pas étonnant que vous soyez à l'autre bout de la pièce, gloussa-t-il en me donnant une tape sur l'épaule. Son mec pourrait sans doute vous écrabouiller d'une seule main.

– Oh ! je pourrais me le faire, me vantai-je, le nez dans ma bière.

– C'est ça, on peut toujours rêver.

J'étais hélas ! assez bourré pour envisager de lui prouver qu'il avait tort, histoire de m'amuser un peu. Mais alors que j'observais Kendrick dans l'espoir qu'elle finisse bientôt sa conversation avec le Russe pour que je puisse recueillir son avis, quelqu'un se glissa près de moi et parla au barman.

– Qu'est-ce que vous avez, en pression ?

Je pivotai sur mon siège et vis Holly debout près de moi.

– Pour vous, du Coca ou de l'eau, répondit-il, les bras croisés.

Après notre quasi-baiser, je m'attendais qu'elle prenne ses distances, mais ses yeux croisèrent les miens et elle sourit.

– Je croyais que tu étais parti.

Je lui rendis son sourire et regardai le barman.

– C'est une invitée du sénateur Healy. Je suis sûr que cela ne le dérangera pas.

– Une Bud Light ? commanda Holly, l'air un peu plus assuré.

– OK, répondit-il avant d'aller chercher sa bière.

J'attendais toujours que Holly la timide reprenne le dessus, mais elle restait là, assise près de moi, et se tourna même pour me faire face.

– Très fort ! Tu l'as déjà fait, ça ? L'intimidation ? Le côté « je connais des people » ?

L'alcool, le parfum familier de Holly, les images de son corps sur la piste tout à l'heure, voilà qui ne laissait plus aucune place à l'appréhension. *Ni au bon sens.* J'espérais qu'un agent d'Eyewall ne choisirait pas cet instant pour surgir et venir m'assassiner.

– À ton avis ? rétorquai-je alors que le barman déposait un verre devant Holly, qui en but une longue gorgée avant de répondre.

– J'imagine que tu es un habitué des soirées de gala.

– Ça, tu peux le dire ! Mais aujourd'hui, c'était ma première danse à cinquante mille dollars.

Elle éclata d'un rire un peu nerveux sans me quitter des yeux.

– En tout cas, t'es le roi du collé-serré, toi !

– Euh, oui... désolé.

– C'est oublié, dit-elle en haussant les épaules.

Je commençais à me sentir mal à l'aise sous le poids de son regard plein d'assurance. Elle était trop calme, trop sûre d'elle. Ou bien était-ce que je la comparais à Holly 007, la dernière Holly que j'avais dû rencontrer pour la première fois... une nouvelle fois. Là, il s'agissait de Holly 009, une fille de bientôt dix-neuf ans. Soudain, j'eus l'intense désir de tout recommencer. Les souvenirs féeriques de notre rencontre... mes pensées qui s'envolaient constamment vers elle... les stratégies pour me retrouver toujours au même endroit qu'elle...

Et pourquoi cela ne ferait pas partie de ma couverture du soir ? Me mêler aux invités, draguer les filles ? C'était bien ce que ferait le fils du P-DG Kevin Meyer, non ? Je mènerais ainsi mon enquête. Holly pouvait fort bien être une terroriste adolescente. Il fallait que quelqu'un se rapproche d'elle pour le découvrir.

*Sacrifions-nous pour l'équipe.*

– Alors, d'où venez-vous, mademoiselle Holly Flynn ? demandai-je, histoire de lancer la conversation.

– Du New Jersey.

– Je suis allé à une soirée là-bas, un jour. Ça fait longtemps...

– T'es allé à une soirée dans le New Jersey ? Comment ça se fait ?

Je rapprochai un peu mon tabouret du sien pour faire de la place à quelqu'un qui voulait s'asseoir de l'autre côté.

– La raison principale, c'était de passer du temps avec une fille que j'aimais bien. C'était en plein air dans les bois, il y avait un feu de joie.

– Des tonneaux de bière, aussi ? Je suis déjà allée dans ce genre de fête. Ça s'est passé comment, finalement, avec cette fille ?

J'y réfléchis un instant, puis souris.

– C'était très sympa. Évidemment, j'avais espéré une folle nuit d'amour sur un lit de feuilles dans les bois, mais ça ne s'est pas fait. Je ne me suis pas pris une veste, c'est juste qu'il y avait pas mal d'orties. Et en plus, elle avait un mec. Un grand type chevelu pas beau.

Elle parcourut la salle des yeux et repéra Kendrick, qui discutait avec Brian.

– Ça fait une heure que tu es assis là. Tu ne crois pas que ta cavalière va s'ennuyer un peu… ou se sentir abandonnée ?

– C'est juste ma partenaire… enfin, ma partenaire de labo, je veux dire… à la fac de médecine.

– C'est bon à savoir, commenta-t-elle avec un sourire lourd de sous-entendus.

Je m'écartai aussitôt, choqué qu'elle me fasse du rentre-dedans. Ce n'était pas le genre de la Holly réservée que je connaissais.

– Et ton copain, à toi ? Ça ne le dérange pas que tu flirtes avec des inconnus ?

Elle se rapprocha de moi et ses cheveux balayèrent mon bras.

– Brian est meilleur en flirt qu'en foot.

Je tournai alors les yeux vers Brian et constatai qu'il n'avait pas interrompu son numéro de charme. Kendrick, elle, m'adressa un clin d'œil par-dessus son épaule.

– Bon, OK, je te crois, concédai-je.

– Parfait, dit-elle avant de descendre d'un bond de son tabouret. Tu devrais danser avec moi.

Voilà qui me choqua au plus haut point, mais je nageais dans un bonheur alcoolisé. Je savais que c'était une très mauvaise idée, mais c'était si tentant.

Je tendis la main vers la sienne, puis hésitai. Quelque chose ne collait pas dans son comportement. Malgré la bière qui coulait dans mes veines, je la soupçonnai de vouloir me jouer un tour. Une blague tordue à la Stewart. Sauf que, si Stewart était de mèche, nous avions un tout autre problème sur les bras : cela signifiait qu'elle savait qui j'étais vraiment.

– Tu viens ou pas ? relança Holly avec un regard un peu trop innocent. C'est une super chanson.

Mes soupçons redoublèrent, sans raison logique sinon qu'il me paraissait impossible que cette Holly me donne exactement ce que je voulais d'elle sans que j'aie eu à le lui demander. Au lieu de répondre, je la regardai, et elle m'entraîna par la main jusqu'au centre de la piste. J'eus alors une intuition délirante, sans doute due à l'alcool. Juste un mot qui flottait dans ma tête comme un moucheron agaçant dans un verre d'eau.

*Des clones.*

Je chassai cette idée de mon esprit, mais pas totalement. Si ce n'était pas vraiment elle, je l'aurais su, non ?

La chanson emplit mes oreilles, les mains de Holly se glissèrent sous mon veston, et tout ce que j'arrivais à penser, c'était : *ça a l'apparence de Holly, ça a l'odeur de Holly, ça a la douceur de Holly.* Je l'enlaçai et l'attirai près de moi, satisfait de l'entendre inspirer vivement, comme si je l'avais enfin surprise.

Je sentis le regard du sénateur Healy dans mon dos.

– Je suis un peu parti, donc il faudra que tu me dises si... je suis trop collé-serré, murmurai-je en me rapprochant encore.

Ses épaules se crispèrent un peu, mais elle sourit.

– En tout cas, il n'y a pas d'orties dans les parages.

J'éclatai de rire, puis relâchai un peu mon étreinte pour nous permettre de respirer. J'essayais désespérément de me focaliser sur le moment présent, sur cette Holly un peu plus hardie.

Je me concentrai sur ses mouvements tout en essayant d'assurer moi-même. Elle se rapprochait, puis se crispait un peu, puis s'obligeait à se détendre, et après elle faisait un truc avec les mains, comme me caresser les cheveux sur la nuque ou les poser sur ma poitrine. Tout cela était très calculé, planifié. Et ça me rendait fou. Dans le mauvais sens du terme. Ce fut mon seul moment impulsif. Je voulus faire quelque chose qui la scotcherait, qui lui donnerait envie de me suivre chez moi et de balancer ses vêtements aux quatre coins de mon studio emprunté à la CIA.

Même s'il était hors de question que je la laisse faire.

Je la fis pivoter pour que son dos se retrouve contre moi et lui soulevai les bras pour les accrocher autour de mon cou. Je plaquai les mains sur son ventre et lui effleurai la tempe et le cou du bout du nez. Puis je lui embrassai le cou. Toute ma concentration s'envola d'un coup, et je sentis son cœur battre et sa respiration s'accélérer alors que ma bouche appuyait plus fort sur sa peau.

– Tu sens la vanille, lui murmurai-je à l'oreille.

– Tu me l'as déjà dit, chuchota-t-elle en appuyant la tête sur mon épaule, les yeux fermés.

– Quand ça ? m'étonnai-je.

– Euh, je ne sais pas… avant, bredouilla-t-elle, l'air perplexe, en se retournant vers moi.

Elle posa les mains sur mes hanches et se colla contre moi. Puis mes mains descendirent s'aventurer où elles n'auraient pas dû s'aventurer, mais elle me laissa faire. Enfin, pendant une seconde, car la chanson se termina. Holly plongea ses yeux dans les miens, prit une profonde inspiration et recula d'un pas.

– Je crois que… j'ai besoin d'un autre verre.

– OK.

Ces changements de rythme me perturbaient, et la chaleur qui émanait de nous deux n'arrangeait pas ma concentration.

– C'était… une super chanson, commenta Holly en s'asseyant.

– Ouais, vraiment super.

Le barman m'apporta une autre bière et en offrit une à Holly, qui demanda plutôt de l'eau, ce qui me fit de nouveau rire.

– Je suis sûr que tu te lâches un peu trop, quand tu bois, la taquinai-je.

– Je suis sûre que tu n'auras pas l'occasion de le découvrir, dit-elle en souriant. Sauf si…

– Sauf si quoi ? fis-je en manquant lâcher ma bouteille par terre.

– Au fait, tu habites où, déjà ?

Là, pour le coup, j'en lâchai ma bouteille, mais je réussis à la rattraper avant qu'elle ne se brise par terre.

– Loin… très loin d'ici, et c'est naze, comme appart… Enfin, je veux dire, je n'y inviterais jamais une fille. Et tu ne me connais même pas, de toute façon.

Son sourire coquin s'effaça et elle me regarda d'un air intrigué.

– OK, je te crois.

Ce n'était pas le fait qu'elle veuille aller chez moi qui me dérangeait, mais plutôt qu'elle l'ait peut-être fait avec d'autres. La dernière fois, je n'avais pas ramené Holly 009 chez moi avant notre quatrième rendez-vous, et encore, mon père était là et on avait juste traîné dans l'appart pendant vingt minutes.

Ça sortait d'où, cette attitude ? Je lui avais presque sauté dessus, plus tôt, et là, elle voulait se retrouver seule avec moi ?

– Tu pourrais peut-être me donner ton numéro ? suggéra-t-elle.

*Oh ! non, pas question.*

Un silence gêné s'installa, que je voulus remplir avec quelque chose de signifiant, même si cela n'avait pas de sens pour elle. En revanche, je préférais que mes collègues n'entendent rien. Je pris un stylo derrière le bar et griffonnai sur une serviette.

*Le passé n'est qu'un prologue.*

Elle lut, puis leva les yeux vers moi, l'air déroutée.

– Ce n'est pas un numéro de téléphone, ça. Du Shakespeare, peut-être ?

– C'était mon horoscope de ce matin. Je me suis dit que cette sage parole était à partager.

– Bon, alors... une autre !

Je rapprochai mon tabouret et écrivis sur la serviette :

*Le malheur donne à un homme d'étranges compagnons de lit.*

– C'est pour ça que tu ne veux pas me filer ton numéro ? pouffa-t-elle.

– Plus ou moins, oui, dis-je avant d'écrire une autre phrase, en posant mon menton sur son épaule. Celle-là, c'est ma préférée.

*Qui meurt a payé toutes ses dettes.*

– Voilà une perspective réjouissante pour quand j'aurai fait chauffer la carte de crédit, commenta-t-elle avant de prendre elle aussi une serviette. Voyons voir si tu connais celle-là.

*Dis au vent et au feu de s'arrêter, mais pas à moi.*

– Dickens ?

Dans des instants pareils, j'aurais aimé que le temps passe deux fois plus lentement.

– Laisse-moi deviner... C'est ça qui t'a inspiré ton tatouage ?

Elle ouvrit la bouche, mais il lui fallut une bonne seconde avant de pouvoir dire quelque chose.

– Pas vraiment, mais un peu quand même... Comment tu sais ?

Je voyais nettement le tatouage sur son omoplate, que j'effleurai du doigt.

– J'ai deviné... ou alors c'est juste que tu es très prévisible.

J'écrivis encore quelques mots en la regardant du coin de l'œil.

*Embrasserais-tu un inconnu ?*

– Je ne suis pas prévisi..., protesta-t-elle avant de s'interrompre à la lecture de la question. Et toi, tu le ferais ?

– Non, répondis-je, puis je posai ma bouche à la commissure de ses lèvres.

Elle ne se raidit pas, cette fois-ci, mais elle retint sa respiration. J'allais me rapprocher encore lorsque deux invités très exubérants prirent place près d'elle, nous faisant sursauter tous les deux.

– Tu m'as bien eue..., dit-elle en souriant, le rouge aux joues. Je peux te poser une question ?

– Essaie toujours.

– OK, je me lance. Tu as remarqué que le sénateur Healy nous observe depuis un moment ?

Je me redressai sur mon siège, conscient du ton un peu plus formel de sa voix.

– Non, pas vraiment, mentis-je. Toi, si ?

– Je t'assure, murmura-t-elle, l'air de jouer un rôle. Il est passé derrière toi au moins cinq fois.

– Quatre, rectifiai-je, les sens en alerte, l'agent en moi exploitant la partie de mon cerveau qui stockait tout ce genre d'informations. Enfin, je n'ai pas compté, hein...

– Je dois t'avouer quelque chose. On a fait un genre de... pari.

– Le sénateur et toi ? m'étonnai-je. Comment tu le connais ?

– Je ne le connais pas plus que ça. Je l'ai juste rencontré ce soir. Enfin, c'est lui qui octroie la bourse que j'ai eue pour aller à la fac, mais qu'on soit là tous les deux ce soir relève de la coïncidence.

*Pas tant que ça...* Et je ne me rappelais pas qu'elle ait déjà mentionné cette histoire de bourse... ou bien peut-être ne l'avais-je pas interrogée sur l'origine des fonds ?

– Bon, et alors, c'est quoi, votre pari ? relançai-je.

Holly tendit les mains et les posa sur mon visage.

– Pas le droit de tourner la tête, ni d'ouvrir les yeux.

– Euh, c'est un peu bizarre, ton truc.

Je lui obéis néanmoins pour voir où tout cela nous menait.

– De quelle couleur sont mes yeux ? demanda-t-elle.

– Bleus... Bleu clair.

– OK, et ceux de mon copain ?

– Marron. Pourquoi...

– Et ceux de l'ambassadeur russe ?

*Marron clair, avec quelques taches de bleu.*

– Je ne sais pas.

J'ouvris les yeux pour constater qu'elle affichait une expression plus grave. Elle reposa les mains sur ses genoux et eut un sourire forcé.

– C'est bon, merci.

– Sérieux ? m'étonnai-je en me passant la main dans les cheveux. Ce n'est pas terrible, comme pari.

– En fait, il y avait deux défis, et j'ai commencé par le plus dur.

– C'était quoi ?

– Te pousser à m'embrasser, révéla-t-elle en détournant les yeux.

J'en restai bouche bée, comme sous l'effet d'un coup de poing dans l'estomac. Je m'obligeai à garder un calme apparent.

– J'espère que le jeu en valait la chandelle.

– Regarde ce que j'ai gagné ! se réjouit-elle en sortant de son sac deux tickets. Des places au premier rang pour *Wicked* !

Je me retournai vers le bar et entrepris d'arracher l'étiquette de ma bouteille vide. Je n'aurais pas dû me sentir floué. J'avais pris ma décision en toute connaissance de cause. Sortir avec Stewart ou boire quelques verres en draguant une fille à une soirée c'était une chose, mais sauter d'un toit pour sauver quelqu'un, là, on exhibait sa plus grande faiblesse, et je ne pouvais pas permettre que cela se reproduise. Plus jamais. Parce qu'il arriverait bien une fois où je ne sauterais pas assez vite.

Je tournai la tête sur ma gauche et repérai le sénateur Healy, qui n'avait plus l'air en colère et se contenta de me faire un signe de tête approbateur. Pourquoi ? Pour marquer le coup ? Pour me prouver que j'étais encore capable d'assurer une surveillance, même quand j'avais l'impression de me relâcher ?

Il fallait que je fasse attention maintenant, que je découvre pourquoi personne ne savait où se trouvaient mon père et le chef Marshall, pourquoi je devais faire ami-ami avec Stewart et pourquoi il était crucial que Kendrick reste concentrée.

– Je vous remets ça ? nous demanda le barman.

– Pas pour moi, merci, répondis-je, avant de me tourner vers Holly. Amuse-toi bien à *Wicked.* Il paraît que c'est super, comme spectacle.

Alors que je me levais, pour la première fois, un soupçon de culpabilité se lut sur son visage. Elle m'attrapa par le bras.

– C'était vraiment sympa.

– C'est toujours sympa de gagner, non ?

J'avançai d'un pas et posai l'index sous son menton, soulagé d'y déceler la cicatrice familière, puis je baissai les mains et m'éloignai. Elle n'était pas exactement ma Holly, mais je ne pensais pas qu'elle puisse être un clone, non plus... enfin, sauf que je ne savais pas trop comment ça fonctionnait.

Je m'étais à peine éloigné que Kendrick vint me chercher pour m'entraîner vers la piste de danse.

– Quelle petite garce ! Je serais bien capable de lui foutre une raclée, là tout de suite !

L'ironie de cette déclaration frôlait le comique.

– Ne t'en fais pas, je t'assure.

– Je te préviens, je ne suis pas une bonne cavalière, s'excusa-t-elle en me passant un bras autour de la taille.

Je la rapprochai suffisamment pour ne pas avoir à la regarder dans les yeux. Hormis pour nos entraînements de close-combat, je n'avais jamais été si près d'elle, et je me demandai si c'était là une nouvelle preuve de notre amitié naissante.

– Alors, quoi de neuf ?

– Rien, restons vigilants.

Je m'y employai alors que nous dansions sur une chanson que je ne connaissais pas. Je me remis à lire sur les lèvres des convives parce que c'était distrayant, mais j'entendis soudain la voix de Brian dans mon oreillette et découvris bientôt que Stewart était postée près de lui avec un plateau de petits-fours.

– Tu veux rester encore un peu ou… partir tôt ? demandait Brian à Holly d'un ton suggestif qui me retourna l'estomac.

– Partir tôt, sans hésitation ! répondit-elle avec un petit rire.

Du coup, je ne pus m'empêcher de les regarder, et ce que je vis en premier, ce fut les mains de Brian posées sur les fesses de Holly et sa langue qu'il lui enfonçait au fond de la gorge. Je poussai un grognement, ce qui ne m'empêcha pas de l'entendre dire : « T'inquiète, j'ai apporté ce qu'il faut. »

Je fis pivoter Kendrick pour pouvoir me mettre dos à eux, puis je fermai les yeux, absorbant toute la portée de ces propos comme une volée de coups de poing. *Il couche avec elle ?* Il venait de me voler mon moment, l'un de mes plus beaux souvenirs de Holly.

Et maintenant, il allait falloir que je trouve un moyen de ne pas le tuer.

Je suivis des yeux Holly, qui partait avec Brian, et je ressentis un mélange de soulagement et de solitude. Au moins, je pourrais me concentrer le restant de la soirée. Enfin, me concentrer dans les vapeurs de l'alcool...

Alors que je m'apprêtais à reprendre ma surveillance de la foule, je sentis vibrer mon portable.

– Tiens, Freeman nous réclame tous ? s'étonna Kendrick, qui regardait aussi le sien.

J'acquiesçai de la tête, mais il nous fallut patienter trente interminables secondes que la chanson se finisse avant de pouvoir quitter le feu des projecteurs pour nous replier dans un coin sombre. J'avais le cœur battant. Il devait se passer quelque chose d'important pour qu'on nous fasse abandonner nos postes en plein milieu d'une mission.

# CHAPITRE ONZE

Je pressai le pas une fois dans le hall et loin de la réception.

– Quelqu'un sait comment rejoindre le sous-sol ? demandai-je aux autres.

– Ouais, lâcha Stewart en passant derrière moi. Et on n'a même pas besoin de sortir.

Avec Kendrick, je la suivis jusqu'à un ascenseur au bout d'un long couloir. Au moment où les portes s'ouvraient, Mason nous rejoignit et entra le premier.

– Mais comment tu te débrouilles, toi ? m'étonnai-je. Je ne te vois jamais arriver.

Il me fit un petit sourire, puis adressa un signe de tête à Kendrick alors que les portes se refermaient.

– Docteur, il va nous falloir refaire les branchements.

Mon visage dut refléter ma perplexité, parce que Stewart crut bon de me fournir une explication.

– Il faut une clé pour aller au sous-sol. C'est là qu'il y a la blanchisserie.

– Ah, d'accord. Il n'y a pas un escalier ?

– Junior, tu vas te décider à acheter un cerveau, un jour ? railla-t-elle avant de jeter sa veste par terre. Il faut aussi une clé pour l'escalier, sauf qu'il n'y a pas de système électrique qu'on puisse bidouiller, comme dans l'ascenseur.

Nous ignorant, Mason et Kendrick avaient déjà enlevé la porte du boîtier et tripotaient des fils.

– Eh ben, on aurait pu voler une clé à une femme de chambre. C'est pas la mer à boire, quand même.

– Comme ça, c'est moins risqué. Ça reste entre nous, marmonna Mason, l'œil rivé sur les fils.

Malgré l'angoisse qui me rongeait, je ne pus que sourire en voyant Kendrick, dans sa robe de soirée rose et ses hauts talons, qui arrachait des fils à la vitesse d'un démineur professionnel. Je me demandai ce que penserait Michael s'il la voyait comme ça... dans son élément.

– Branche le rouge sur l'orange, ordonna-t-elle à Mason.

– OK.

Et l'ascenseur s'ébranla.

– Bravo, docteur Kendrick, la complimentai-je.

Elle me sourit, puis ôta ses chaussures et les prit à la main. Quand les portes s'ouvrirent, Stewart et moi avions déjà sorti nos armes. S'il y avait une chose que je pouvais apporter à cette équipe, c'était mes talents de tireur... à ceci près que je n'avais jamais pratiqué le tir de précision en étant complètement bourré. J'allais peut-être viser un peu moins bien.

Notre petite troupe slaloma entre des chariots remplis de serviettes blanches et accéda à une trappe ménagée dans le sol. Enfin... plutôt une bouche d'égout dissimulée sous un tapis marron. Je descendis le premier à l'échelle en pointant mon arme vers le bas, au cas où. À la seconde où j'atterris, Parker et Freeman passèrent près de moi.

– Hé, qu'est-ce qui se passe ? demandai-je. Pourquoi on crapahute dans les égouts ?

Freeman inspecta les tunnels d'un coup d'œil rapide tandis que d'autres agents nous rejoignaient.

– Healy m'a bipé pour que je vous rassemble tous. Il doit avoir une bonne raison de nous faire interrompre une mission comme ça.

– Qui c'est, les deux là-bas ? demandai-je en essayant de mieux voir dans la pénombre.

Freeman mentionna le nom de deux agents qui venaient de terminer leur formation en France.

Je ne pouvais ignorer le malaise qui s'emparait de moi. Quelque chose ne collait pas. Je me tenais encore à côté de Healy quelques minutes avant l'arrivée de ce message...

– Pourquoi il aurait rappelé tout le monde d'un coup ? On n'a pas des postes de surveillance à tenir, pour certains ? demandai-je à Freeman.

– Je n'en sais trop rien, Jackson. Cela ne fait pas partie du plan initial, mais les missions prennent parfois un tour imprévu. Vous êtes bien placé pour le savoir, ajouta-t-il, avant de jeter un coup d'œil dans le tunnel puis à Parker. Si on passait devant, pour vérifier ?

– D'accord, accepta Parker. À tout de suite, les gars !

– Qu'est-ce qui te tracasse ? me demanda Kendrick, qui tenait toujours ses chaussures à la main.

– Difficile à dire, murmurai-je. Il y a quelque chose là-dessous qui ne me plaît pas. Pas du tout... Et Healy m'a dit de...

Je me figeai sur place, fouillant ma mémoire pour me rappeler la mission qu'il m'avait confiée.

*Dites-moi ce que se racontent l'ambassadeur chinois et son amie.*

J'avais été distrait par ma danse de star avec Holly, mais ma mémoire ne me trahit pas. Après m'être repassé la scène dans la tête plusieurs fois, je me souvins d'une phrase qu'avait prononcée l'ambassadeur.

*Les gamins seront occupés.*

Les gamins, c'est-à-dire les jeunes agents... c'est-à-dire la grande majorité d'entre nous... Et Freeman était le chef des gamins, responsabilité qui incombait d'ordinaire à Papa ou Marshall.

– C'est un piège, déclarai-je aussitôt.

Mon cœur palpitait, et même l'attitude de Stewart ne me ferait pas démordre de cette révélation.

– Qu'est-ce que tu racontes ? demanda-t-elle d'un ton sec.

– Il va se passer quelque chose pendant notre absence. Enfin, réfléchis !

– Peu importe. On doit obéir aux ordres.

– Tu as entendu ce qu'a dit Freeman : ça ne faisait pas partie du plan, remarqua Kendrick.

– Moi en tout cas, j'y retourne, annonçai-je.

– Quel con, celui-là ! jura Stewart à mi-voix.

– Je viens avec toi, dit Kendrick.

– Jackson, attends ! cria Mason avant de trottiner jusqu'à moi. Je viens aussi.

– Mason, mais tu fais quoi, là ? le houspilla Stewart.

– Désolé, s'excusa-t-il sans se retourner.

– Fais comme tu veux, sale traître, grommela-t-elle.

Kendrick remonta à l'échelle, et je regardai Mason, qui lui-même suivait des yeux la silhouette de Stewart.

– Tu peux aller avec elle, mec. Tout va bien, le rassurai-je.

Il me dévisagea et secoua la tête.

– Il y a une heure, Healy m'a demandé de fouiller le sous-sol à la recherche d'explosifs. À moi, l'expert en Technologies Futures...

J'avalai ma salive et m'efforçai d'étouffer mon très fâcheux pressentiment.

– Euh, oui... ça sent mauvais.


Au bout de dix minutes passées à ratisser le sous-sol en quête d'indices laissant soupçonner une attaque, notre petit groupe commençait à se trouver un peu nigaud d'avoir désobéi aux ordres. Alors que nous empruntions un étroit couloir où nous parvenait le ronron des chaudières sur notre droite, Mason s'immobilisa soudain, et je lui rentrai dedans, ainsi que Kendrick.

Il posa la main sur la poignée de la chaufferie et colla son oreille à la porte.

– Il y a quelque chose de différent...

Il ouvrit la porte, et je regardai par-dessus son épaule.

– Qu'est-ce que c'est que ce truc ? s'interrogea Kendrick.

Je suivis son regard jusqu'au ballon d'eau chaude.

– Oh ! merde…

Le grand boîtier de verre posé par terre, truffé de fioles remplies de liquides, était identique à l'engin de Heidelberg qu'Emily avait désamorcé.

– C'est une… Oh ! putain, c'en est une, hein ? marmonna Mason.

– Si tu veux dire la bombe zarbi que Stewart a vue en Allemagne, oui, ça a l'air d'être la même, répondis-je avant de me reprendre. Enfin, d'après ce qu'elle a raconté, en tout cas. J'ai lu le rapport plusieurs fois.

Mon cœur se mit à battre deux fois plus vite que le tic-tac de la minuscule horloge à l'avant de la bombe. Kendrick et Mason s'agenouillèrent pour observer sous toutes les coutures cet engin inconnu sans doute venu du futur. C'était leur spécialité, pas la mienne. Pourtant, les différentes étapes qu'avait suivies Emily pour la désamorcer restaient gravées dans mon esprit.

– Il reste quatorze minutes, remarqua Kendrick.

– C'est forcément un test, supposa Mason. S'il y avait une menace réelle, pourquoi les EDT nous laisseraient une horloge avec le décompte des minutes ? Par politesse ?

– Je n'en sais rien, avouai-je en essayant de comprendre.

Son argument se tenait, mais j'avais déjà vu ce truc avant et les EDT étaient bien derrière ça.

– Fais gaffe, Mason, recommanda Kendrick.

Elle retint son souffle tandis qu'il soulevait le couvercle en verre et le posait près de lui. Puis il passa les doigts sur un tube transparent à l'avant, rempli d'un liquide jaune pâle.

– Celui-là est froid. Ça pourrait être…

– De la nitroglycérine, termina Kendrick.

– Comme dans de la dynamite ? demandai-je.

– En termes simples, oui, confirma Mason.

Il toucha alors le tube le plus proche de lui, où flottait un liquide bleu vif. Je le regardai serrer les doigts autour et essayer de tirer.

– Si j'enlève celui-là, je pourrai mieux voir le reste du truc.

– Attends ! m'écriai-je en m'agenouillant près de Kendrick.

Emily n'avait pas commencé par celui-là. Peut-être pour une bonne raison.

– Ne touche à rien, OK ? insistai-je. Je crois que tu ferais mieux d'enlever le rose d'abord.

– Et pourquoi ? demanda Kendrick.

*Parce que c'est ce qu'a fait une voyageuse temporelle haute comme trois pommes.*

– C'est une supposition. Mais mon instinct ne me trompe pas pour ce genre de trucs.

– Rappelle-moi ta spécialité ? ironisa Mason. Sérieux, Jackson, t'es malade ou quoi ? Je ne retire rien de ce truc tant que je ne suis pas sûr et certain que ça ne va pas nous faire exploser.

– Il a raison, décréta Kendrick en sortant son portable. J'appelle le docteur Melvin.

Chaque seconde qui s'égrenait sur cette horloge me vrillait l'estomac. Mason examinait la bombe pour y repérer quelque chose d'utile. La sueur lui dégoulinait sur le front, faisant glisser ses lunettes sur son nez. Je repassai dans ma tête les moindres mouvements d'Emily tandis que Kendrick fournissait une description complète à Melvin, dont j'entendais les réactions angoissées : il n'avait pas de réponses.

– Neuf minutes, indiquai-je avec un coup d'œil inquiet à Kendrick.

Les mains de Mason se mirent à trembler, et sa respiration se fit saccadée.

– Bas les pattes ! siffla-t-il à mon intention.

– Oui, Jackson est avec nous, disait Kendrick au docteur Melvin.

Il y eut un long silence, puis elle couvrit son portable d'une main et se tourna pour nous regarder.

– Il dit que quand il ne restera plus que six minutes, on doit sortir. C'est le protocole, si on n'arrive pas à désamorcer.

J'eus un instant de panique en pensant à Holly, puis je me rappelai avec soulagement qu'elle était partie depuis longtemps.

– Écoute-moi, Mason. C'est plus qu'une simple intuition, d'accord ? Laisse-moi démonter ce machin.

Je tendis la main vers le tube rose, et Mason me regarda d'un air hystérique. Ses doigts se resserrèrent sur le bleu.

– Pas un geste ! cria-t-il. Si tu touches à ce tube, je retire celui-là. Il me faut plus de temps ! s'affola-t-il en s'ébouriffant les cheveux. Je peux arriver à comprendre comment ça marche.

– Calme-toi, Mason, intervint Kendrick en se rapprochant de lui. Respire un grand coup et essaie de te détendre. On sait tous les deux que tu es génial et que tu peux y arriver.

Il laissa retomber ses épaules, puis inspira profondément avant d'expirer doucement en fermant les yeux.

– Sept minutes, putain ! Mason, je ne plaisante pas. Laisse-moi t'aider.

– La ferme !

Les bruits provenant du rez-de-chaussée, musique, rires, tintements de verre, emplissaient l'espace confiné dans lequel nous nous trouvions. Aucun des convives ne s'imaginait sur le point de rendre son dernier soupir.

– Oh ! putain, ça va pas être facile, marmonna Kendrick dans son portable avant de me tirer par la chemise pour me murmurer : Le docteur Melvin nous dit d'attraper Mason et de nous tirer maintenant. Il est en train de paniquer, et aucun d'entre nous ne sait ce qu'il y a, là-dedans.

– Je ne suis pas en train de paniquer ! protesta Mason.

– Kendrick, je sais comment désamorcer ce truc. Fais-moi confiance, s'il te plaît.

– Je ne suis pas en train de paniquer ! protesta Mason.

– Ne te crois pas obligé de jouer les héros, Jackson, dit-elle en secouant la tête. Tu n'as pas été formé pour ce genre d'intervention. Laisse tomber. On y va ! On a reçu des ordres.

Je pris une décision rapide et jetai un bref coup d'œil à Kendrick.

– Je suis désolé. Ne me déteste pas, d'accord ?

Mes doigts se refermèrent sur mon arme dans la ceinture de mon pantalon. Tout le whisky et la bière que j'avais dans le sang ne m'empêcheraient pas d'être précis. En un geste vif, je posai le canon contre la tempe de Mason. Kendrick poussa un petit cri et recula d'un pas.

– Ne fais pas ça, Jackson, murmura-t-elle comme si je venais de la trahir.

Le visage de Mason se crispa de colère. Il se savait à ma merci.

– Mason, retire les mains de la bombe, recule-toi et laisse-moi m'en occuper.

– Pas question. Tu vas tuer tout le monde dans l'immeuble et peut-être dans tout le quartier.

– Six minutes, intervint Kendrick. Allez, Jackson, on y va.

Elle en avait les larmes aux yeux, et ça me ficha un coup plus rude que je ne l'aurais cru.

– Je compte jusqu'à cinq. Si tu ne sors pas d'ici, je te descends et après je démonte ce truc. Un... Deux...

– Va te faire foutre ! cria Mason.

Il leva les mains en l'air et recula. Soulagé, je ne baissai pas pour autant mon arme. Ma belle assurance m'abandonnait peu à peu. Je n'avais pas anticipé au-delà du moment où il me passerait le relais.

– Sortez d'ici, tous les deux ! ordonnai-je.

Kendrick avait toujours son portable collé à l'oreille, et le docteur Melvin, qui entendait tout, devait être en train de lui hurler de me faire sortir de là. Encore dix secondes d'échanges de regards noirs, et elle finit par se relever pour entraîner Mason.

À la seconde où j'entendis la porte se refermer et leurs pas s'éloigner dans le couloir, je posai mon arme au sol. Mon cerveau se mit en mode machine, et je retirai chacun des éléments dans le même ordre qu'Emily l'avait fait. Les battements de mon cœur couvraient tous les autres bruits.

J'essuyai mes mains moites sur mon pantalon et tendis le bras vers le dernier élément de la bombe.

Je m'arrêtai de respirer au moment où le décompte passa de deux minutes à une minute.

Plus moyen de faire machine arrière, maintenant.

J'attrapai le tube de liquide vert et respirai un grand coup. La lueur en bas de l'engin brillait toujours, et je supposai qu'il fallait qu'elle s'éteigne.

Je fermai les yeux et inspirai lentement. La voix de Holly emplit ma tête pendant les trois petites secondes qu'il me fallut pour enlever le dernier composant.

J'ouvris les yeux et sortis le tube vert. Mon cœur faillit s'arrêter quand je vis la lueur au bas de l'engin vaciller, puis disparaître. À cet instant, un bruit sec résonna derrière moi.

*Un coup de feu.*

En deux secondes, je posai le tube vert au sol et me relevai pour foncer par la porte dans le long couloir mal éclairé. J'entendais des voix au loin et, quand je me mis à courir, je percutai Stewart, qui débouchait d'un autre corridor.

– C'est toi qui as tiré ? lui demandai-je frénétiquement.

– Non, j'arrive à l'instant.

Elle croisa mon regard, et je décelai une trace de culpabilité dans ses yeux.

– J'aurais dû faire confiance à Mason, expliqua-t-elle. J'aurais dû me douter que s'il choisissait de te suivre, c'est qu'il avait une bonne raison.

Je m'adossai au mur en tenant mon arme devant moi.

– Je les ai forcés à partir. On a trouvé un engin explosif, et Mason a un peu flippé. Ne t'inquiète pas, je l'ai désamorcé.

Un autre coup de feu éclata, et je me précipitai avec Stewart en direction du bruit. Le couloir ouvrait sur un large espace où se trouvaient deux ascenseurs. Stewart m'indiqua d'un signe de tête une femme de chambre aux cheveux gris ébouriffés recroquevillée dans un coin, qui tremblait et pleurait à chaudes larmes. Je m'approchai d'elle et lui posai une main sur la bouche.

– Vous avez une clé pour aller en haut ? lui demandai-je.

– On ne peut pas évacuer tout le bâtiment, Jackson, s'exaspéra Stewart. Aide-moi au moins à trouver qui est ici, en bas.

Des bruits de pas pressés se rapprochaient de nous. Kendrick passa en courant, pourchassée par un EDT que j'avais vu à Heidelberg. Stewart pointa son arme et le toucha à l'épaule droite et à la jambe gauche. L'homme s'effondra devant l'ascenseur. Kendrick se retourna avec un soupir soulagé, puis revint vers nous en courant.

J'attrapai la femme de chambre par le bras et l'entraînai vers l'ascenseur.

– Vous avez une clé ? répétai-je.

– Non ! Non ! cria-t-elle, paniquée.

– Où est Mason ? demanda Stewart à Kendrick.

– Je ne sais pas.

Je secouai la porte verrouillée qui menait à l'escalier pour essayer de l'ouvrir.

– Et merde !

– Laisse tomber, Jackson. Il faut qu'on trouve Mason, dit Stewart en se dirigeant vers l'un des trois couloirs.

Je soutins d'un bras la femme de chambre, dont les jambes chancelaient.

– Ne criez pas, d'accord ?

Je ne voyais pas son visage, mais elle hocha la tête. Soudain, les yeux de Kendrick s'arrondirent à la vue de quelque chose derrière moi. Je lâchai la femme de chambre pour me retourner vivement, sans même regarder mon assaillant avant de lui envoyer un grand coup de pied dans le visage qui le projeta en arrière, du sang s'échappant de son nez sur le sol carrelé blanc.

Kendrick poussa un cri quand il disparut. Je tournai sur moi-même en attendant de voir où il allait se rematérialiser. Cette fois-ci, c'est lui qui me prit par surprise. Il me frappa au niveau de la taille. Ma tête heurta le carrelage, mais, distrait de ma douleur par le regard affolé de la femme de chambre innocente, je tirai dans le panneau vitré de la porte ouvrant sur l'escalier et le fis voler en éclats.

Toujours à la lutte avec mon agresseur, je n'arrivais pas à le frapper car il se trouvait derrière moi. Alors que j'essayais de le plaquer au sol, je vis Kendrick passer la main par le panneau brisé, ouvrir la porte et pousser la femme de chambre dans l'escalier.

Ma tête heurta de nouveau le sol, et l'homme d'âge mûr aux cheveux bruns comme les miens me regarda bien en face. Ses yeux, son expression… Il était d'un calme olympien.

– Thomas avait dit que je n'aurais pas la moindre chance contre toi, remarqua-t-il sans me quitter des yeux. Je ne suis pas convaincu qu'il ait eu raison. Je ne t'ai pas encore vu me jouer de petits tours.

– C'est parce qu'on est là pour nettoyer après lui, déclara Stewart en lui faisant un étranglement par-derrière.

Soudain tout rouge, l'EDT relâcha sa prise sur moi. Stewart continua à serrer jusqu'à ce qu'il perde conscience. Je me dégageai et le repoussai.

– Merci, Stewart.

– Il faut qu'on retrouve Mason, répéta-t-elle.

– OK, on prend un couloir chacun, proposai-je.

Elles acquiescèrent de la tête, et j'enfilai celui de droite. Le bruit d'un nouveau coup de feu m'immobilisa, et je sentis des doigts effilés m'enserrer le poignet tout doucement. Je pensai d'abord à Mason, qui n'avait pas son pareil pour arriver à pas de loup, mais, en baissant les yeux, je vis une main féminine et une mèche de cheveux roux. La pièce tourna, et je ressentis l'impression familière, même si cela faisait des mois.

J'étais en train de sauter. Cassidy, ma mère biologique, m'entraînait vers un lieu et un temps inconnus...

Je lançai ma contre-attaque quelques instants trop tard, mais j'essayai quand même de concentrer mon esprit sur un souvenir profondément enfoui dans mon subconscient.

Jusqu'à maintenant.

# CHAPITRE DOUZE

Le premier son que j'entendis fut le hurlement de Cassidy. Elle lâcha mon poignet et tomba à genoux par terre, les yeux exorbités, ronds comme des balles de golf.

*Où sommes-nous ?*

Il ne me fallut qu'un instant pour reconnaître avec stupéfaction la cuisine de mon père. Ma cuisine. Mais en différent.

Cassidy baissa les yeux vers ses bras : ils étaient couverts de traces bleues et pourpres, comme des hématomes récents. Je fus pris de nausée, mais pas à cause de notre saut. Était-ce moi qui avais fait ça en réorientant le saut vers ici, au lieu de l'endroit où elle voulait m'amener ? J'entendis un petit cri, et je levai les yeux pour découvrir une femme brune debout dans l'encadrement de la porte, les yeux presque aussi ronds que ceux de Cassidy.

*Eileen.* Nous étions donc avant 1992 ? Ou bien était-ce une autre ligne temporelle, où quelque chose aurait changé ? Peut-être que, dans cet univers alternatif, Eileen avait vécu au-delà d'octobre 1992. En tout cas, c'était bien un saut complet, mais comment savoir s'il s'agissait d'un saut à la Thomas ?

Cassidy poussa un nouveau cri, et je m'agenouillai près d'elle.

– Qu'est-ce qui s'est passé ? Qu'est-ce qui vous arrive ?

Avant qu'elle puisse me répondre ou que je puisse lui venir en aide, elle disparut.

Je restai planté là, à essayer de reprendre mon souffle, de calmer mon cœur, tandis qu'Eileen me regardait bouche bée. Les jambes tremblantes, je m'approchai d'elle. Je ne l'avais jamais vue d'aussi près. Enfin, pas à un âge assez avancé pour pouvoir m'en souvenir.

Je ne devais pas faire cela, je le savais. Malgré tout, quelque chose me poussa à poser un pied devant l'autre, et ma pensée rationnelle se mit en veilleuse.

Eileen retenait son souffle. Elle leva lentement les mains, comme si j'étais un agent de police qui lui en aurait donné l'ordre.

– Attendez, supplia-t-elle. Je vous en prie…

– Si seulement je pouvais retrouver un souvenir, murmurai-je, plus pour moi-même que pour elle.

– Un souvenir ? répéta-t-elle avec un léger accent écossais.

Elle baissa les mains pour me dévisager d'un œil intrigué. Elle cherchait à gagner du temps. Avait-elle appelé quelqu'un ? Utilisé un genre de signal d'urgence ?

– En quelle année sommes-nous ?

– En 1992, répondit-elle après un moment d'hésitation. *L'année de sa mort.*

– Quel mois ? poursuivis-je d'un ton plus pressant.

– Juillet. Le 13 juillet, dit-elle d'une voix rauque.

Et je sus aussitôt comment déterminer s'il s'agissait d'un saut à la Thomas. Avant qu'elle ne puisse m'arrêter, je courus dans le couloir et ouvris trois portes de chambres avant de trouver la bonne. De la musique classique émanait d'une radiocassette posée sur la commode, près d'une veilleuse Winnie l'ourson.

Le souffle coupé, je regardai le petit garçon endormi dans un lit de bébé. Une grenouillère bleue zippée jusqu'au cou, il reposait sur le dos, les cheveux collés de sueur, les couvertures en tas au pied du matelas.

L'agent en moi resta en éveil malgré le choc que je venais de subir. Je pris deux secondes pour inspecter la chambre : deux commodes, une table à langer, un autre lit d'enfant avec une petite puce rouquine recroquevillée en boule, une poupée coincée sous le bras. *Courtney.*

Puis je contemplai de nouveau mon moi enfant en me répétant les paroles du docteur Melvin l'autre jour dans son bureau : *Si tu étais capable de faire ça, comme Thomas, par exemple sauter cinq ans en arrière, tu te verrais toi-même.*

Et c'est bien ce qui était en train de se passer, alors même que je sentais le poids et la matière de mon corps tout entier ici et maintenant. Ce n'était pas un demi-saut.

– Attendez ! s'écria Eileen en accourant derrière moi. Je vous en supplie, ne leur faites pas de mal.

– Oh ! la vache, je l'ai fait ! Merde, alors ! m'exclamai-je en posant la main sur le mur pour me stabiliser. 1992 ? Alors, ça lui fait deux ans. J'ai deux ans. Il a deux ans…

Eileen frémit, et je compris aussitôt ce que je venais de faire. La peur s'effaça de son visage pour n'y laisser que stupéfaction et incrédulité.

– Ô mon Dieu ! ce n'est pas possible… Tu ne peux pas être…

Elle s'avança un peu plus, me prit le menton dans la main et tourna ma tête de droite et de gauche.

– Jackson ?

Je hochai lentement la tête et j'attendis sa réaction. *Tout ce que je fais ici change le futur. C'est pour de vrai.*

Elle avait les deux mains sur mon visage, à présent, pour en étudier le moindre centimètre.

– C'est incroyable. Tu vas bien, au moins ?

– Oui, répondis-je, parfaitement immobile, ne sachant que penser ni ressentir. Tu préfères que... je m'en aille ?

– Non, pas encore. S'il te plaît. Mais il vaudrait peut-être mieux que tu t'assoies ?

J'aurais dû être en train de me dire : *Je peux faire les sauts à la Thomas !* Mais je ne pensais qu'à une chose : *C'est ma mère...*

Je la suivis dans le salon et m'assis à un bout du canapé. S'installant à l'autre bout, elle se pencha vers moi, et ce fut à l'instant où elle me la retira des mains que je me rendis compte que je tenais encore mon arme. Pas étonnant qu'elle se soit affolée quand j'avais foncé dans la chambre des enfants tel un meurtrier. Elle la posa sur la table, puis me prit le poignet et consulta l'horloge murale.

*Elle vérifie mon pouls.*

Je ne savais pas quoi lui dire, mais je ne pouvais m'empêcher de la dévisager et je n'avais aucun désir de partir. Il n'était sans doute pas anormal d'éprouver de la curiosité envers la femme qui m'avait donné la vie et élevé pendant les deux premières années de mon existence.

*Et qui a été la Holly de Papa.*

– Tu sais qui est cette femme ? me demanda-t-elle. Celle qui vient de disparaître ?

– Oui, le docteur Melvin me l'a dit.

Elle avait les yeux marron, couleur caramel. Et quelques taches de rousseur sur le nez.

– Tu es… si beau ! commenta-t-elle en posant de nouveau les mains sur mon visage avec un sourire. Si grand… Quel âge as-tu ?

Je sentis mon front se contracter juste entre les deux yeux, un début de gueule de bois. Encore une preuve que ceci n'était pas un demi-saut.

– Eh bien, entre dix-neuf et vingt ans… plus ou moins… Ce n'est pas une question évidente, pour moi.

– Sans doute pas plus que d'autres. Comme, par exemple, pourquoi tu me regardes comme ça ?

– Comme quoi ?

Il me suffit d'un coup d'œil à son visage pour comprendre.

*Comme pourquoi j'ai l'air de ne pas te connaître… dans l'avenir.*

J'ouvris la bouche tout en essayant de trouver une explication, une sorte de couverture, comme je l'avais fait quand j'étais allé rendre visite à Courtney lors d'un demi-saut, mais Eileen secoua la tête et leva la main pour m'en empêcher.

– Ce n'est pas grave, Jackson. Ce n'est pas à toi qu'il incombe de m'annoncer ce genre de nouvelles.

*Sait-elle qu'elle va mourir ? Sait-elle quand ?*

Je fermai les yeux un instant.

– Je ne sais pas quoi faire... Je n'ai jamais été capable de changer l'avenir. Et si ça empirait les choses ? Ou si ça arrangeait tout, au contraire ? Et si je n'arrivais plus jamais à le refaire ?

La responsabilité était plus lourde que je ne l'aurais cru.

– Pourquoi tu ne me racontes pas toute ton histoire ? En commençant par la première fois que tu as fait un saut. Tu avais quel âge ?

– Dix-huit ans, répondis-je en ouvrant les yeux. Mais c'est une longue histoire... et il y en a des bouts que je ne peux pas te raconter.

*Que je ne veux pas te raconter.*

– J'ai tout mon temps, dit-elle avec un sourire. Et sens-toi libre de me cacher ce que tu veux.

J'avalai une dernière gorgée de café et reposai la tasse sur la table. J'avais eu deux heures pour dessaouler, ce qui valait sans doute mieux pour retourner au beau milieu de notre bagarre de 2009, si telle était encore la situation au bal du sénateur Healy.

J'avais raconté à Eileen mon premier saut, mes expériences avec Adam (les demi-sauts la fascinèrent), l'assassinat de Holly, mon saut en 2007 où j'étais resté coincé, puis mon retour en 2009 et le saut qui, quelques jours plus tard, m'avait amené dans la ligne temporelle que je venais de quitter. Je ne lui avais rien dit sur elle ni sur Courtney, et elle ne m'avait pas posé la question. Savait-elle déjà ?

– Comment se fait-il que personne ne soit venu voir ce qui se passait ?

Je l'observai qui prenait frénétiquement des notes. Elle me rappelait un peu Adam pendant nos expériences.

– On est au beau milieu de la nuit, n'oublie pas.

– D'accord, mais je pensais que vous étiez hyper stricts sur la sécurité. Pour garder en vie les futures armes de Tempest, ajoutai-je avec un cynisme involontaire.

– C'est vraiment comme ça que tu vois les choses, Jackson ? demanda-t-elle, l'air contrarié.

– Désolé, ce n'est pas ce que je voulais dire.

Je défis un autre bouton de ma chemise habillée et tirai sur le col. Eileen se mit à rire, puis écrivit quelque chose dans le calepin posé sur ses genoux.

– Incroyable ! Tu as le même tic que ton moi de deux ans !

– Voilà qui me réconforte.

– Pardon, c'est juste que... tu es tellement impulsif, même pour un tout-petit. Et très doué pour les numéros de charme quand tu veux te faire excuser. Tu as horreur qu'on te donne des ordres, horreur de marcher dans les clous. Surtout quand c'est Courtney qui les donne, les ordres.

Je décidai alors de m'intéresser aux photos disposées sur la cheminée. Le nom de ma sœur venait d'être mentionné pour la première fois dans la conversation, et je ne voulais pas m'aventurer sur ce terrain.

– Tout va bien, Jackson, dit-elle sans plus sourire. Je suis au courant, pour Courtney.

– Comment ça ?

– Cela fait un bon moment, déjà, s'étrangla-t-elle, les larmes aux yeux.

– Mais le docteur Melvin m'a raconté que sa maladie n'avait pas été repérée assez tôt, que personne ne s'y attendait ! protestai-je, quasiment en hurlant.

– Lui n'est pas au courant, précisa-t-elle sans me quitter des yeux. J'ai obtenu cette information dans une situation similaire à celle-ci.

Cette révélation me mit hors de moi. Elle aurait dû consacrer tout le restant de ses jours à soigner Courtney. *Elle est toubib, merde !* Je poussai un soupir et me mordis la joue. Difficile d'engueuler quelqu'un dont on sait qu'il va mourir quelques mois plus tard.

– Et Cassidy, alors ? lançai-je pour changer de sujet. C'était quoi, ces traces sur ses bras ? C'est moi qui ai fait ça ?

Se reprenant, elle redevint la scientifique qu'elle était.

– Je ne crois pas que tu lui aies volontairement fait du mal, mais tu as réorienté le saut, et cette distance, ce type de saut, c'était peut-être trop pour elle. Comment tu te sens, toi ? Tu m'as dit que tu avais déjà eu des réactions physiques assez violentes.

– Je me sens bien, exactement comme les autres fois où ils m'ont entraîné dans ce genre de saut, mais je ne comprends pas pourquoi.

Elle posa son calepin sur la table et se tourna vers moi.

– Tu utilises l'autre voyageur temporel. Ton esprit se protège en se déconnectant quand quelqu'un d'autre a ces capacités. Et il est aussi possible que tu aies gagné en force, au cours des derniers mois. Peut-être parce que tu grandis, ou parce que tu t'es abstenu de sauter. Je pense que c'est le pouvoir de Cassidy combiné au tien qui t'a fait réussir le saut complet.

– Donc, je n'en suis peut-être pas capable tout seul et... et c'est peut-être moi qui lui ai fait mal comme ça ? Je poussai un soupir et me redressai.

– Dans ces conditions, je ne le ferai plus... Je suis assez utile à Tempest sans même voyager dans le temps.

– Soit, concéda-t-elle. Mais je crois aussi que, maintenant que tu connais le risque de faire souffrir quelqu'un, ton esprit agira en conséquence et fera en sorte que cela n'arrive pas, si possible.

– À condition que je ne me transforme pas en monstre robotisé qui ne se soucie de rien ni de personne.

– Jackson, réfléchis un peu, dit-elle en souriant. Quand tu as sauté de ce toit avec une fille normale, elle s'en est très bien sortie, pas vrai ?

Je me rappelai Holly en train de m'aider à remonter sur ce toit et de se cacher derrière les poteaux.

– Oui, très bien, mais je ne suis pas resté très longtemps.

– Les symptômes seraient apparus immédiatement.

L'air soudain grave, elle prit une profonde inspiration, comme pour m'annoncer des révélations encore plus troublantes.

– Il y a autre chose qu'il faut que tu saches, mais j'ai peur que ça ne te perturbe.

– Qu'est-ce qu'il y a ? demandai-je, sur des charbons ardents.

– Eh bien, ce que tu as dit sur les lignes temporelles, sur le fait d'en créer de nouvelles... Tout cela est vrai. Et très dangereux. Potentiellement catastrophique, même. J'ai une source qui me l'a confirmé, et j'ai essayé de communiquer ma solution au chef Marshall et au docteur Melvin, mais je ne peux pas leur révéler d'où je la tiens.

– Tu ne veux pas trahir ta source, c'est ça ?

N'était-ce pas un peu ridicule de vouloir protéger quelqu'un alors que nous étions en train d'envisager la fin du monde ?

– C'est ça. Révéler ma source pourrait empêcher son existence.

Une seconde. *Ça ne peut pas être... Si ?*

– Tu l'as prise pour Courtney ? murmurai-je d'une voix rauque.

– Je... Oui... Oui, c'est ce que j'ai cru, mais juste un instant. Elle a les yeux bleus, pas verts. S'il te plaît, dis-moi que tu n'as rien raconté, me supplia-t-elle d'un air paniqué.

Ainsi, Eileen connaissait Emily. Qui était donc cette gamine ? Un genre de déesse omnipotente ? Ou juste une marionnette capable de voyager dans le temps ? Et si oui, qui tirait les ficelles ?

– Je n'en ai parlé à personne, pas même à Papa... Enfin, je veux dire, Kevin, balbutiai-je, me rappelant que Courtney l'avait appelé ainsi ce jour-là dans le bac à sable.

Eileen laissa échapper un gros soupir de soulagement et se renfonça dans les coussins.

– Je suis contente que tu l'appelles Papa, Jackson. Ça rend les choses plus belles.

– Tu ne lui as rien raconté de tout ça ? Il n'est pas au courant, pour Courtney, ni rien ?

– C'est là que je voulais en venir, expliqua-t-elle d'un air désolé. J'ai failli lui dire tellement de fois. Je lui ai donné des indices, des bribes, mais il ne l'a pas bien pris.

– Pardon ? Mais qu'est-ce qu'il sait, alors ?

Elle se rapprocha de moi et m'attrapa la main.

– Je lui ai raconté que je pensais que Courtney et toi étiez nés pour faire des sacrifices... des avancées tellement énormes que la plupart des gens n'y comprendraient rien. Et que, quand le jour viendrait, vous sauriez prendre vos responsabilités sans flancher.

J'en frémis intérieurement.

– C'était plus qu'une intuition, hein ? supposai-je.

– Oui. Je pense que Kevin me croit. Il a dû deviner que j'avais obtenu des informations officieuses, mais il ne m'a pas posé de questions. Il se défend toujours avec la même réponse : Courtney et toi n'aurez rien à faire, aucun sacrifice, parce que lui jouera ce rôle à votre place. Il est très buté, là-dessus.

– C'est exactement ce qu'il a fait, confirmai-je. Il n'a pas ménagé ses efforts pour m'éviter toute responsabilité, tout problème, toute crainte. Du moins... jusqu'à récemment. Mais là, c'est plus de ma faute que de la sienne. Il est où, d'ailleurs ? Je veux dire, en ce moment ?

– Je n'en suis pas sûre, répondit-elle en se frottant les yeux. C'est pour ça que je n'arrivais pas à dormir. Il ne m'a pas appelée depuis cinq jours. Normalement, il trouve toujours un moyen de me contacter sans attendre aussi longtemps.

– Eh bien, en tout cas, tu n'as plus à t'en inquiéter maintenant, puisque tu sais ce qui va se passer.

– C'est vrai.

Soudain fourbu, je me penchai en avant et posai la tête entre mes mains un instant, frottant mes yeux fatigués.

– Oh ! la vache, me plaignis-je.

– Je n'aurais pas dû te raconter tout ça, s'excusa Eileen en me posant une main sur le dos. Ça fait beaucoup de choses, non ?

– Non, ce n'est pas ce que tu as dit, c'est juste... Je ne crois pas que je sois cette personne-là, le genre qui se sacrifie. Ce que je t'ai raconté sur Holly peut donner cette impression, mais, récemment, j'ai eu beaucoup de moments de faiblesse. Surtout ce soir. Et je passe mon temps à devoir quitter les gens.

– Que veux-tu dire ? Holly n'a aucun souvenir du fait que tu l'aies quittée. C'était une solution géniale, en fait.

– Oui, cette version-là de Holly. Mais celle que j'ai séduite et quittée en 2007 ? Et la Holly 009 qui est chez elle à attendre que j'aille la rejoindre ? Le type qui l'a demandée en mariage et qui a sauté d'un toit pour la sauver ? Elle, elle est toujours là, mais est-ce que mon avatar débile a réapparu quand moi j'ai disparu ? Ce serait la cata...

Une fois embarqué dans mon exercice d'autoflagellation, je ne pus m'arrêter.

– Et Adam, alors ? poursuivis-je. J'ai abandonné plein d'Adam différents après leur avoir filé tout un tas d'infos flippantes, mais aucun moyen d'obtenir des réponses.

– Je crois qu'il va falloir que tu envisages l'idée que tu aies déjà pu faire un saut complet, suggéra-t-elle, l'air compatissant. Je n'en suis pas sûre, mais...

– Quoi ? Pas sûre de quoi ?

– Ça fait partie des choses que j'essayais de te dire tout à l'heure. Je ne suis pas sûre que tu puisses créer des lignes temporelles multiples, en fait. Une, peut-être... Mais deux ? Je crois plus probable que tu aies fait des sauts complets sans t'en rendre compte. D'un autre côté, si c'est ce que tu as fait la dernière fois, alors où est...

– L'autre moi ? terminai-je. Qu'est-ce que tu veux dire, avec ces lignes temporelles que je ne pourrais pas créer ? Je croyais que c'était ce que les EDT faisaient tout le temps... Alors, eux, ils pourraient créer des dizaines de lignes temporelles, et moi juste une ? Et d'ailleurs, des fois... je ne comprends pas très bien la menace que posent les Ennemis du Temps. S'ils sautent partout dans ces lignes temporelles différentes, alors pourquoi tiennent-ils tant à modifier le monde dont je suis venu... en 2009 ? Pourquoi ne font-ils pas un saut jusqu'à l'âge des dinosaures pour tout arranger ?

– Jackson, as-tu bien compris quelle a été ma contribution au projet Axelle ?

Je secouai la tête. Je n'avais été informé que de l'aspect mère porteuse. On en arrivait maintenant à l'information cruciale qu'elle avait eu peur de me révéler quelques instants plus tôt.

– À l'heure actuelle, dans cette année, très peu de voyageurs temporels ont été repérés. J'ai étudié les travaux du docteur Melvin, qui remontaient aux années 1950. On a compris le fonctionnement des voyages temporels, on a compris comment le gène apparaissait chez telle ou telle personne, et on a compris que faire un saut dans le temps et y survivre était très rare. Mais la création d'une nouvelle ligne temporelle, d'un univers parallèle... c'était ma théorie, sauf que ça ne marche pas.

Soudain, son visage rayonna de cette excitation propre au scientifique génial et un peu fou.

– En fait, ce n'est toujours pas possible dans l'année actuelle, enchaîna-t-elle.

– Hein ?

– Tu pensais que ce qui te rendait différent, c'était les demi-sauts, mais c'est juste la manière qu'a ton corps de se protéger quand tu essaies un saut complet sans réussir. Enfin, c'est ce que je suppose, précisa-t-elle avant de s'interrompre quelques instants. En fait, il n'y a que toi qui puisses créer une nouvelle ligne temporelle. Pas Thomas, ni aucun des autres. J'avais cette intuition que, si je mélangeais le voyageur temporel cloné avec un homme normal, on aurait des branches qui partiraient de notre monde principal. Une issue de secours, si tu en avais besoin...

J'essayai de digérer cette nouvelle information, mais j'avais du mal à l'appréhender.

– Attends un peu. Alors, toutes les certitudes qu'ont tous les autres membres de Tempest sur le fait que les EDT créent constamment de nouvelles lignes temporelles parce qu'ils n'arrivent pas à faire des sauts complets... c'est faux ?

– Réfléchis, Jackson. Tout d'un coup, les EDT sont partout, alors qu'avant on n'en avait vu que quelques-uns, et encore, pas souvent. Peut-être qu'on ne t'a pas fourni toutes les données, mais, d'après ce que tu m'as dit, le monde a beaucoup changé depuis que tu as fait ce saut vers 2007. Comme si tu avais ouvert une porte par laquelle ils peuvent passer, maintenant. Tous ceux qui avaient le gène Tempest mais qui n'étaient pas assez forts ou assez doués pour faire des sauts complets ne savaient même pas qu'ils pouvaient voyager dans le temps, et là, ils y arrivent. C'est comme si tu leur avais fourni une béquille.

Je revis soudain la flopée d'EDT sortis de nulle part à Heidelberg. Tout le monde avait été pris de court par cette augmentation de leur nombre. J'avais ouvert la porte… et eux rebondissaient sur ce monde (ou ces mondes ?) que j'avais créé(s).

Alors me revint le souvenir de Papa, du docteur Melvin et du chef Marshall essayant péniblement de répondre à mes questions dans la ligne temporelle de 2007. En fait, ils voyaient la théorie d'Eileen se réaliser sous leurs yeux pour la première fois.

– Mais pourquoi as-tu choisi de faire ça ?

– Je n'avais pas prévu que les autres pourraient te suivre, sauf que maintenant, je constate que c'est possible. Je pensais que ce serait une manière pour toi de leur échapper si besoin, d'aller quelque part où eux ne pourraient pas te suivre.

Ses yeux s'embuèrent de nouveau, et elle se couvrit le visage des mains.

– Jackson, je n'ai jamais eu l'intention de faire de toi une arme, je n'ai jamais voulu que Courtney tombe malade…

mais quand Emily est venue me dire que tu serais impliqué dans tout cela et que tu serais peut-être une partie de la solution, j'ai su qu'il fallait que je l'accepte, que je laisse les choses arriver, que je fasse tout mon possible pour faire de toi le genre de personne qui ne cesserait jamais de chercher les bonnes réponses.

Si folles que pouvaient paraître ces informations, elles faisaient presque sens. Eileen savait que Courtney et moi serions entourés de gens qui voudraient prendre le contrôle, essayer de nous utiliser, alors elle nous avait ménagé une porte de sortie. Un choix. Un tout petit peu de libre arbitre.

Le téléphone sonna. Il était 3 heures du matin… Eileen sursauta.

– Désolée, je dois aller répondre, s'excusa-t-elle en se dirigeant vers la cuisine, puis je l'entendis s'écrier : Kevin !

Je me levai, étirai mes jambes moulues, puis avançai vers la porte-fenêtre. La pluie martelait la terrasse. De la pluie que j'avais peut-être déclenchée par mon dernier saut. Je fermai les stores, me trouvant bien trop exposé, et me dirigeai vers la cheminée, sur laquelle s'alignaient des photos que je n'avais jamais vues : Papa qui jouait du piano en me tenant sur ses genoux ; Papa assoupi dans un rocking-chair avec Courtney blottie dans ses bras, l'air toute petite, peut-être âgée d'un an.

– Oui, les enfants vont bien, disait Eileen par téléphone à l'avatar plus jeune de Papa.

Je m'agenouillai pour ramasser un puzzle par terre. Ces jouets étaient autant de preuves de mon enfance passée avec elle, du fait que j'avais bien eu une mère, au moins pendant un petit moment. Une vague de tristesse me submergea soudain, sachant que les seuls souvenirs que je gardais d'Eileen étaient cinq minutes dans un bac à sable et quelques puzzles éparpillés par terre.

Et ce soir. J'avais aussi ce soir.

– Jackson est impatient de te revoir, racontait Eileen avant de marquer une longue pause. Non, non, tout va bien. Je suis juste un peu fatiguée. Et puis, tu me manques.

Elle était au bord des larmes. Je me demandai quel effet cela pouvait avoir sur mon père. Puis une étrange idée me vint, sans doute parce que je ne l'avais pas vu depuis si longtemps. Et j'en avais tellement envie... ou au moins, entendre sa voix. J'essayai de me rappeler quand Eileen avait dit qu'il était parti. À défaut, je choisis une date au hasard dans le passé, puis je fermai les yeux et me concentrai sur ce jour-là. Je faillis hurler quand je ressentis cette sensation de déchirement. Cela faisait longtemps que je n'avais pas effectué de demi-saut, et c'était pire que dans mon souvenir.

## 5 OCTOBRE 1991

Ma récompense pour avoir supporté cette atroce sensation fut la divine surprise de ne plus sentir ma migraine ni les contusions du corps-à-corps ayant précédé mon saut jusqu'en 1992. J'étais de nouveau dans la cuisine, et j'entendais de la musique.

*Une chanson de Billy Joel.*

J'avançai à pas de loup dans le couloir. Quand je passai la tête par la porte du salon, je vis Papa.

Un Papa très jeune, d'environ mon âge actuel. Allongé sur le tapis devant une belle flambée, les yeux fermés, il battait la mesure du bout des doigts. Je me rappelai qu'il avait semblé savoir que je me cachais dans le placard, la fois où je m'étais retrouvé dans son bureau en 2003. Il me faudrait être très prudent maintenant si je voulais pouvoir observer un peu.

La porte d'une chambre s'ouvrit au bout du couloir, et je me réfugiai dans la cuisine, me collant au plan de travail. Eileen passa sans même jeter un coup d'œil dans ma direction. Je retournai ensuite dans le couloir pour écouter.

– Alors, on dort sur son lieu de travail ? lança-t-elle.

– Quand je m'allonge ici et que je ferme les yeux, j'ai presque l'impression... que je pourrais être n'importe où.

– N'importe où ? Quarante ans dans le passé, par exemple ?

Une date au hasard, ou bien parlaient-ils de voyages dans le temps ?

– Par exemple, acquiesça-t-il.

La chanson se termina et je retins mon souffle, m'inquiétant de ce qu'il ait pu repérer ma présence.

– J'aime bien celle-là, dit-il après quelques instants, alors que démarrait une autre chanson.

*Encore du Billy Joel.*

Leurs chuchotements furent couverts par la musique. Je rampai à quatre pattes derrière le canapé et passai le nez pour voir. Tous deux étaient allongés côte à côte sur le tapis. Papa roula sur le flanc et prit appui sur son coude. Il avait les yeux rivés sur Eileen.

– Qu'est-ce qu'il y a ? demanda-t-il soudain.

– C'est toi, répondit-elle avec un sourire. Tu me troubles... Peut-être parce que maintenant, je connais ton secret. C'est juste que je ne sais pas quoi faire.

*Secret ? Quel secret ?*

– À quel sujet ? s'inquiéta-t-il.

Puis Eileen murmura quelque chose que je n'entendis pas, mais qui fit prendre à Papa une expression amusée. Il se pencha en avant pour l'embrasser.

– Alors, tu as peur que le jeune homme innocent que je suis ne soit perturbé d'être séduit par une belle femme ?

*Aïe, aïe, aïe... Je vois très bien comment ça va finir, ça.* Il me faudrait trouver un moyen d'effacer cette scène de ma mémoire.

Eileen éclata de rire, et Papa la couvrit de baisers en lui murmurant des mots doux que je n'entendais pas. Je me retins de me cacher les yeux quand il entreprit de déboutonner son chemisier et me risquai hors de ma cachette pour mieux voir le visage de Papa avant de battre en retraite. Il leva la tête un instant pour dévisager Eileen. Le feu faisait chatoyer leurs deux visages. Et je compris que je ne m'étais pas trompé : Eileen était vraiment la Holly de Papa et c'était là un moment magique.

Cela n'en restait pas moins le cauchemar absolu de tout adolescent, de voir ses parents faire l'amour. Si je restais plus longtemps, je serais marqué à vie.

Je refermai les yeux et me sentis me rassembler, rejoindre la partie de mon corps restée en 1992.

– Jackson ? entendis-je Eileen appeler derrière moi.

Submergé par la douleur et l'épuisement, je secouai la tête.

– Euh, oui, oui, je suis là.

Quand je me retournai pour lui faire face, elle avait les bras croisés et les sourcils relevés.

– Tu viens de faire un demi-saut, c'est ça ?

– Non, mentis-je.

– Bien essayé, railla-t-elle. Tu veux me dire ce que tu avais absolument besoin de voir ?

– Rien d'important. Lui et toi. Ça n'a duré que quelques minutes. Je suis parti avant que ça devienne trop chaud.

– Il va bien ? demanda-t-elle en rougissant, mais sans fuir mon regard. Je veux dire, dans le futur ?

Une idée nouvelle me vint. Un plan génial. Je me redressai et parlai d'une voix plus forte que je ne l'aurais voulu.

– Je peux t'emmener ! Pourquoi je n'y ai pas pensé il y a des heures ?

– Non, Jackson ! s'horrifia-t-elle. On ne peut pas faire ça, c'est trop dangereux. On n'est pas dans une situation de nécessité, protesta-t-elle. Et en plus, réfléchis à ce qui se passerait : je disparaîtrais de cette date-ci pour réapparaître dans le futur. Tes souvenirs et ta vie seraient altérés. On ne sait pas quels effets ça pourrait avoir.

Je voulus lui prendre la main, mais elle la cacha derrière son dos.

– Il a besoin de toi, lui révélai-je. Je sais qu'il a besoin de toi.

– Jackson, pense un peu à ce que tu dis.

Le ton de sa voix avait changé, comme si elle essayait de calmer un suicidaire au bord du gouffre.

– Mais tu l'aimes, et il n'a personne dans sa vie, insistai-je en me rapprochant.

Pour une raison qui m'échappait, rien n'importait davantage à mes yeux. C'était enfin quelque chose que je pouvais arranger. Et Eileen détenait des infos que le docteur Melvin, Papa et Marshall ignoraient. Je lui attrapai la main et serrai fort. Pour la première fois depuis que j'avais posé mon arme sur la table, Eileen eut l'air d'avoir peur.

– S'il te plaît, Jackson, ne fais pas ça.

Je soutins son regard pendant plusieurs secondes tout en retournant l'idée dans ma tête. N'était-ce pas là un des avantages de mon don ? N'avais-je pas le droit de l'exploiter parfois à mon bénéfice ?

– Ce n'est pas destiné à arriver, dit Eileen d'une voix radoucie et moins apeurée. Fais-moi confiance.

Je lui lâchai la main et poussai un soupir agacé.

– Jackson, ce n'est pas que je n'aie pas envie d'être avec Kevin, expliqua-t-elle en me caressant la joue. Je l'aime. Je l'aime plus que tu ne pourrais l'imaginer. J'espère que tu me crois. Mais tout ce que tu peux faire, tout ce qu'un homme ou une femme peut faire, c'est aimer la personne qu'on veut aimer tant qu'elle est là. Quels que soient les obstacles que cela crée. Et même si on sait ce qui va arriver dans le futur. Il faut profiter du temps qu'on nous a accordé.

– Laisse-moi au moins te dire comment ça va se passer et... tu pourras l'empêcher. Tu pourras survivre.

– D'accord, concéda-t-elle. Raconte-moi ce qui va arriver.

Cela me parut trop facile... bien trop facile.

– Tu ne vas pas l'empêcher, c'est ça ? Mais comment pourrais-tu ne... si tu le sais... Tu chercherais forcément à éviter la situation...

Je m'interrompis soudain pour repasser dans mon esprit tous les détails de cette soirée. Un flot glacé de tristesse et de frustration me submergea.

– Tu as pris des notes. Quelqu'un comme toi se souviendrait facilement de la conversation sans avoir besoin de ça. Tu vas prendre quelque chose. Une drogue qui altère la mémoire. Tu as écrit les détails dont tu as absolument besoin, et tout le reste... moi... tu vas juste l'effacer.

– Oui, avoua-t-elle en essuyant une larme.

Une sonnerie retentit dans le salon et nous fit tous deux regarder la porte d'entrée.

– C'est l'agent Freeman, devina-t-elle. Tu ferais mieux de partir.

Je hochai la tête et regardai la porte, qui commençait à s'ouvrir. Je récupérai mon arme sur la table et fermai les yeux avant de sauter.

Quels effets secondaires allait provoquer ce retour dans le futur à moi tout seul, sans utiliser l'esprit d'un autre voyageur temporel pour protéger le mien ?

# CHAPITRE TREIZE

De retour dans le couloir que j'avais quitté, je me sentis très mal. Hyper mal, même. Mes jambes chancelantes m'entraînèrent vers la pièce principale, où accourait Stewart.

– Alors, tu l'as trouvé ? me demanda-t-elle.

Il me fallut une seconde pour comprendre de quoi elle parlait. Seules quelques minutes s'étaient écoulées, pour elle.

– Euh, non. Et Kendrick ?

– Mais où il est passé, ce petit con ?

Je secouai la tête pour essayer de dissiper la nausée et la fatigue consécutives à mon voyage dans le temps. Un instant plus tard, Kendrick et Mason arrivèrent à fond de train, pourchassés par un inconnu que je supposai être un EDT.

Deux autres types surgirent derrière Stewart, qui fit volte-face en même temps que moi pour les mettre en joue. Lorsqu'un troisième assaillant apparut derrière elle, elle rengaina son arme le temps de le projeter au sol, le visage déformé par la rage.

Le poursuivant de Kendrick et Mason attrapa ce dernier par la capuche de son sweat-shirt. Je plongeai vers lui et le plaquai aux chevilles, le faisant tomber sur le dos. Comme son acolyte avant lui, il se réjouit de voir qui venait de lui sauter dessus.

– Ah, parfait ! J'avais justement quelque chose à te montrer.

Je sentais qu'il essayait de sauter, comme Cassidy, mais cette fois-ci, j'y étais préparé. Je concentrai jusqu'à la dernière parcelle de mon esprit sur l'instant présent. L'homme poussa un hurlement et se prit le visage à deux mains. Dans notre lutte mentale, mon esprit s'effritait, tant je puisais dans mes dernières réserves d'énergie.

– Stop ! Arrête ! criait-il.

Mason pivota sur lui-même pour évaluer la situation. Je relâchai l'inconnu, qui se tordit de douleur par terre puis se recroquevilla en boule, les mains plaquées sur les oreilles.

– La vache ! Qu'est-ce que tu lui as fait, mon pote ? demanda Mason, incrédule.

Je me redressai en position assise, bien en peine de fixer mes yeux sur quoi que ce soit. Voilà un aspect des voyages temporels qui ne m'avait nullement manqué.

– Je... je ne sais pas. Il a juste...

Soudain, l'homme se raidit et s'immobilisa. Mon cœur s'accéléra sous l'effet de l'angoisse. *Par pitié, faites qu'il ne soit pas mort.* Mason se baissa pour vérifier s'il avait un pouls, et il blêmit d'un coup. Quand il retira une des mains que l'homme avait plaquées sur sa tête, du sang jaillit par l'oreille.

– Oh, merde ! murmurai-je avant de jeter des regards désespérés autour de moi. Kendrick, ramène-toi !

Je reposai les yeux sur l'homme ensanglanté jusqu'à ce que j'entende des pas derrière moi.

– C'est à cause de son dernier saut, diagnostiqua Kendrick. Il a dû aller trop loin ou trop vite.

Elle croisa mon regard. *Fais quelque chose*, essayai-je de lui dire. Elle s'agenouilla près de moi et posa les doigts sur la jugulaire de l'inconnu.

– Je sens un pouls très faible, marmonna-t-elle. Il fait une hémorragie cérébrale. Il faut soulager la pression intracrânienne.

Je sentais qu'elle commençait à paniquer. L'idée d'un geste chirurgical ou de tout acte au-delà des premiers secours lui était insoutenable. Elle avait les mains couvertes de sang et des taches sur sa robe.

Mason était près de nous, et Stewart nous rejoignit, une main posée sur un de ses yeux.

– J'ai fait l'injection anti-voyage dans le temps au mec que j'ai mis à terre, nous informa-t-elle avant de se figer. Oh ! putain, qu'est-ce qui se passe, ici ?

– On n'en sait rien ! siffla Kendrick.

Stewart grommela et, avant que quiconque puisse l'en empêcher, planta une seringue dans une des cuisses de l'inconnu.

– Comme ça, au moins, il n'ira nulle part. Bon, si vous terminiez votre petite veillée funèbre, les gars, on pourrait peut-être récupérer les composants de la bombe que Junior a désamorcée avant qu'il ne soit trop tard.

– Elle a raison, approuva Mason. On doit y aller.

Kendrick posa les doigts sur le cou de l'inconnu.

– Plus de pouls, constata-t-elle. Il est mort.

Soudain plus mal en point que jamais, je me relevai à grand-peine. Notre petite équipe se dirigea vers le hall des ascenseurs, où nous rejoignirent enfin Parker et Freeman.

– Eh ben dites donc, il était temps ! maugréa Mason.

J'acquiesçai d'un signe de tête. Freeman nous inspecta les uns après les autres.

– Ça va, tout le monde ? demanda-t-il.

Je me tournai pour regarder Stewart, qui enleva sa main : son œil enflait déjà et une coupure sur sa pommette saignait abondamment. J'appuyai les doigts dessus pour stopper l'hémorragie. Stewart se raidit et me balaya la main d'une tape.

– Alors, c'est quoi, le plan ? lançai-je à Freeman.

– Il en reste encore ? demanda-t-il aussitôt. Des EDT ?

– Celui qui me courait après a disparu par là, indiqua Kendrick en pointant le doigt vers un couloir. Sinon, on a tous les autres, dit-elle avant de me regarder, puis d'ajouter : Euh, il y en a un qui est mort, juste là derrière. Ce n'est pas nous, c'est sans doute à cause de son dernier saut.

De nouveau pris d'une violente nausée, je vis soudain Freeman tout flou, puis dédoublé.

– Jackson ? s'inquiéta-t-il. Ça va ?

– Attends un peu ! s'exclama Stewart en me pointant du doigt. Qu'est-ce qui est arrivé à la rouquine ? Ce n'est pas déjà elle qu'on avait attrapée à Heidelberg ?

Elle avait raison. J'avais complètement oublié que Cassidy avait été capturée des semaines auparavant.

– Euh, oui, je crois bien que c'était elle. Mais elle a disparu avant que je puisse lui faire la piqûre.

– N'oubliez pas : il s'agissait peut-être d'une copie, remarqua Freeman comme si nous parlions d'un tableau dans un musée. Le reste du groupe est en train de faire évacuer le bâtiment. Je ne sais pas trop quelle est notre histoire de couverture, donc, si quelqu'un vous interroge, allez-y au feeling. Le docteur Melvin va faire une crise si on ne lui rapporte pas ce qui reste de l'engin explosif. Il est convaincu que c'est le même qu'en Allemagne.

– Par là ! indiqua Stewart avec un signe de tête en direction du couloir qui s'ouvrait derrière Freeman et Parker.

Tout le monde se précipita vers la chaufferie sauf Mason, qui resta en arrière pour me soutenir alors que j'avançais d'un pas chancelant.

– Ça va, toi ? demanda-t-il, l'air très inquiet.

– Oui, j'ai dû prendre un coup sur la tête, c'est tout. Je dois avoir une petite commotion, dis-je avant de le retenir un peu pour que personne ne puisse nous entendre. Euh, je suis désolé, pour tout à l'heure.

– T'inquiète.

– Ce n'est pas que je mettais en doute tes capacités. C'est juste que... des fois, on n'a pas toutes les réponses.

– Ouais, peut-être.

Quand il me regarda de nouveau, je vis le gamin à taches de rousseur effrayé derrière l'agent intelligent et obstiné. Il se remit en marche à mes côtés, et soudain ricana.

– De toute façon, tu ne m'aurais jamais tiré dessus.

– T'en es vraiment sûr ? répondis-je en souriant.

Malgré mes jambes vacillantes, je me dirigeai vers Freeman et lui donnai une tape sur l'épaule.

– Je suppose que vous n'avez pas croisé Marshall ni mon père ?

Il me regarda longuement, puis secoua la tête.

– Le docteur Melvin vous a raconté qu'il y avait un compte à rebours sur la bombe ? C'est totalement bizarre. Ça, et puis Heidelberg. Thomas a dit qu'ils préparaient un changement, une modification, et qu'ils ont abandonné. Pourquoi ils nous ont fait tout ce show ?

– C'est justement de cela qu'on parlait, intervint Parker. C'est comme s'ils avaient voulu nous envoyer un message ou...

– Nous tester, termina Kendrick. On a même soupçonné Marshall, à cause de cette histoire de compte à rebours.

– Vous tester ? Voilà une intéressante théorie, dit une voix profonde depuis l'autre bout du couloir.

Notre groupe se retourna pour découvrir une vingtaine d'EDT. Thomas se trouvait en pointe au centre.

– Oh, non ! marmonna Stewart derrière moi.

Freeman avança, endossant son rôle d'officier supérieur de Tempest.

– Fichtre, Thomas, c'est une vraie petite armée que vous nous avez amenée !

– Eh bien, disons qu'il y a eu du changement récemment, répliqua Thomas, les bras croisés, affichant une expression impénétrable de joueur de poker.

Parlait-il de moi, qui avais ouvert l'univers parallèle et ainsi décuplé le nombre de voyageurs temporels, comme l'avait suggéré Eileen ? Ou bien parlait-il des clones du docteur Ludwig ? Ou alors, des deux ?

– Vous croyez vraiment qu'il est moralement juste de menacer la vie de tous ces innocents là-haut ? s'indigna Freeman. Vous vous rendez compte des personnalités formidables qui sont réunies ici ce soir ? Parmi ces hommes et ces femmes, il y en a forcément qui auront un impact positif sur le futur.

Freeman suivait à la lettre le protocole de négociation. On parle d'abord... et après on attaque si nécessaire. Mais vingt de leur côté et six du nôtre... c'était pas gagné.

– Où sont les copains ? murmurai-je à Parker.

– Il y a d'autres EDT au rez-de-chaussée, répondit-il en pointant un doigt vers le plafond.

*D'autres EDT ?*

– En fait, nous sommes convaincus que votre service regorge de talents à exploiter, expliqua Thomas. Mais il fallait qu'on le constate *de visu*... qu'on tâte un peu le terrain.

La tension montait, et je nous sentais à deux doigts de dégainer pour tirer à vue quand nous en recevrions l'ordre. Thomas sortit de sa poche de veste une fiole en verre remplie d'un liquide bleu.

– C'est ça que vous vouliez récupérer, pas vrai ? Les restes de la bombe ?

Freeman brandit son pistolet et tout notre groupe l'imita. Thomas et ses acolytes ne tressaillirent même pas à la vue de nos six armes braquées sur eux.

– J'imagine que vous êtes tous très curieux de savoir ce qu'est cette substance, poursuivit-il avec un calme confondant.

Au contact de l'air, le liquide bleu se transforme en gaz et paralyse tout le monde à trois mètres à la ronde pendant environ une heure. Il ne sera pas découvert avant l'an 2200, ni utilisé à grande échelle avant 2210. En cette année-là, les policiers ne sont pas armés, ni de pistolets ni d'aucun autre engin. Ils aspergent le suspect de gaz, et ils peuvent l'arrêter sans qu'il fasse de mal. Voilà le genre de monde que nous essayons de créer. Un endroit paisible où personne ne vit dans la peur.

Je me rappelai le futur parfait qu'il m'avait montré. Objectif atteint, visiblement. Mais qu'il ait pu « sacrifier » Holly m'avait ôté toute confiance en lui, et pour toujours.

– Nous devons respecter ce qu'on nous a appris, déclara Freeman. Vous pouvez comprendre ça, Thomas.

– Certes, mais je suis sûr que vous avez des doutes, affirma Thomas avant de poser les yeux sur moi. Je sais que certains d'entre vous doivent se sentir pris au piège. Obligés de tout sacrifier, et pour quoi, au juste ?

À mon tour de me sentir mal à l'aise. Évidemment que j'avais des doutes, beaucoup de doutes. Et ce qui se passait là était le bras de fer ultime, car il nous prenait tous par surprise.

– J'estime qu'il est temps que nous unissions nos forces, enchaîna Thomas. C'est même inévitable, et les choses tourneront bien mieux si nous arrivons à négocier cette trêve au plus vite.

– Désolé, déclina Freeman. Même moi, je ne suis pas autorisé à prendre ce genre de décision.

De fait, personne n'était autorisé à prendre ce genre de décision puisqu'elle n'avait jamais été dans le domaine du possible. L'anxiété et l'incertitude s'insinuaient dans la voix de Freeman.

– Très bien, je comprends, dit Thomas. Désolé d'apprendre que le libre arbitre est une chose qu'aucun d'entre vous ne pratique.

Libre arbitre. Voilà que revenait le concept qui m'avait déjà préoccupé ce soir. Et que voulait dire Thomas en affirmant que nous finirions par unir nos forces ?

Pas le temps d'y penser. Soudain, les EDT disparurent de leur position au bout du couloir pour réapparaître parmi nous. Partout.

Je savais que je ne pourrais ni les obliger à sauter ni les en empêcher. J'étais trop épuisé, trop faible. Les corps fusaient autour de moi comme dans un film en accéléré. Je projetai un EDT par-dessus mon dos, puis donnai un coup de pied au visage d'un autre. Mon unique but en cet instant était de ne pas me laisser emporter dans un saut.

Un coup de pied m'atterrit dans le flanc, me propulsant contre le mur. Ma vue se brouilla, mais je distinguai quand même une silhouette menue qui se frayait un chemin hors de la bagarre en esquivant les combattants ou en leur sautant par-dessus.

Quand j'identifiai Mason, je fus d'abord soulagé à l'idée qu'il s'enfuyait, puis je compris où il se dirigeait, et je vis un EDT qui le poursuivait, tenant à la main droite une fiole de liquide rose.

– Non, Mason ! brailla Stewart. Laisse tomber la bombe !

Thomas ordonna alors à l'EDT :

– Empêche-le de récupérer notre arme !

– Mason, tire-toi vite ! hurlai-je.

L'EDT jeta un coup d'œil à Thomas, puis lança la fiole rose à l'intérieur de la chaufferie, où Mason venait d'entrer.

– Non ! m'exclamai-je, tandis que Stewart criait : Mason !

Je dégainai en même temps qu'elle et nos deux balles atteignirent le dos de l'EDT, qui s'effondra au sol. Un bruit de verre brisé résonna dans le couloir juste après nos coups de feu. Mes yeux repérèrent Thomas, qui quittait en courant la chaufferie où se trouvaient les résidus de l'engin explosif, puis Stewart, qui se précipitait elle-même vers la chaufferie en sautant par-dessus le corps de l'EDT abattu.

Je l'attrapai par la taille et la plaquai au sol. Elle se débattit une seconde, puis l'explosion la plus tonitruante que j'aie jamais entendue retentit dans l'espace confiné.

Le bruit résonna dans mes oreilles, oblitérant tous les autres. Instinctivement, je protégeai ma tête d'un bras et celle de Stewart de l'autre, car de minuscules éclats de bois et de plâtre volaient partout. Je fermai les yeux très fort et tentai de sauter, mais mon esprit n'arrivait pas à se concentrer sur autre chose que l'ici et le maintenant.

Quand le bourdonnement dans mes oreilles se calma, j'entendis des cris tout autour de moi.

– Oh, non ! Mason ! disait Kendrick.

– Jackson ! appelait Freeman.

Je me relevai et Stewart se rassit, l'air hébété. Nous étions tous deux couverts de poussière et de débris. Elle me regarda, les yeux écarquillés, puis se leva d'un bond, courut vers la chaufferie et s'arrêta net à la vue du trou béant dans le mur.

L'atroce réalité me frappa en même temps qu'elle.

*Mason est là-dedans...*

Je m'arrachai du sol et rejoignit Stewart, qui secouait la tête, les yeux toujours tout ronds.

– Non, ce n'est pas possible. Il est forcément sorti de là. J'en suis sûr. Il y a forcément une issue de secours, ou...

Ma voix m'abandonna, et je continuai à regarder avec Stewart.

– Jackson ! entendis-je le docteur Melvin crier.

Je me retournai pour le voir se frayer un chemin à travers les décombres en compagnie du sénateur Healy. Ce fut ce dernier qui m'atteignit en premier et posa les deux mains sur mes épaules.

– Ça va, mon garçon ? s'inquiéta-t-il d'un ton sincèrement inquiet.

– C'est Mason... Il est...

Pas moyen de le dire à haute voix. Stewart avala sa salive et se retourna pour faire face à Healy.

– Il est mort. Il a explosé en mille morceaux.

La colère dans sa voix était si violente qu'elle m'atteignit comme un coup de poing. Je ne l'avais jamais vue montrer autant d'émotion. Je tendis le bras pour lui toucher l'épaule.

– Stewart...

Elle se dégagea en levant les deux mains.

– Arrête... Tais-toi... Taisez-vous tous !

Freeman essaya de la retenir, mais elle le repoussa contre le mur et partit en courant. Malgré ma fatigue et mon état de choc, je remarquai le désarroi complet qu'affichait le visage du docteur Melvin et le regard insistant qu'il me lança. Peut-être était-ce mon imagination, mais il me sembla qu'il me demandait d'arranger les choses. Ou du moins souhaitait-il que j'en sois capable.

Sauf que ça ne marchait pas comme ça, hein ?

Au bord des larmes, Kendrick me jeta un coup d'œil, puis courut après Stewart, mais je savais qu'elle ne tarderait pas à revenir. Si Stewart voulait rester seule, elle resterait seule.

Je m'adossai au mur et fermai les yeux, espérant que tout serait différent quand je les rouvrirais.

– Apportez-lui de l'eau ! entendis-je Healy crier. Qu'est-ce qui s'est passé, Jackson ? demanda-t-il en effleurant de ses doigts froids un bleu sur ma joue. Quelqu'un vous a emmené dans un saut ? Vous pouvez me le dire. Tous les EDT sont partis.

Je rouvris les yeux et, derrière Healy, j'aperçus Melvin qui me regardait toujours.

– Je suis désolé, m'excusai-je. On a essayé de l'arrêter, je vous le jure.

Il hocha lentement la tête et se rapprocha de moi, passant en mode docteur.

– Laisse-moi prendre ton pouls.

Healy s'effaça pour le laisser vérifier mes constantes.

La nausée due à mes sauts précédents et à tout l'alcool ingurgité me frappa de plein fouet et je me retrouvai bientôt la tête au-dessus d'un lavabo en porcelaine blanche où je venais de vomir. Je remarquai à peine le sénateur Healy qui me tendait une bouteille d'eau en me demandant si je me sentais mieux. J'essayais juste de tenir debout et de calmer mon tournis. Rien d'autre n'importait.

Une heure plus tard, le groupe d'intervention était réuni dans les salles de classe souterraines. Stewart restait introuvable, et personne ne tenait à en parler. Nous étions pour la plupart convaincus que Freeman allait nous embarquer illico sur un avion pour la France et, très franchement, j'avais hâte.

Je m'affalai un peu plus sur la chaise où je m'étais laissé tomber dès notre arrivée dans la pièce. Assis à ma droite et à ma gauche, le dos bien droit et pas avachis sur leur table comme moi, Freeman et Parker, eux, semblaient alertes.

– Même si beaucoup d'entre vous ont appris la nouvelle cette semaine, mon implication dans cette unité devait rester secrète, disait le sénateur Healy aux quatorze agents Tempest. Cependant, en l'absence du chef Marshall et de l'agent Meyer père, je n'ai d'autre choix que de prendre le relais en tant qu'officier supérieur.

– Qu'est-ce qui s'est passé ce soir ? demanda sèchement Parker. Visiblement, quelqu'un cherchait à nous enfermer tous pour nous empêcher de contrer l'attaque des EDT. Qui a infiltré notre système d'alerte ? Je croyais que ce n'était pas possible.

Le sénateur Healy jeta un coup d'œil au docteur Melvin, qui se redressa en hochant la tête avant de prendre la parole.

– Notre sécurité n'est pas infaillible. L'équipe de soutien technique travaille déjà à l'identification de la source.

– Les événements de ce soir... la perte d'un agent très précieux... vont être difficiles à gérer pour nous tous, reprit Healy. Je vous encourage tous à vous serrer les coudes et à vous reposer, à récupérer pour que nous puissions être forts et prêts pour la prochaine fois.

– Et où est Marshall, à la fin ? intervint l'un de nous. Et l'agent Meyer ? Pourquoi avons-nous dû assurer cette mission sans eux, si elle devait s'avérer si difficile ?

Soupirs agacés à la suite de cette question, comme si tout le monde pensait exactement la même chose, moi compris.

– Hélas ! j'ai d'autres mauvaises nouvelles, révéla Healy en secouant la tête d'un air grave.

Je retins mon souffle, sentant mon cœur s'affoler malgré mon épuisement.

– Cela fait trois jours que nous avons perdu tout contact avec l'agent Meyer et le chef Marshall, annonça-t-il.

Le silence s'abattit sur l'assistance. Au bout de longues secondes, je retrouvai assez de voix pour coasser deux mots :

– Trois jours ?

Healy échangea un regard avec le docteur Melvin, puis soupira avant d'enchaîner.

– Sur la foi de certains éléments, je crois que nous allons tous devoir accepter l'éventualité que l'agent Meyer ait pu se laisser acheter par Eyewall. Je ne parle pas du groupe que vous pourchassiez ce soir, mais des gens qui sont responsables de la présence de ce groupe dans notre année actuelle.

L'Eyewall du futur. Les faiseurs de clones.

Mais Healy avait tort. Papa ne se serait jamais laissé corrompre par eux… jamais.

– Et le chef Marshall ? relança quelqu'un d'autre. Peut-être qu'il leur a livré l'agent Meyer pour se sortir d'un sale pétrin.

Ah, un autre fan de Papa. Toujours bon à savoir.

– L'agent Meyer a une raison très particulière d'accepter l'aide des EDT, rétorqua Healy. Une raison que je ne peux pas vous révéler pour l'instant, mais qui corrobore mes présomptions.

Je sentais tous les regards braqués sur moi, comme si je détenais la réponse à cette question muette, comme si je savais ce qui serait plus important aux yeux de Papa que rester à mes côtés. Or, je l'ignorais. Je n'en avais pas la moindre idée. Et il fallait absolument que je le retrouve pour lui dire que j'avais accompli un saut à la Thomas. J'avais plus que jamais besoin de son aide.

– Mais… il est en vie ? bredouillai-je.

– Nous le pensons, dit Healy, le visage crispé.

– On retourne en France, maintenant ? intervint l'agent Parker.

– Nous avons réussi à obtenir des informations sur Eyewall au cours de la mission de ce soir, expliqua Freeman. Il y a beaucoup de données à analyser, donc mieux vaut rester encore dans le coin pendant au moins quarante-huit heures.

Je soupirai et me forçai à me calmer. *C'est juste deux jours de plus.* Ma priorité devait être de trouver un moyen de contacter Papa. Il s'agissait d'une situation extrême, et je pouvais envisager l'option d'un saut dans le temps... à supposer que j'en sois capable physiquement.

Il était près de 2 heures du matin quand tout le monde sortit de la pièce à contrecœur, comme si réintégrer le monde réel allait nous obliger à repenser au speech de Thomas... et à Mason.

– Jackson ? appela le sénateur Healy avant que je passe la porte. Je peux vous parler ?

Je jetai un coup d'œil à Kendrick, puisque je supposais qu'elle voudrait qu'on rentre ensemble à la maison.

– Le docteur Melvin a besoin de mon aide au labo, dit-elle d'une voix lasse. C'est au bout du couloir. Je t'attends là-bas.

J'acquiesçai de la tête, puis Healy ferma la porte sur le dernier agent à sortir. Il me fit signe de me rasseoir et je lui obéis, tout simplement parce que j'avais du mal à tenir debout. Le vieil homme prit place de l'autre côté du bureau, tournant sa chaise pour me faire face.

– Je voulais juste savoir comment vous alliez, dit-il d'une voix douce. Vous ne pouvez pas vous sentir responsable de ce qui est arrivé ce soir. Personne ne s'attend à ce que vous soyez capable d'arranger ce qui s'est passé. J'espère que vous le savez ?

Je haussai les épaules sans rien dire. Ce n'était pas si simple. Il soupira comme s'il avait lu dans mes pensées.

– Nous allons continuer à essayer de contacter votre père. Tant pis pour le protocole en vigueur, je ne cesserai pas les recherches. C'est quelqu'un de bien. Peu importe ce que pourront vous dire les autres agents, ne mettez pas en doute ce que vous savez être la vérité.

Ne voulant pas que Healy sache à quel point Papa et moi étions proches, je changeai de sujet.

– J'ai du mal à penser à autre chose qu'à ces EDT. Ils ont une dizaine de machines à cloner, dans l'avenir, ou quoi ?

Healy me dévisagea, peut-être pour voir si j'étais en état de choc. Mais ces temps-ci, je devenais imperméable aux chocs.

– Le docteur Melvin culpabilise beaucoup d'avoir passé des années à essayer d'obtenir un financement de l'État pour faire du clonage une réalité. Sans ses recherches, nous n'aurions peut-être pas d'ennemis à combattre. C'était un rêve de gosse délirant. Mais il faut de l'âge et de l'expérience pour comprendre pleinement la portée de ses actes.

Pauvre docteur Melvin ! Et moi qui croyais porter ma croix !

– Pourquoi m'avez-vous dit que Kendrick était si importante pour cette unité ? Vous avez un lien de parenté, peut-être ?

– Non, Jackson, dit-il avec un petit sourire. Je ne connais pas tous les détails parce que Marshall m'en a révélé le moins possible, mais elle est censée découvrir un traitement contre une épidémie mortelle qui va ravager le futur. C'est peut-être une raison suffisante pour que les EDT lui laissent la vie sauve.

– Sérieux ? Le docteur Melvin est au courant ? Et puis, les EDT connaissent forcément le médicament magique qu'elle est censée découvrir, donc ils pourraient le fabriquer eux-mêmes, non ?

– Apparemment, ils préfèrent ne pas modifier des événements qui n'ont pas besoin de l'être. Ils veulent façonner un avenir parfait en intervenant le moins possible. Et non, le docteur Melvin n'est pas au courant, donc motus, sinon il passerait le restant de ses jours à essayer de découvrir quelque chose qu'il n'était pas destiné à découvrir... Il se tuerait à la tâche.

– D'accord, concédai-je avec un soupir agacé. Mais pourquoi faut-il qu'elle soit membre de Tempest, alors ? Elle ne pourrait pas bosser normalement dans un labo, sans mettre sa vie en danger ?

– Premièrement, elle a envie d'être là pour des raisons qui m'échappent. Mais votre idée est exactement celle que j'ai soumise au chef Marshall, poursuivit-il d'un air plus grave. Sauf qu'il a jugé ses capacités trop précieuses pour ne pas l'utiliser comme agent... Et maintenant, elle n'aura plus jamais la possibilité de nous quitter. Pas vivante, en tout cas. Mais si elle continue à étudier la médecine sans se laisser distraire, elle pourra faire sa fameuse découverte.

Le côté « on ne quitte le service que les pieds devant » ne constituait pas une vraie surprise. J'avais bien imaginé que cette règle s'appliquerait à nous tous, mais cela ne la rendait pas plus facile à digérer.

– Allez vous reposer, Jackson. Je vous en ai déjà trop dit. Je suis vraiment désolé que vous ayez dû traverser tout ça ce soir.

– Ça fait partie du boulot, pas vrai ?

Je me levai lentement avant de sortir dans le couloir pour rejoindre le labo, d'où Kendrick émergea juste au moment où j'arrivais. Nos regards se croisèrent sans que nous sachions quoi dire. Son chignon s'était un peu défait, ses mains et son visage restaient maculés de sang et de poussière.

– Prête ?

Elle hocha la tête et je la précédai dehors. Il n'y avait rien d'autre à dire. Pas ce soir.

Les mains de Kendrick tremblaient tant qu'elle n'arrivait pas à insérer la clé dans la serrure. Je la lui pris doucement et ouvris la porte, laissant s'échapper l'air conditionné.

– Merci, dit-elle en levant les yeux vers moi.

– Lily !

Surprise : Michael était là, réveillé, habillé, devant la télé qui hurlait, alors qu'il n'était pas censé être en ville.

– Dieu merci, te voilà ! Ça fait des heures que je regarde les infos. Je suis revenu de Long Island dès que j'ai entendu parler de l'accident au Plaza. Je n'ai pas arrêté de t'appeler sur ton portable. J'étais sûr que...

Sa voix le trahit, et il s'arrêta de parler pour me regarder moi, puis Kendrick.

– Qu'est-ce qui vous est arrivé ? C'est du sang ?

Le sénateur Healy nous avait expliqué qu'il serait impossible de cacher la catastrophe aux médias, mais pour le grand public, la bombe bizarre des EDT serait une explosion due à un court-circuit dans la chaufferie. J'ignorais combien de mémoires avaient dû être altérées ce soir, et je ne pouvais pas y penser maintenant.

Les yeux de Kendrick s'arrondirent comme si elle venait de songer qu'elle ne devait pas se comporter en agent traumatisé face à son fiancé innocent.

– Eh bien... c'est... on est allés...

J'intervins tant son bégaiement était insoutenable.

– Par chance, on se trouvait loin de l'explosion, mais il y avait un gamin et sa mère qui ont été blessés et Kendrick... enfin, je veux dire Lily, a essayé de... enfin, tu sais...

– D'arrêter l'hémorragie, termina-t-elle.

Michael se laissa tomber sur le canapé avec un énorme soupir de soulagement.

– Oh ! ma pauvre, ça a dû être atroce ! Je crois que je n'ai jamais eu aussi peur de toute ma vie. Il s'en est sorti, le gamin ?

Elle me consulta de nouveau du regard, se mit à pleurer, puis traversa la pièce pour se pelotonner contre lui en enfouissant le visage dans sa chemise. Il lui passa un bras autour des épaules, puis lui ôta ses chaussures.

Je savais qu'elle pensait à Mason et s'interdisait de craquer devant moi. Mais Michael, lui, ne s'attendait pas qu'elle soit blindée. Lui connaissait une version plus douce, moins assurée de Kendrick. Je me retournai pour les laisser seuls et réintégrer mon appartement toujours presque vide.

D'abord, une longue douche bien chaude pour nettoyer la saleté et la culpabilité. Puis je m'allongeai sur le lit et composai le numéro de Stewart une demi-douzaine de fois sans obtenir de réponse. Ce n'était pas vraiment que j'aie envie d'être près d'elle, mais ce soir, j'avais peur qu'elle ne pète un peu un câble...

Bientôt, le souvenir de la mort de Mason et de la réaction de Stewart m'accabla tant que je fis un saut dans le temps sans m'en rendre compte. Le besoin d'agir était trop fort pour être ignoré. Je devais essayer, sachant que les sauts à la Thomas se trouvaient peut-être à ma portée. Pouvais-je sauver Mason, changer le cours des événements ? Juste quelques heures en arrière. C'était tout ce qu'il me fallait. Et après, que cela marche ou non, il me faudrait débrancher. Éteindre cette partie de moi qui s'attachait trop à des gens que j'aurais voulu garder à distance.

# CHAPITRE QUATORZE

– Merde !

*La voix de Papa.*

– C'est de votre faute, agent Meyer !

*Le chef Marshall.*

Il était debout près de mon père, les mains levées en l'air. Le docteur Melvin regardait dans le vide à l'autre bout de la pièce. Personne ne me remarqua.

C'est alors que je vis l'homme gisant à leurs pieds. Harold… Un des clones du docteur Ludwig. Je ne pouvais pas me retrouver là, quand même ? Mes yeux se dirigèrent vers le canapé : oui, elle était là. Inconsciente. Les cheveux épars autour du visage.

Holly 007.

Le point que fixait le docteur Melvin, c'était l'endroit d'où l'autre moi venait de disparaître… au moment précis où j'avais quitté 2007 pour enfin rejoindre 2009.

Je l'entendis à peine se racler la gorge pour attirer l'attention de Papa et de Marshall. L'instant où j'avais abandonné cette Holly n'avait jamais quitté mon esprit. Tout était exactement tel que je l'avais imaginé : Holly allongée là, attendant que je revienne.

– Jackson ? s'étonna Papa.

Je le regardai d'un œil distrait avant de me rappeler à quel point j'avais eu envie de le voir. Toutes ces journées écoulées sans aucun contact avec lui... Le seul problème, c'est que, en raison des événements se déroulant dans cette version de 2007, je savais que j'avais atterri dans une autre ligne temporelle, contrairement à mon intention. Mais ce n'était pas si différent que de le voir lors d'un demi-saut.

– Il n'est pas habillé pareil, constata le chef Marshall en me passant au crible de ses yeux rayons X.

– Euh, ouais, marmonnai-je, avant de me rapprocher de Holly.

– Jackson, tu dois nous laisser le temps de tout t'expliquer avant de tenter quoi que ce soit, me dit Papa en se dirigeant vers moi. Je te promets que le docteur Melvin va tout te raconter sur Axelle.

Je regardai mon père, puis le docteur Melvin, essayant de comprendre ce qu'il voulait dire au juste.

– Mais je suis déjà au courant, pour Axelle. Pourquoi...

*Ah, j'ai compris !* Ils pensaient que j'avais peur et que je ne leur faisais pas confiance. N'avais-je pas effectué un demi-saut pour quitter ce même instant alors que le chef Marshall avait les mains serrées sur ma gorge ? *Le saut qui m'a propulsé dans la chambre d'hôpital de Courtney.* Cela me semblait à des années-lumière.

– Tout va bien, Papa. Je comprends.

– Ah bon ? s'étonna Marshall.

– Oui, oui, dis-je en m'agenouillant devant Holly. Docteur Melvin, combien de temps va-t-elle rester inconsciente ?

Il me regarda bouche bée.

– Euh, une ou deux heures, sans doute... Tu vas bien, toi ?

– Oui, très bien, répondis-je avant de secouer un peu Holly par les épaules. Holly ? Holly, tu m'entends ?

Elle marmonna quelque chose d'incohérent et se retourna vers moi sans ouvrir les yeux. Je ne savais pas trop ce que j'avais envie de lui dire, mais l'idée que ce moment reste en suspens, accroché à un fil pendant que je vivais une autre vie dans une autre ligne temporelle, m'était insupportable.

Je n'aurais pas dû être obligé de choisir... ou peut-être n'aurais-je pas dû avoir la possibilité de choisir.

– Jackson, dit Papa en s'agenouillant près de moi. Tu viens d'où, là ?

– De 2009.

– Encore ? Ou pour la première fois ? demanda le docteur Melvin.

Je m'assis par terre devant le canapé.

– Encore, mais je suis déjà venu ici... Enfin, je veux dire, il s'est passé beaucoup de choses depuis la dernière fois.

– Comme quoi ? demanda Papa.

– Eh bien, je suis devenu un agent Tempest.

Papa et le docteur Melvin se mirent à me parler en même temps, mais Marshall leva la main pour les arrêter.

– Ne nous en dis pas plus, Jackson. Tu dois retourner dans cette autre ligne temporelle. C'est la meilleure manière d'assurer la sécurité de tout le monde.

– Je sais comment ça marche. En fait, j'étais en train d'essayer autre chose, expliquai-je au docteur Melvin en me relevant. Le saut complet, si c'est comme ça que vous l'appelez... De toute évidence, ça n'a pas marché.

– Donc ta mission ne consistait pas à arriver ici ? demanda Marshall.

– Non. J'ai le droit de poser des questions ?

Marshall leva un sourcil, mais Papa acquiesça de la tête.

– Supposons... c'est juste une hypothèse... que je ne t'aie pas vu depuis un moment. Que Freeman ait perdu contact avec toi. Devrais-je m'inquiéter ?

Le visage de mon père et celui du docteur Melvin se crispèrent.

– Non, répondit Papa. Ne t'inquiète jamais pour moi. Pas de nouvelles, bonnes nouvelles, hein ? dit-il avec un sourire forcé.

À l'évidence, il ignorait que j'avais reçu en trois mois un solide entraînement de détecteur de mensonges humain.

– OK. Quand est-ce que le sénateur Healy a intégré Tempest ?

– Le sénateur Healy ? répéta le chef Marshall. Non, ce n'est pas possible.

– Il n'est pas chef adjoint ? Même pas dans une autre ligne temporelle ? demandai-je désespérément, frustré qu'ils ne soient pas au courant. Même pas dans deux ans ?

– C'est sans doute possible, répondit lentement Papa, même si tous trois avaient l'air perplexe.

Peut-être ce monde parallèle était-il réellement différent de celui dont j'étais venu. Peut-être Thomas y avait-il fait des siennes.

Je savais que Marshall avait raison. Il fallait que je parte, sinon les effets secondaires du voyage temporel allaient me tomber dessus méchamment, après ce qui s'était passé hier soir. Sauf que Papa était là. Et aussi une de mes Holly... une version d'elle qui m'aimait bien...

– Je suis désolé, Jackson, s'excusa mon père en me posant la main sur l'épaule. Je suis désolé pour tout. Ta vie est compliquée, mais cela ne veut pas dire que je ne me soucie pas de toi.

– Je sais, Papa. Je t'assure, je sais.

Je voulais l'interroger sur le pot-de-vin que Healy avait mentionné en 2009, mais pas devant le chef Marshall. Alors, je fis quelque chose que je n'avais pas fait depuis des années : je serrai mon père dans mes bras.

– Prends soin de Holly... et d'Adam, murmurai-je avant de le lâcher. Juste au cas où je devrais revenir ici... ou juste parce que... enfin bref.

– Compte sur moi, dit-il en reculant d'un pas.

Mes yeux retombèrent sur le cadavre gisant par terre, et je décidai de déplacer Holly ailleurs.

– Je vais la sortir d'ici, au cas où elle se réveillerait bientôt.

Je la pris dans mes bras, prenant garde à ne pas la cogner dans le mur, car sa tête ballottait contre mon bras. Personne ne dit rien, personne ne me suivit dans ma chambre.

Adam était couché en travers de mon lit, inconscient. Je posai Holly du côté des oreillers et la couvris d'un plaid. Elle se réveillerait près d'Adam, qui saurait exactement lui expliquer la situation, sauf qu'elle ignorerait toujours pourquoi je l'avais embrassée, pourquoi je lui avais laissé lire ma lettre à Courtney, pourquoi je l'avais abandonnée.

*Ça n'a pas d'importance.* Là tout de suite, il fallait que je me comporte comme un agent en mission, que je me ressaisisse, que je ne me laisse pas happer par la réalité de cette ligne temporelle. *Rien de personnel, juste le boulot.*

Et le souvenir de ma lettre à Courtney me donna une idée. J'attrapai papier et stylo et m'installai à mon bureau. Je pouvais au moins laisser quelque chose à Holly.

– Oh ! la vache ! Qui c'est qui m'a assommé ?

Je sursautai, puis souris en voyant Adam essayer de se remettre en position assise. Il me dévisagea, et je me rendis compte à quel point cela faisait longtemps que je ne l'avais pas vu. Encore plus longtemps que Holly.

*Ne fais pas ça, Jackson. Ne te laisse pas attirer par ce monde où tu as des amis, des gens qui pourraient devoir mourir pour toi.*

– Comment tu te sens ?

– La tête dans le cul, marmonna-t-il. Putain, j'ai vraiment bu tant que ça ?

Je ne m'en souvenais plus.

– Peut-être que la CIA t'a drogué. Ils ont bien refilé un truc à Holly.

Il rampa jusqu'au bout du lit et lui attrapa le pied pour le tapoter doucement.

– Zéro réflexe. Mais qu'est-ce qui s'est passé, à la fin ? Une autre attaque, comme vendredi ?

– En gros, oui, sauf que pour moi, hier soir est très loin dans le passé. Ça fait des mois, en fait.

Adam secoua la tête et se donna des petits coups dessus.

– Et merde. C'est un demi-saut ? J'en ai vraiment ras le bol d'en entendre parler et de ne jamais rien me rappeler.

– Non, c'est la réalité. Tu vas t'en souvenir. Mais quand je vais partir pour retourner dans l'autre ligne temporelle, rien de tout ceci ne se sera passé là-bas.

Il se redressa, l'air d'avoir une illumination subite.

– Mais, et l'autre toi ? Celui avec qui j'ai fait la fête hier soir ? Est-ce que tu as… déjà vécu ces événements ?

– Oui, mais je ne crois pas que ce moi-là va revenir.

– Bouge pas ! ordonna-t-il en sautant du lit.

Il passa dans la salle de bains pour s'asperger le visage d'eau.

– C'est bon, je suis réveillé. Maintenant, raconte-moi tout.

*Pars. Pars maintenant, avant que cela ne devienne plus dur.* Mais je ne pouvais pas. Pas encore.

Il ne me fallut pas autant de temps que je ne l'aurais cru pour lui expliquer ces derniers mois dans les grandes lignes. Et je laissai de côté beaucoup de détails.

– Je n'arrive pas à croire que tu bosses pour eux… Et cette expérience, là, ça fout la trouille. Comment peux-tu être sûr qu'ils n'ont pas…

– Je le sais, c'est tout, dis-je en regardant la feuille vierge devant moi. Tu crois que l'autre moi, celui qui a disparu en Espagne, va juste réapparaître ?

– C'est la possibilité la plus logique. Sauf qu'entre-temps il s'est écoulé quelques semaines. Est-ce que ton autre moi va se demander où sont passés tous ces autres jours ?

– Oui, répondit une voix qui nous fit sursauter.

Papa était debout dans l'encadrement de la porte.

– C'est vrai ? demandai-je.

Il entra lentement dans la chambre et s'assit sur le canapé.

– J'étais justement en train de discuter avec le docteur Melvin pour trouver une solution à ce problème. On a quelques pistes. Première possibilité : on crée une histoire de couverture pour le Jackson de dix-sept ans, par exemple un accident qui a débouché sur un coma de trois semaines avec amnésie. Ou alors, on lui raconte tout sur Axelle et sur les capacités qu'il va développer plus tard. Je me sens un peu plus à l'aise avec cette deuxième option maintenant que j'ai vu que tu arrives à gérer tout ça.

– Mais si Jackson ne sait pas qu'il peut voyager dans le temps ou, en tout cas, qu'il pourra voyager dans le temps un jour, ça peut être un peu dur à avaler pour lui, protesta Adam, qui visiblement ne faisait confiance ni à mon père ni à la CIA.

– Il y a bien une troisième option, commença Papa en scrutant mon visage. Tu pourrais rester ici.

L'idée me séduisait malgré son défaut majeur : Holly et Adam seraient en danger si je restais dans les parages. En plus, j'avais encore trop de mystères à résoudre en 2009.

*J'ai déjà été séparé d'elle une fois. Si je reste, il faudra que je revive cette épreuve... un jour ou l'autre.*

Toujours plongé dans mes réflexions, je me rendis compte que Papa me regardait d'un air interrogateur.

– Tu attends mon avis, c'est ça ? demandai-je.

– Eh bien, il me semble que tu te connais mieux que personne, remarqua-t-il avec un petit sourire.

– Euh, non, justement, intervint Adam d'un ton cassant. Étant donné que vous lui mentez depuis sa naissance...

C'était si vrai... Le moi de dix-sept ans n'avait aucune idée de ce qui allait lui arriver dans un an... ce premier voyage dans le temps... Mais Papa et le docteur Melvin savaient, eux, même avant que j'aie atterri en 2007 pour la seconde fois.

– Partez sur l'histoire de l'accident, tranchai-je à contre-cœur. Mais dites-lui la vérité une fois que ce sera arrivé... le premier saut dans le temps. Et puis le reste aussi, ce dont on a déjà parlé.

Papa accusa le coup, mais il hocha la tête. Il avait bien compris ce que je voulais dire : parle-moi de Courtney, et peut-être aussi d'Eileen. Ne laisse pas un mur nous séparer pendant deux ans.

– Attends, on est bien copains, dans l'autre ligne temporelle ? s'inquiéta Adam. Tu as bien mis l'autre moi au courant, hein ?

Je sentis mon cœur s'accélérer et j'essayai de le ralentir. Papa le remarquerait, mais je savais qu'il ne dirait rien. J'affichai mon plus beau sourire avant de regarder Adam droit dans les yeux.

– Oui, bien sûr. On a un deal, pas vrai ?

À mon grand soulagement, il me rendit mon sourire, ce qui lui donna l'air plus juvénile que dans mon souvenir. *Il n'a que seize ans... Un an de moins que Mason en 2009.* Je me levai pour aller m'asseoir près de Holly et lui prendre la main.

– Et elle, qu'est-ce que je lui dis ? demanda doucement Adam.

Un ange passa. Imaginer Adam en train d'annoncer mon départ à Holly me faisait si mal que je m'obligeai à me blinder de nouveau, à rationaliser, comme au cours des trois mois précédents... jusqu'à notre mission à New York.

– Tu vas lui dire que je suis parti... en Espagne, ou à l'autre bout du monde pour être aux côtés d'un parent en phase terminale. Elle va souffrir. Elle va sans doute pleurer et t'en vouloir de ne pas l'avoir réveillée. Et puis elle s'en remettra, terminai-je d'une voix posée après avoir difficilement avalé ma salive.

*Et puis elle sortira avec David ou avec Brian, et elle ira à la fac...*

– Alors c'est comme ça ? dit Adam, incrédule.

– Oui, c'est comme ça. C'est prouvé statistiquement. La CIA collecte ce genre de données tout le temps. Quand un agent établit une relation avec une source potentielle et qu'il l'abandonne, dans 85 % des cas, la source ne présente plus de signe de deuil ni de perturbation émotionnelle au-delà de deux semaines. Tiens, je vais même lui laisser un mot, ça aidera pour notre couverture, dis-je en retournant au bureau.

Papa se leva et se dirigea vers la porte.

– Je vais annoncer notre décision au docteur Melvin et au chef Marshall. Viens me voir avant de...

– OK, comme tu veux, l'interrompis-je.

Adam ne me quitta pas des yeux le temps que j'écrive mon mot.

– Mais qu'est-ce qui t'arrive, mon vieux ?

– Tu veux dire, en dehors de ce qui est évident ? demandai-je sans lever le nez, d'un ton impassible qui me surprit moi-même.

– D'accord, laisse tomber, grommela-t-il en se recouchant sur le lit. Ce n'est pas comme si j'étais capable de t'aider, des fois...

Son ton sarcastique m'horripila. C'était assez dur comme ça sans qu'Adam me culpabilise. Il avait d'autres amis que moi, il irait très bien. Moi, je retournais dans un endroit où je ne faisais confiance à personne. Là-bas, même Holly m'avait manipulé, le soir du bal de Healy.

– Tout va bien se passer. Tu n'as aucune raison de t'inquiéter. Vous serez tous les deux placés sous la protection des meilleurs agents de la CIA.

– Super, quel réconfort ! Surtout après avoir vu mon meilleur ami se transformer en robot qui obéit aux ordres.

Je serrai les dents et pris une nouvelle feuille de papier. Il n'arriverait pas à m'atteindre. Pas ici, dans cette ligne temporelle où je savais que je ne pouvais pas rester.

Il s'approcha de moi et se mit à lire par-dessus mon épaule.

– « *Chère Holly, Désolé d'être parti si vite. Ma vie est très compliquée en ce moment. Cela n'a pas été une décision facile.* » T'as oublié de dire : « *Ça n'a rien à voir avec toi, c'est juste moi.* »

Je cachai le papier du bras et levai les yeux vers lui en essayant de rester impassible.

– C'est personnel.

– Non, mon pote, c'est tout sauf personnel !

*Touché*. Sans lui prêter attention, je retournai à ma lettre, mais, quelques secondes plus tard, il retira la feuille de sous ma main. Je me levai pour la lui reprendre.

– Bon, maintenant, ça suffit !

Le visage crispé par la colère, Adam déchira la feuille en deux.

– Elle t'aime !

– Arrête de...

– Holly t'aime. Tu crois que je vais lui donner cette lettre à la con et me tourner les pouces le temps qu'elle t'oublie ? C'est le truc le plus débile que j'aie jamais entendu, lança-t-il, l'air écœuré, en lâchant les morceaux de papier par terre. Je t'avais dit de ne pas jouer avec elle. Mais tout va bien, tu n'as qu'à aller retrouver la version de Holly qui t'attend là-bas, moi je m'occuperai de celle-ci.

Il se tenait juste devant moi à me dévisager, et je fus incapable de dissimuler plus longtemps. Désespéré, je ne pus empêcher mon visage de révéler toute ma tristesse. La colère d'Adam se dissipa en un éclair.

– Qu'est-ce qui s'est passé ? Elle s'est encore fait tirer dessus ?

Je fis non de la tête sans rien dire.

– Allez, raconte. Il va se passer quelque chose ici, enfin, dans l'avenir ? insista-t-il en me retenant par le bras.

– Ta seule mission, c'est de te débrouiller pour qu'elle ne croise pas l'autre moi, déclarai-je d'un ton un peu trop ferme.

Adam recula d'un pas et me lâcha le bras.

– Je ne comprends pas. T'étais furax que ton père t'ait menti, et là, tu viens de lui dire de ne rien te raconter avant le début de tes voyages dans le temps. Comment peux-tu être sûr que révéler à l'autre toi ses capacités futures ne permettrait pas d'accélérer le processus ? Peut-être qu'il ne trouverait pas ça si délirant. Et moi, je pourrais l'aider, et expliquer certaines choses à Holly, aussi.

– Non ! Tu sais comment l'autre moi traiterait Holly ? Parce que moi, j'en ai une assez bonne idée. Et il n'a aucune raison de te parler à toi, non plus.

– Alors c'est vraiment ce que tu crois ? s'indigna-t-il, les bras croisés. Que si, en 2009, tu n'avais pas été en train d'essayer de comprendre pourquoi tu étais capable de voyager dans le temps, tu ne serais jamais devenu ami avec quelqu'un comme moi ? Tu parles de ce mec comme s'il s'agissait d'une personne différente, mais ça reste toi, Jackson.

Avait-il raison concernant la naissance de notre amitié ? Il n'y avait aucun moyen de recommencer le processus pour vérifier. Mais je ne pouvais même pas envisager l'idée que Holly 007 se mette avec mon moi de dix-sept ans. Je savais exactement ce qu'il avait en tête, lui.

– Ne fais pas ça, Adam, suppliai-je. Promets-moi que tu laisseras tomber.

– Bon, d'accord. C'est pour que tu ne sois pas avec Holly dans le futur de l'univers parallèle, j'ai compris, dit-il, plus agacé qu'en colère. Mais tu es en vie. Tu peux continuer à faire des sauts dans le temps. Comment sais-tu qu'il n'y a pas une parcelle d'espoir que tout puisse s'arranger ? Tu ne veux pas lui laisser quelque chose de mieux que cette merde que t'as écrite, juste au cas où tu reviendrais ?

N'avais-je pas suivi le même raisonnement tout à l'heure, quand j'avais demandé à Papa de prendre soin d'Adam et de Holly ? Je soupirai et posai la main sur la joue de Holly.

– Je n'en sais rien. Je ne sais pas ce qu'il y aura de mieux.

– Elle ne t'en voudra pas d'être parti, et moi non plus. Ça ne t'est pas venu à l'idée que c'est peut-être votre destin... que Holly va toujours t'aimer, quelle que soit la version d'elle que tu croiseras... et que même avec tes superpouvoirs, tu ne peux rien faire pour empêcher ça ?

– Dans la ligne temporelle d'où je viens, Holly ne m'aime pas du tout, et elle est avec quelqu'un d'autre. Et la première Holly que j'ai rencontrée... je ne lui ai pas fait une super impression, au début.

Son éclat de rire me surprit.

– En tout cas, toutes les versions de moi t'aiment bien. C'est toujours ça de pris !

– Oui, je me demande bien pourquoi, plaisantai-je. C'est peut-être mes jolies fossettes ?

Il me donna une bourrade, mais il riait toujours.

– Ah, le robot a enfin disparu ! Allez, ducon, écris-lui une vraie lettre d'amour, maintenant.

Il ne me fallut qu'une demi-seconde pour décider de ce que j'allais écrire. Cinq mots. Pas besoin d'en dire plus. Je repliai le papier et le fourrai dans le sac de Holly. J'entendis alors Papa m'appeler depuis l'autre pièce.

– Tu peux lui dire que j'arrive ? demandai-je à Adam.

– Pas de problème, lança-t-il avant de sortir en refermant la porte derrière lui.

Je m'allongeai près de Holly et la fis rouler sur le côté pour qu'elle soit face à moi.

– Holly, réveille-toi.

Ses paupières frémirent et s'entrouvrirent.

– Holly ? insistai-je.

– Ma mère sait que t'es dans mon lit ? marmonna-t-elle.

Je souris, même si je savais qu'elle ne pouvait pas me voir. Je lui passai le bras autour de la taille et, aussitôt, elle vint se blottir contre moi.

– En fait, c'est toi qui es dans mon lit.

Il fallait que je parte, sinon je ne pourrais plus jamais partir. Je l'embrassai sur la joue et me penchai vers son oreille.

– Surtout, ne va pas t'amouracher d'un joueur de foot, hein !

Elle ouvrit les yeux et se redressa d'un bond, se cognant la tête contre la mienne.

– J'ai... j'ai bu trop de champagne ou quoi ?

Je me redressai également et lui caressai les cheveux.

– Hum... c'est possible. Je n'en suis pas sûr.

Elle jeta un regard circulaire à ma chambre, et je me contentai de la regarder en laissant des milliers d'émotions me submerger et m'engloutir. Alors qu'elle s'apprêtait à parler, j'embrassai ses lèvres. Elle réagit aussitôt, les mains derrière ma nuque, les doigts dans mes cheveux, puis sous ma chemise.

– Il faut que je te dise quelque chose, articulai-je tant bien que mal.

– Ah oui ?

Elle m'embrassa encore plus fort, puis se recula un peu.

– Je... C'est juste que... commençai-je en posant ma tête près de la sienne et en serrant sa main entre mes doigts. Rien n'est simple pour moi. Être ici avec toi... Être sans toi... Tout est si compliqué, et j'ai l'impression que je ne vais plus jamais arriver à respirer...

Elle m'embrassa de nouveau en se collant à moi. Après de longues secondes, elle s'écarta, mais en gardant les bras autour de moi comme si elle sentait que j'étais sur le point de la quitter.

– Tu m'aimes, dit-elle.

– Oui, mais...

– C'est pour ça que c'est compliqué. Je sais très bien ce que tu veux dire... Je ne voulais pas t'aimer... Je ne voulais même pas t'aimer un tout petit peu. C'est raté, dit-elle en souriant.

Je serais un idiot fini de quitter cette fille. Un crétin absolu. J'enfouis mon visage dans ses cheveux, la serrai longuement dans mes bras, puis déposai un baiser sur sa joue avant de la lâcher.

Sous l'effet des médicaments, elle respirait de nouveau profondément, les yeux fermés. Je me levai et l'embrassai une dernière fois sur la joue. Il me fallut aller chercher la dernière once de volonté que j'avais en moi pour ne pas retourner sous la couette avec elle et m'abandonner au sommeil...

Une fois dans le couloir, je ressentis une présence étrangère. Un très léger bruit de pas, une respiration presque silencieuse... J'ouvris à la volée la porte du placard de l'entrée et cherchai l'intrus à tâtons. Mes doigts se refermèrent sur une chemise, et je tirai son propriétaire hors du placard, surpris par son faible poids. Je le plaquai contre le mur pour le regarder enfin. Un ado dégingandé au visage couvert de taches de rousseur.

– Mason ?

Les mains tremblantes, je repensais malgré moi à son corps en train d'exploser en mille morceaux.

– Jackson, c'est bon, il est avec nous ! cria Papa depuis l'autre bout de l'entrée.

J'étais arrivé ici alors que j'essayais de sauver Mason, de le réparer... J'avais presque oublié. Peut-être me fallait-il en découvrir plus sur lui pour réussir un saut plus ciblé.

– Mason, il faut que tu me dises un truc... que tu me donnes des infos personnelles... quelque chose qui pourra m'aider...

– Lâche-moi !

– C'est pour ça que tu es venu, Jackson ? intervint le docteur Melvin.

Avant que je puisse réagir, Mason leva la jambe et me donna un grand coup de pied dans l'estomac. Les mains serrées sur le ventre, je reculai jusqu'au mur. Mason nous regarda tous successivement, moi, le docteur Melvin, Papa... Il comprit plus vite que je ne l'aurais cru, et son visage tout entier exprima sa panique. L'agent stagiaire âgé de quinze ans dégaina son arme et la pointa sur moi.

– C'est toi, hein ? C'est toi, l'expérience. Je t'ai entendu parler d'Axelle à ton ami.

– Mason ! s'interposa le docteur Melvin.

Je levai les mains, incapable de masquer le tremblement dans ma voix.

– Je dois vraiment t'aider... Pas ici... J'ai peut-être juste besoin de savoir des choses sur toi... n'importe quoi.

Si j'arrivais à mieux connaître la vie de Mason avant le jour de notre rencontre, peut-être serais-je capable de faire un saut à la Thomas pour l'aider. Les souvenirs chargés d'émotion semblaient renforcer mes capacités.

Il baissa son arme et me regarda dans les yeux.

– Qu'est-ce qui va m'arriver ? Il va m'arriver quelque chose ?

– Ne lui dis rien ! tonna Marshall en pénétrant dans l'entrée. Agent Sterling, remettez-moi votre arme et partez d'ici.

Mason ne bougea pas d'un pouce.

– Dis-moi ce qui s'est passé ! répéta-t-il.

– Non ! crièrent en chœur Papa et Marshall.

Ce qui s'ensuivit se résuma à un grand flou de cinq secondes. Mason pointa son arme sur nous et tira par-dessus nos têtes. Quand tout le monde s'accroupit, il se précipita sur moi pour me donner un grand coup de poing dans la mâchoire.

– Je te déteste ! Si tu n'étais pas là, ils ne viendraient pas nous traquer, aucun de nous... Tout ça, c'est à cause de toi !

Je pris sa colère de plein fouet sans même pouvoir riposter.

– Je suis désolé, Mason... Je vais tout arranger, je te le promets.

– Jackson, pars... Va-t'en vite ! cria Adam.

Je croisai le regard de Papa, qui me fit un discret signe de tête alors que Mason m'assenait un autre coup, à la tempe cette fois.

Je le repoussai et me réfugiai dans la salle de bains, où je n'attendis qu'une seconde avant de retourner en 2009.

# CHAPITRE QUINZE

J'avais dû m'endormir sitôt après mon retour en 2009, parce que, lorsque j'ouvris enfin les yeux dans mon appartement CIA, la lumière inondait déjà la pièce.

Et il y avait quelqu'un assis au bout de mon lit.

Je me levai d'un bond en repoussant les couvertures, et je faillis me prendre les pieds dans le sac de Mason... le sac que j'avais rapporté la veille de son casier du labo souterrain. L'intrus, pour sa part, restait assis avec un calme étrange.

*Jenni Stewart.*

Pas l'agent Stewart habituelle, plutôt la version survivante d'un crash. Elle portait encore ses vêtements de la veille, couverts de sang séché et de saletés, elle avait les cheveux ébouriffés, et elle semblait folle à lier. Je serrais toujours dans ma main mon téléphone, ayant dû m'endormir en le tenant.

– Stewart, je t'ai appelée des dizaines de fois !

– Ça te dit quelque chose ? demanda-t-elle en brandissant un cahier rose.

– Non, répondis-je du tac au tac.

Puis je regardai de plus près. Ça ressemblait à un journal intime. Et d'ailleurs, Holly en avait un comme ça. La Holly 009. Donc la Holly 009 de cette ligne temporelle avait sans doute le même. Mais où Stewart voulait-elle en venir ? Elle nous avait vus danser la veille au soir, peut-être ? Ou bien elle avait surpris notre conversation ?

Elle ouvrit lentement le cahier et déchiffra ce qui était écrit sur un petit Post-it jaune collé à l'intérieur de la couverture.

– « *Jackson, ce journal m'a été confié, et il te revient. Il pourra t'aider* », lut-elle avant de lever les yeux vers moi. C'est l'écriture de ton père...

– Il est là ? m'emballai-je. Tu lui as parlé ?

– Non, répondit-elle calmement, l'air aussi déçu que moi.

– Je ne sais pas du tout pourquoi il a laissé ça pour moi. Et d'ailleurs, le mot clé là-dedans, c'est « moi », pas « toi ».

– Ben tiens ! dit-elle avec un rire légèrement hystérique. Il se trouve que ça appartient à la fille avec qui tu dansais hier soir. La petite blondinette...

– Je sais à quoi elle ressemble, merci. Mais je ne la connais pas et je ne vois pas pourquoi j'irais lire des choses qu'elle a écrites, et toi non plus.

– Vraiment ? C'est curieux, parce que tu es partout, dans ce truc, dit-elle en ouvrant le journal au hasard alors que je retenais mon souffle. « *23 juin 2009. Quand je suis arrivée à la colo ce matin, je ne savais pas comment Jackson allait se comporter. Je me sens encore plus nerveuse qu'hier soir. On s'est* embrassés. *Un baiser génial, hyper sensuel. On n'a rien décidé, rien établi. Alors, du coup, aujourd'hui c'est trop bizarre.* »

*Ô mon Dieu ! ce n'est pas possible !* Un objet d'une autre ligne temporelle que je n'aurais pas apporté avec moi ? Cela signifiait-il que j'avais réellement créé une autre ligne quand j'avais quitté Holly en août 2009 ? Eileen semblait penser que j'avais peut-être fait un saut à la Thomas, mais j'en doutais. Surtout après ma tentative ratée de la veille au soir.

J'eus soudain des taches devant les yeux. Certain que j'allais m'évanouir, je m'affalai sur le lit.

– Non... non, ce n'est pas...

– Ce n'est pas quoi, Jackson ? insista Stewart d'une voix à la dureté effrayante. Ce n'est pas un journal qui relate des mois d'amourette et d'angoisse existentielle à la mords-moi-le-nœud ? Tu sais quoi ? Même moi j'y suis, dans ce truc. Ah oui, et il y aussi des pages entières sur août, septembre et octobre 2009... C'est-à-dire sur le futur !

Elle se leva pour venir se planter devant moi. Je ne pouvais guère qu'attendre et me préparer à ce qui allait inévitablement suivre. Elle avait forcément compris qui j'étais, à présent.

Son rire ironique me surprit.

– Et moi qui essayais de te comprendre pendant tous ces mois, pauvre conne que je suis ! Tu te rends compte à quel point ça a été délirant pour moi ? Je te connais depuis que tu as dix-sept ans, je sais tout sur toi... et là, tout d'un coup, tu es un agent et tu parles toutes les langues connues de l'univers, bordel ! Maintenant, tout est très clair...

*Bon allez, c'est parti.* Je déplaçai ma main qui tenait le portable vers l'arme que j'avais cachée sous mon oreiller. Stewart jeta le journal sur le canapé.

– Un Déplacement, c'est ça qui t'est arrivé, pas vrai ?

– Hein ?

– Ne me regarde pas avec cet air ahuri... Tu viens d'une autre ligne temporelle, c'est ça ?

*Moui...* Du moins c'est ce que j'avais cru jusqu'à ce qu'Eileen...

– Euh...

– Bon, alors il t'est arrivé quelque chose, résuma Stewart en se mettant à arpenter la pièce. Et ils ont fait en sorte qu'un des EDT te déplace, poursuivit-elle avant de se figer sur place. Ou alors ils l'ont fait eux-mêmes, pour menacer ton père, et maintenant t'es coincé ici parce que ton cerveau risquerait d'exploser si jamais on te redéplaçait ?

J'en restai coi. Sans la moindre idée de comment mon secret avait pu rester un secret, je ne savais pas quoi dire. Stewart pensait qu'un EDT m'avait fait changer de ligne temporelle, pas que j'en étais moi-même un.

*Suis le mouvement,* me conseillai-je.

– Hum, oui... il s'est passé un truc et, euh... il ne fallait pas que ça se reproduise. Alors en gros, tu as raison. Mais j'ai promis à mon père que je ne révélerais pas les détails. Tu sais comment ça marche. Il n'est pas sain pour nous d'en savoir trop sur le futur.

Pour le coup, c'est Stewart qui en restait baba.

– Eh ben putain... Tu étais loin dans l'avenir ? Je demande ça parce que tu n'as pas l'air tellement plus vieux. Tu avais déjà commencé ta formation d'agent ? Ça expliquerait pourquoi tu progressais si vite. Mais bon, si ton père t'a dit de ne rien raconter, tu n'as pas à me répondre, raisonna-t-elle avec un soupir frustré.

– Je peux juste te dire que j'étais moins d'un an dans l'avenir et que j'avais en effet commencé la formation.

Mon cœur battait toujours fort et je suais à grosses gouttes, mais Stewart était trop fascinée par ce scoop pour remarquer ces signes évidents du fait que je mentais.

Elle bondit soudain sur le journal rose pour en feuilleter frénétiquement les pages.

– Attends... Je crois que je sais pourquoi tu as quitté l'autre ligne temporelle. La veille du jour où j'ai appris que tu étais notre nouvelle recrue, j'ai eu pour mission de te suivre au travail, mais tu n'y étais pas. Tiens, lis ça ! ordonna-t-elle en me plaçant le cahier sur les genoux, ouvert à une page proche du début.

Je regardai le texte et reconnus aussitôt l'écriture de Holly.

*15 mars 2009*

*Je suis allée plein de fois à Manhattan, surtout dans des lieux touristiques. OK. Mais il y a des gens qui vivent dans l'Upper East Side pour de vrai ! Incroyable, non ?*

*Ah oui, et j'ai fait une super bonne première impression, aussi. Il faut que j'arrête de lire en marchant, parce que ça peut entraîner une collision accidentelle avec un garçon trop mignon. Et quand on est vraiment nouille et qu'on a décidé de lire, marcher* et transporter un grand smoothie à la fraise en même temps, on prend le risque de pourrir les chaussures du garçon trop mignon.

Mais je dois reconnaître qu'il l'a pris avec élégance. Il a même éclaté de rire, et puis il a sauvé mon livre de la projection de smoothie.

Jusqu'à la fin du mois, ça va juste être deux soirs de formation par semaine, donc pas vraiment du travail, encore. J'ai fait un truc super cool aujourd'hui quand M. Wellborn, le directeur du centre aéré, a mentionné au passage que son instructeur d'informatique avait trouvé un autre job et qu'il cherchait quelqu'un qui s'y connaisse en ordis. J'ai pris mon courage à deux mains, j'ai levé le doigt et j'ai fait genre « Oh, ça alors, un de mes bons copains va aller au MIT et il a gagné le concours national des sciences. Il est super avec les enfants, et il se trouve qu'il cherche un boulot. »

M. Wellborn a été très impressionné, et il a pris les coordonnées d'Adam. Adam va sauter au plafond quand il va savoir combien ça paie.

Et quand je partais, le mec dont j'avais pourri les chaussures est sorti juste devant moi. Je l'ai vu qui montait à bord d'une énorme voiture noire qui l'attendait devant. Le chauffeur, qui portait un costume noir et un genre d'oreillette, a même fait le tour pour lui ouvrir la porte. Sérieux.

J'ai levé les yeux au ciel, et je crois bien qu'il m'a vue, parce qu'il a souri. Visiblement, c'est un pur produit de l'Upper East Side, mais qu'est-ce qu'il vient foutre là, à prendre un job d'été ? Peut-être que c'est des travaux d'intérêt général.

C'est tout pour aujourd'hui.

Bisous,

Holly

– C'était toi, hein ? supposa Stewart en m'arrachant le journal des mains. Le mec aux chaussures foutues ? C'est ce jour-là que tu l'as rencontrée... et que tu as rejoint Tempest. Et alors quoi ? Elle est entrée dans le bâtiment avec son smoothie intact ? Comme c'est romantique... et si tragique ! ironisa-t-elle. Tu as choisi la date exprès ? Parce que c'est vraiment à l'eau de rose, ton truc.

– Oui, me contentai-je de répondre.

J'avais plus de mal à supporter ce journal que les photos de Holly que Papa avait obtenues de sa « source ».

– T'es vraiment un loser de première, railla Stewart, qui se radoucit en voyant mon regard furibond. Désolée, ça a dû être déchirant, mais enfin, merde quoi ! Ça doit être totalement bizarre de revivre la même journée.

Je m'accordai enfin le droit de relâcher ma respiration.

– Tu n'as même pas idée !

Elle me toisa d'un air plus sérieux, plus professionnel.

– Il va falloir que tu en parles à Kendrick. Elle est *girlie* à fond et elle est amoureuse, alors je ne serais pas étonnée qu'elle essaie de te monter d'autres plans avec Blondinette. Ce qui t'a poussé à sortir de la vie de cette fille devait être suffisamment grave pour ne pas t'exposer à une autre danse à cinquante mille dollars.

– Oh là là... C'est possible que ça ait été seulement hier... il y a moins de vingt-quatre heures ?

À cette simple mention de la veille au soir, Stewart se rembrunit, et je me rappelai qu'elle était partie comme une furie et que personne n'avait eu de ses nouvelles depuis.

– Dis donc, tu étais passée où, au fait ?

Je me levai et elle en fit autant, prenant sur elle pour refermer le journal de Holly et le déposer entre mes mains.

– Tiens, c'est à toi de le garder.

Je le déposai sur le comptoir et me retournai vers elle.

– Allez, dis-moi où tu es allée hier soir. Je ne voudrais pas être désagréable, mais tu as l'air complètement ravagée.

Elle s'approcha si vite que je crus qu'elle allait m'attaquer, et là, elle m'embrassa, comme quelques jours plus tôt, mais en plus avide. Je la laissai faire pendant dix secondes, le temps d'analyser la situation. Elle cherchait à l'évidence une distraction, comme moi la fois précédente. Je la repoussai doucement et l'attrapai par les épaules.

– Ce n'est pas une bonne idée.

– Mais si, c'est une excellente idée, déclara-t-elle en glissant la main dans mon caleçon.

– Stewart, je sais très bien ce que tu essaies de faire. Moi aussi, j'ai vu ce qui s'était passé… Et je passe mon temps à revoir les images, à revoir Mason… Chaque fois que j'ai fermé les yeux hier soir…

– Arrête ! Tais-toi !

Elle voulut se dégager, mais je la tenais fermement.

– Pas question que je te laisse encore t'enfuir. Regarde-toi. Tu ne t'es même pas changée, et… et tu as…

– Et j'ai des éclaboussures de lui sur moi, c'est ça ? Il a explosé en morceaux, et moi je le laisse là, étalé sur mes vêtements, dit-elle avant que sa voix se brise.

Une larme roula sur sa joue, traçant un sillon dans la crasse. Choqué de la voir pleurer, je la dévisageai en enrageant de me laisser ainsi toucher par le chagrin de quelqu'un. Mais le fait que ce soit Stewart rendait les choses plus faciles, parce qu'elle ne voulait certainement pas que je dise « désolé » ou « tout ira bien ». On pouvait court-circuiter toutes ces conneries.

Je la serrai dans mes bras avant qu'elle ne puisse s'enfuir. Elle posa la tête contre mon épaule, et je sentis tout son corps trembler. Après avoir essayé de me repousser, elle se raccrocha à moi comme à une bouée de sauvetage. Au bout de plusieurs minutes, elle prononça quelques mots.

– Si tu racontes ça à quelqu'un, je te tue.

– T'inquiète. Et d'ailleurs, j'ai déjà tout oublié.

Elle me lâcha, alla s'asseoir sur le canapé, appuya la tête contre le dossier et ferma les yeux.

– Allez, viens, dis-je en lui prenant les mains pour la relever. Je vais aller te faire couler une douche. Tu ne peux pas rentrer chez toi comme ça.

Elle hocha la tête, puis avança vers le sac de Mason et se mit à fouiller dedans. Elle en sortit un T-shirt à l'effigie des Snow Patrol et un jogging gris. À la voir marcher jusqu'à la salle de bains, je devinai qu'elle n'avait pas dormi de la nuit, sans compter tous les coups violents reçus pendant la bagarre de la veille.

Je la pris par les épaules et j'allumai l'eau le temps de la laisser chauffer. Stewart s'appuya contre le mur en fermant les yeux.

– Et je me suis souvenue d'autre chose, aussi, marmonna-t-elle d'une voix lasse. Quelque chose sur toi et moi... dans une cellule...

*Encore des souvenirs de 007.*

Je m'efforçai de rester impassible au cas où elle rouvrirait les yeux.

– Peut-être qu'on s'est retrouvés mêlés à une rixe dans un bar et que la CIA ne voulait pas qu'on s'en souvienne.

– Si c'est le cas, je suis sûre qu'on a écrabouillé tous nos adversaires, gloussa-t-elle.

Je lui ôtai son chemisier et le jetai par terre, les yeux rivés sur le mur derrière elle. Même si je l'avais vue à moitié nue l'autre soir et le lendemain matin, je ne trouvais pas correct de regarder maintenant. Peut-être cela signifiait-il qu'on ne se détestait plus, et même qu'on avait construit une sorte d'amitié.

Elle laissa glisser le reste de ses vêtements par terre et j'ouvris la porte de la douche pour elle. Je ne sortis pas de la salle de bains, au cas où elle perdrait l'équilibre.

– Stewart ? dis-je au bout de quelques minutes.

– Ouais ?

– Quand on était en France, mon père me donnait des infos sur Holly. C'est pour ça qu'on faisait le mur, de temps en temps.

Elle n'arrivait pas à fermer le robinet, donc je l'y aidai et lui tendis une serviette.

– Alors, c'était un secret pour tout le monde, pas juste pour les nouvelles recrues ? demanda-t-elle.

– Personne d'autre n'était au courant, pour Holly. Enfin, jusqu'à maintenant, répondis-je d'une voix tendue.

Elle enfila les vêtements de Mason sans un mot, puis sortit de la salle de bains d'un pas chancelant.

– Je ne dirai rien à personne sur Blondinette et toi, si c'est ça qui te tracasse. Et Kendrick ne dira rien non plus.

– C'est ça.

– Ça va, Junior, me crois pas si tu veux. Mais ce que j'en dis, c'est que tu n'as rien à perdre à nous accorder ta confiance, à Kendrick et à moi. Soit tu le fais, soit tu ne le fais pas, mais arrête de faire ta chochotte ! me tança-t-elle avant de se frotter les yeux en soupirant. Elle est chez elle, Kendrick ? J'ai besoin qu'elle me dépanne.

– Oui, je crois qu'elle est là.

J'attrapai le cahier rose et suivis Stewart dans le couloir jusque chez Kendrick.

– Dormir, lui dit-elle sitôt passé le pas de la porte. J'ai besoin de dormir. Donne-moi n'importe quoi.

Kendrick me jeta un coup d'œil, en quête de mon approbation. Je me contentai de hausser les épaules, car je ne voyais pas d'inconvénient à ce plan. Stewart avait réellement besoin de repos, si elle n'avait pas dormi de la nuit. Kendrick lui donna des petites pilules blanches et un lit bien plus confortable que le mien, puis me proposa d'aller sur la terrasse. Je m'assis sur l'une des deux chaises tandis qu'elle allait chercher une bouteille de vin, deux verres, des chips et un bol de tarama.

Je profitai de ce tête-à-tête pour suivre le conseil de Stewart.

– Tu sais, la fille avec laquelle tu as essayé de me brancher, hier soir...

– Oui ?

Le journal intime était posé sur la table près de mon coude. Je le fis doucement glisser vers Kendrick.

– C'est à elle. Enfin, pas exactement à elle... À une autre version d'elle, en fait.

La main de Kendrick s'immobilisa sur le cahier.

– OK, vas-y, je t'écoute, dit-elle en levant les yeux vers moi.

J'attrapai deux chips, que je mâchonnai lentement le temps qu'elle nous serve du vin.

– J'hésite beaucoup à te donner tous les détails...

– Écoute, je ne sais pas dans quelle merde tu t'es fourré, mais c'est pas mes oignons. Je ne vais pas enquêter, ni analyser, ni t'espionner. Rien. Dis-moi ce que tu as envie de me dire... ou pas.

– Très bien, et je ferai pareil pour toi, répondis-je en regardant la rue en face de nous. Je n'essaierai pas d'aller déterrer tes secrets.

– Ah oui ? lança-t-elle avec un regard inquisiteur. Alors c'était quoi, cette soirée cartes, l'autre soir ? Tu n'étais pas en train d'essayer de soutirer des infos à Michael, peut-être ?

Bien vu. J'avais accepté de participer à une partie de poker avec des amis à lui et j'en avais profité pour essayer de lui tirer les vers du nez. Je me sentis très coupable.

– Eh bien, euh...

– C'est comme ça qu'on devient l'un d'entre eux.

– Qui ça, « eux » ?

– Stewart, Freeman, Parker, Marshall..., énuméra-t-elle en agitant la main comme pour dire que la liste était longue.

Ils ont tous adopté la règle numéro un de la CIA : rien de personnel, juste le boulot, et ils vivent comme ça 24 heures sur 24, 7 jours sur 7.

Je posai mon verre sur la table et soupirai.

– Je suis désolé, par rapport à Michael. Vraiment.

Elle pivota d'un bloc pour me regarder droit dans les yeux d'un air très intimidant.

– Tu peux me triturer le cerveau tant que tu veux, j'ai reçu l'entraînement pour gérer, pour anticiper... Mais ne touche pas à Michael. Ne fais pas semblant d'être son ami, ni rien de tordu, compris ?

Kendrick avait raison, j'éprouvais beaucoup de mal à m'ouvrir à elle, encore plus que je ne l'aurais cru. Et franchement, quelle autre option avais-je hormis le « ne fais confiance à personne » d'Adam 007 ? Ce beau discours de Kendrick pouvait très bien être du flan. Mais, dans le cas contraire, elle pourrait comprendre pourquoi je devais garder secrète ma relation avec Holly.

Je me renfonçai dans mon siège et croisai les bras.

– Tu me jures sur ta tête et sur celle de Michael que votre couple n'est pas juste une couverture que t'a fournie le chef Marshall ?

Toute trace de colère disparut de son visage, remplacée par une expression horrifiée.

– Mais non, bien sûr que non ! Comment peux-tu croire ça ?

– Comment je peux ne pas le croire, plutôt ! Tu lui caches bien des choses à lui, alors pourquoi pas à moi ?

– OK, t'as raison, soupira-t-elle. On est conditionnés pour être suspicieux, tous les deux.

Alors même que nous étions censés mettre de côté nos réflexes d'agents pour essayer d'établir un rapport de confiance, j'eus soudain l'envie brûlante de connaître son histoire, son secret... Comme si on pouvait se faire du chantage à l'information.

– Tu sais, ma vie est beaucoup plus menacée que celle des autres agents, et par ailleurs j'ai un peu d'expérience en matière de parents décédés, dis-je en la regardant fixement.

– Oui, je sais, reconnut-elle en rougissant. Enfin, oui... C'est vrai, mais...

– Mais quoi ?

Je la défiais de me dire que son cas était différent (même s'il l'était en effet, sauf qu'elle n'utiliserait jamais cette excuse). Elle termina son verre de vin et s'en servit un deuxième, comme si elle se donnait du courage pour tout déballer. Elle savait très bien ce que je voulais entendre. Sa famille... ce qui lui était arrivé...

– Tu te rappelles, l'autre jour, quand tu as dit que Michael ne me connaissait pas vraiment ?

– Oui, je me rappelle.

– Tu as raison, mais en même temps tu as tort. Je suis bien la femme qu'il connaît, celle qui aime flâner dans les magasins de puériculture, celle qui pleure à des comédies romantiques débiles. Je suis aussi d'autres femmes, dont celle que tu connais toi, mais c'est parce que j'ai des capacités que la plupart des gens n'ont pas. Ce n'est pas par choix. Tu comprends ce que je veux dire ?

– Je crois, oui.

Le silence s'installa, et je devinai qu'elle était sur le point de tout me raconter. Et alors, je pourrais lui dire, pour Holly... du moins lui servir la théorie du Déplacement que Stewart connaissait déjà.

– Mes parents et mon frère ont été assassinés il y a presque trois ans... par des EDT.

Je retins mon souffle en attendant la suite. Elle buvait son vin comme de l'eau.

– Je revenais de chez une amie, et... je suis entrée dans le salon, dit-elle d'une voix tremblante, une larme lui roulant sur la joue. Mes parents étaient allongés sur le canapé, endormis devant la télé allumée... Je leur disais toujours à quelle heure j'allais rentrer pour ne pas qu'ils s'inquiètent. J'ai secoué ma mère, et elle n'a pas réagi... C'est là que j'ai vu qu'elle ne respirait pas, et mon père non plus. Mais ils avaient l'air... intacts.

– Oh ! merde, marmonnai-je.

Kendrick ne m'entendit même pas. Elle avait les yeux fixés sur un point derrière mon épaule.

– J'ai appelé les secours, et puis je suis restée plantée là sans savoir quoi faire. Je connaissais le secourisme, tout ça, mais j'étais incapable de bouger... jusqu'au moment où j'ai pensé à Carson, dit-elle avant de s'interrompre pour s'essuyer les yeux d'un revers de manche. Il était dans son lit... Pendant une seconde, j'ai cru qu'il allait bien.

Elle cessa de parler et resta assise là à regarder la table. J'aurais voulu qu'elle se taise, qu'elle n'aille pas plus loin. Mais je me concentrai sur mon objectif d'obtenir des informations, parce que je savais que si je restais en mode agent, son histoire ne me ferait pas aussi mal.

– Tu sais ce qui s'est passé ? relançai-je.

– L'autopsie a conclu à une intoxication au monoxyde de carbone. Mais le chef Marshall m'a dit qu'il s'agissait d'un poison indétectable.

– Marshall ? répétai-je en me demandant ce qu'il venait faire là-dedans.

– Il est arrivé pendant que j'étais dans la chambre de Carson. Il m'a fait sortir de là et monter dans une voiture. Quand je suis revenue à moi, j'étais dans ce qui ressemblait à une maison individuelle. Marshall m'a dit que je ne pourrais plus jamais retourner chez moi, sinon... les EDT me tueraient aussi.

– Tu n'as pas de famille ? Une tante, des grands-parents ?

– Ils me croient morte, murmura-t-elle. On a tout changé dans ma vie : mon anniversaire est passé du 5 au 7 novembre, on m'a teint les cheveux... Mon numéro de sécurité sociale, mon livret scolaire, tout a été modifié. Mais j'ai refusé qu'on touche à mon nom. Ton père a dit que cela n'avait pas d'importance. Il était là, lui aussi... le soir où ils sont morts.

J'avalai difficilement ma salive. Le lien entre sa famille et la mienne rendait difficile la tâche de rester en mode agent. *Rien de personnel, juste le boulot.*

– Il était là ?

– Oui. Il m'a rapporté le collier de ma mère. C'était un bijou de famille. Il a aussi pris le couteau de poche de Papa, et un dessin que Carson avait fait pour moi, qui était accroché dans ma chambre au-dessus de ma coiffeuse, dit-elle avant d'inspirer et d'expirer très profondément. Mon petit frère n'avait même pas fini la maternelle. Pourquoi quelqu'un aurait-il voulu le tuer ?

– Je n'en sais rien, dis-je alors que les théories se bousculaient dans mon cerveau.

– C'est à cause de moi, affirma-t-elle d'un ton monocorde. Ils savent quelque chose sur moi... les EDT... dans le futur. Peut-être que j'en tue tout un paquet, ou quelque chose.

Elle eut un pauvre sourire. Tentative pathétique de détendre l'atmosphère.

– Ça t'arrive d'avoir envie de retourner chez toi ou de voir des gens de ta famille ? demandai-je.

– Je n'étais pas vraiment proche du reste de la famille. Il y en a la moitié qui vit au Canada, et l'autre dans le nord de la Californie.

Michael m'avait bien dit qu'elle traînait un lourd bagage, mais là, c'était peut-être pire que le mien. Kendrick, Stewart, Mason... tous avaient vécu des drames impensables qui les avaient menés ici. Peut-être était-ce un prérequis, à Tempest. Pour la plupart, nous n'avions plus rien à perdre. Sauf Kendrick, qui avait Michael...

– Voilà, dit-elle d'un ton plus sec. Je t'ai raconté... maintenant, c'est ton tour.

– Euh, d'accord.

Et d'une seule traite, je lui avouai tout sur Holly... sur Holly et moi. Pour la première fois depuis des mois, je me sentis un peu plus léger, du simple fait d'avoir quelqu'un

avec qui partager ce fardeau. Quelqu'un pour me dire que
j'avais bien agi.

– Ben mon vieux ! J'ai été out pendant combien de
temps ? demanda Stewart en arrivant dans le salon six
heures après s'être affalée sur le lit de Kendrick.
Michael nous y ayant déjà rejoints, nous avions changé le
fil de la conversation pour aborder des sujets plus normaux.
– Un bon moment, répondit Kendrick. Ça va, toi ?
– Oui, sauf que je meurs de faim.
Il fut décidé que Michael entrerait en cuisine et que
je descendrais au supermarché acheter les ingrédients qui
lui manquaient.
Je revins à l'immeuble lesté de plusieurs sacs. Arrivé à
mi-chemin dans l'escalier, j'entendis un bruit provenant de
mon studio d'emprunt. Des mouvements très discrets qu'un
amateur n'aurait pas repérés. Au lieu d'aller chez Kendrick
chercher le renfort de mes deux collègues, je posai mes
emplettes sur le palier et avançai à pas de loup jusqu'à
ma porte. Le cœur battant, je tendis l'oreille.
Je dégainai mon arme, pris une profonde inspiration
et déverrouillai la porte avant de tourner doucement la
poignée.
Je distinguai tout d'abord le minuscule faisceau d'une
lampe torche, puis j'entendis un petit bruit de respiration
et le halo disparut aussitôt.
– Lâchez cette torche et mettez les mains en l'air ! criai-
je en pointant mon arme dans l'obscurité.
Rien. Personne. Pas un son.

J'allumai la lumière et scrutai toute la pièce, où il y avait très peu de cachettes.

Je faillis lâcher mon arme quand je repérai une petite silhouette tapie sous la table.

– Holly ?

# CHAPITRE SEIZE

Se sachant repérée, elle sortit de sa cachette sans répondre.

– Qu'est-ce que tu fais là ? demandai-je.

Elle ne quitta pas mes mains des yeux quand je baissai mon arme et la posai sur le comptoir de la cuisine.

– Désolé si je t'ai fait peur, mais j'ai entendu du bruit de l'extérieur.

Elle tripotait sa lampe torche et regardait partout dans la pièce. Je voyais bien qu'elle retenait son souffle. Son silence m'inquiéta, et je m'approchai d'elle. Quand j'arrivai à un mètre, elle passa une main dans son dos et dégaina un pistolet qu'elle pointa droit sur moi. Je levai aussitôt les mains en l'air.

– Hé ! ho ! Qu'est-ce que tu fabriques avec un flingue ?

Une mèche lui tomba devant les yeux, mais elle n'y toucha pas, se contentant de me dévisager.

– Je ne croyais pas vraiment que c'était toi... J'étais tellement certaine que ça ne pouvait pas être toi... Je voulais juste jeter un petit coup d'œil, et là...

– Et là, quoi ? Qu'est-ce qui se passe, Holly ? Et depuis quand tu te balades avec un flingue ?

Des gouttes de sueur perlèrent sur son front et, en jetant un coup d'œil au canon de son arme, je constatai que ses mains tremblaient, comme sa voix quand elle reprit la parole.

– Tes empreintes... elles sont partout dans la voiture d'Adam. Tu y étais... Je sais que tu y étais. Mais pourquoi Adam ? Qu'est-ce qu'il a bien pu te faire ?

Mon cœur battit à tout rompre, et mon estomac fit des nœuds tant j'essayais de contenir mon envie de vomir.

– Qu'est-ce qui est arrivé à Adam ? balbutiai-je.

– Comme si tu ne le savais pas ! Comment tu fais ? Comment tu fais pour jouer un rôle tout le temps ?

Ma peur prit le dessus. J'avais besoin de réponses, et vite. En un mouvement rapide, je lui arrachai son pistolet et la retournai en la ceinturant par-derrière pour l'immobiliser.

– Dis-moi ce qui est arrivé à Adam. Et quand... quand ça s'est passé ?

Elle me donna un coup de coude et voulut me balancer par-dessus son épaule, mais notre différence de taille l'en empêcha.

– Dis-moi quand ! répétai-je.

– Arrête de faire comme si tu ne savais pas ! cria-t-elle en m'enfonçant ses ongles dans le bras tant elle se débattait pour se libérer. J'étais prête à prendre ta défense... Et là, tu as des trucs à lui. Son CD...

La rage qui montait en moi était incontrôlable. Holly avait des informations dont j'avais besoin, et il fallait que je les obtienne. Je lui enfonçai l'arme dans le dos, ce qui la fit sursauter.

– Parle, Holly !

– Le 19 mai.

– À quelle heure ?

– Dans l'après-midi. À 15 heures. Non, 16 heures, rectifia-t-elle alors que son corps se détendait et que quelques larmes tombaient sur mon bras. J'aurais dû amener un autre agent avec moi et... Oh, c'est trop atroce !

*Un autre agent ? Oh, non ! Non, bordel, c'est pas possible !*

– Quel genre d'agent ? La police sait que tu es ici ?

Elle eut un rire sardonique, mais je la sentais qui tremblait.

– Ben tiens ! La police ? Sérieux ? Dis-moi donc pour qui tu travailles, et je ferai pareil.

J'en eus le souffle coupé. Qu'est-ce qui se passait, nom de Dieu ? *Adam est mort et Holly est un genre d'agent secret ?*

– Alors, toute cette histoire de pari au bal du sénateur Healy... c'était juste que tu m'espionnais ?

– Et toi, tu n'étais pas là pour m'espionner, peut-être ? lâcha-t-elle avant de me regarder pour la première fois depuis que je lui avais pris son arme. Tu vas me tuer, moi aussi, c'est ça ?

Ses yeux, sa voix, ses mots... En un instant, l'agent en moi se déconnecta. Ma rage aveugle se dissipa, laissant place à plus de lucidité que je ne l'aurais souhaité. Je lâchai aussitôt Holly et reculai, les jambes en coton. Papa avait une source... il surveillait Holly et Adam pour moi... Il m'aurait prévenu si quelque chose s'était passé... sauf si... Emily n'avait-elle pas dit que les choses ne cessaient de changer ?

– Comment c'est arrivé ?

– Tu as tué un de mes meilleurs amis, dit-elle en se retournant pour me faire face, les yeux suppliants. C'est comme ça que ça marche, pas vrai ? Quand on se fait prendre, on est foutu.

– Je n'en sais rien, balbutiai-je.

J'avais du mal à suivre le fil de ces improbables péripéties. Il n'y avait rien là-dessus dans le manuel de formation, pas de protocole à suivre. Holly prit une profonde inspiration et ferma les yeux, car quelques larmes s'en échappaient de nouveau.

– Je peux appeler ma mère, s'il te plaît ? J'ai besoin d'entendre sa voix juste une seconde.

J'eus l'impression qu'on m'arrachait le cœur, tant ses paroles me faisaient mal. *Elle pense que je veux la tuer...* Comment était-ce possible ? Qui aurait fait entrer Holly au FBI ou à la CIA et lui aurait donné une arme et une mission ?

Le parquet craqua sous mes pas quand je me rapprochai d'elle. Elle retint sa respiration et ferma encore plus fort les paupières. Je lui pris la main, la retournai paume en l'air et y déposai son arme, laissant mes doigts s'attarder sur les siens.

– Holly, je ne te ferais jamais de mal, jamais... murmurai-je. Et maintenant, tu peux t'en aller. Tout va bien.

Elle ouvrit les yeux pour me regarder. Resserrant les doigts sur son arme, elle me poussa hors de son chemin. C'était un geste téléphoné, mais je fis exprès de me laisser tomber sur le parquet, pour qu'elle puisse me remettre en joue et reculer lentement vers la porte d'entrée. Je vis luire dans ses yeux la perplexité et le soulagement, puis la douleur qui la submergea.

– C'était vraiment quelqu'un de formidable... Je n'arrive pas à croire que tu l'aies...

– Je sais, dis-je en ravalant mes propres larmes. Je sais bien...

J'enfouis mon visage entre mes mains et je ne la vis même pas sortir, mais j'entendis la porte se refermer. La première pensée qui me vint fut : *Je ne pourrai jamais la récupérer.* Pas la fille que j'aimais dans le futur. Ces lignes temporelles n'existaient plus, et je me retrouvais avec une version de Holly dont la vie avait nettement empiré. Quelqu'un était derrière tout cela. Cela ne pouvait pas être une coïncidence.

*Thomas essaie de me perturber mentalement.*

Et Adam... Qu'avais-je bien pu faire pour qu'il soit éliminé ? Cette question était trop douloureuse pour que j'y réfléchisse ce soir. Si seulement j'avais pu appuyer sur un bouton et repasser en mode robot pour ne plus rien ressentir !

Je me relevai pour m'effondrer sur mon lit, mais, à la seconde où je fermai les yeux, la voix d'Adam envahit mes pensées. Lui avais-je jamais dit à quel point c'était génial d'avoir quelqu'un dans ma vie à qui je pouvais tout confier ? C'était ça, la vérité. Je cachais des choses à mon père, à Holly, mais Adam savait tout.

*Et il est parti.*

Il était parti à la seconde où j'avais atterri dans cette ligne temporelle, parce que je l'en avais effacé, comme j'avais effacé ma Holly. Sauf qu'il me restait toujours un moyen de le convaincre. *Son code.* J'avais gardé ce détail enfoui au plus profond de mon esprit, comme un jardin secret où revenir régulièrement.

*Le 19 mai... Le 19 mai 2009... dans l'après-midi.*

Il ne m'en fallut pas plus pour me décider à faire un saut en arrière. *Un saut à la Thomas, un saut à la Thomas, faites que ce soit un saut à la Thomas.* Mais je sentis mes entrailles brûler et se déchirer... Un demi-saut... ce qui signifiait l'échec. Un échec complet.

# CHAPITRE DIX-SEPT

Holly ne m'avait pas menti sur la date. Je trouvai Adam seul chez lui. La porte d'entrée n'était pas verrouillée. Les enfants des voisins s'ébattaient dans leur piscine. Et Adam gisait par terre dans le salon, la jambe de son pantalon maculée de sang.

– Et merde ! s'écria-t-il en m'entendant traverser la pièce. Pas un autre !

Je vis sa tête se relever, et il réussit à s'asseoir. Je courus vers lui et m'agenouillai près de sa jambe blessée.

– Adam ! Tu vas bien ! Enfin, je veux dire, c'est juste ta jambe.

– Jackson ! s'écria-t-il, incrédule. Qu'est-ce que tu fous là ?

J'étais en train d'appliquer une pression sur sa blessure avec un chiffon trouvé sur la table basse, mais je me pétrifiai quand je l'entendis prononcer mon nom.

– Tu sais qui je suis ?

Cette version d'Adam n'aurait pas dû me connaître, pas plus que l'agent Holly. Il porta les mains à ses tempes avec une grimace et ferma les yeux.

– Oui... enfin, en théorie... plus ou moins. Oh, non !
Tu n'es pas venu ici pour changer les événements ? Tu
ne dois pas le faire !

– Non, dis-je d'un ton amer. Ma présence ne changera
rien... malheureusement.

– Tant mieux ! haleta-t-il en ouvrant les yeux pour me
regarder intensément. J'ai une source... une source précieuse.
N'interviens pas. Laisse-moi partir.

– Adam, c'est juste ta jambe, dis-je en appuyant plus
fort sur son jean.

Pourquoi même essayer ? Visiblement, il y avait autre
chose. Il secoua la tête comme s'il avait lu dans mes pensées.

– J'ai vu des choses... J'ai voyagé dans le temps et...
Oh ! putain, qu'est-ce que je peux avoir mal au crâne !

Mes yeux quittèrent sa jambe sanguinolente pour se
poser sur son visage. Ce fut comme si tout avançait au
ralenti alors que je savais déjà ce qui allait se passer. Il
ôta une main de sa tête et je la regardai avec lui, horrifié.
Du sang rouge et gluant recouvrait sa paume et coulait
entre ses doigts. Je ne pouvais plus bouger ni respirer. Il
s'effondra sur le dos, et je vis le sang rouge foncé, presque
pourpre, s'écouler de son oreille.

J'arrêtai d'appuyer sur sa blessure à la jambe. La panique
m'avait quitté, remplacée par le chagrin. J'étais ici pour le
regarder mourir. Les larmes roulèrent sur mes joues sans
que j'essaie de les retenir.

– Il y a des caméras de surveillance... dit-il d'une voix
rauque. Installées par la CIA... Au coin de Lexington et

de la 92ᵉ Rue... Retrouve les images... Entre dans le système... Débrouille-toi... Il y a deux mois... Le 15 mars...

– Quoi ? Mais de quoi tu parles ? demandai-je en me
rapprochant de lui. Adam, qui t'a fait ça ?

Il referma les yeux et sa respiration se fit haletante,
saccadée.

– C'était juste... un accident. Un accident.

*Ô mon Dieu ! non !*

– C'était moi ? C'est moi qui t'ai fait ça ?

Comme il ne répondait pas, je tendis le bras pour le
secouer par les épaules.

– Adam ! C'était moi ? Est-ce que j'ai essayé de t'emmener quelque part ?

– Non, dit-il dans un souffle. Ce n'était pas toi.

J'avais toujours les doigts serrés sur le devant de son
T-shirt, sans pouvoir m'obliger à lâcher. Pourquoi lâcher ?
Pourquoi m'accrocher ? Tout ce que j'arriverais jamais à
réussir se finirait comme ça. Quand se situait ma fin à
moi ? Pourrais-je faire un petit saut jusque-là et en terminer
une bonne fois ?

Je m'essuyai les yeux d'un revers de manche et remarquai
qu'Adam ne bougeait plus. Adam, mon meilleur ami...
parti. Perdant tout sens logique, je le secouai de nouveau,
plus fort.

– Réveille-toi, s'il te plaît ! Je t'en prie ! Je ne peux pas
arranger ça... Je ne peux rien faire de bien.

Sa main s'ouvrit alors que tout son corps se relâchait.
Un bout de papier tomba de sa paume, et je réussis à
l'ouvrir. Je reconnus aussitôt son écriture.

*Jackson,*

*Il arrive quelque chose à notre monde, et je ne comprends pas ce qui se passe. L'agent Collins et moi faisons tout notre possible pour résoudre ce mystère. Des bribes de mes rencontres avec toi me reviennent, comme dans un rêve, ou comme si on me racontait des événements survenus quand j'étais trop petit pour bien m'en souvenir. Mais peu importe, ce qui compte, c'est que je sais qui tu es... Je sais que tu es du bon côté. Je sais que les agents Tempest sont du bon côté. Quant à Eyewall... je ne sais pas grand-chose sur eux, contrairement à ce que je croyais.*

*Continue à chercher des indices. Continue à poser des questions. Et, quoi que tu fasses, ne change PAS cet événement !*

*Adam*

Je compris aussitôt pourquoi Holly croyait que c'était moi qui avais fait ça à Adam. Un EDT avait trouvé ce petit mot... Ils avaient su qu'Adam commençait à comprendre... Et ils avaient décidé de me faire porter le chapeau pour jeter de l'huile sur le feu, pour faire en sorte qu'Eyewall continue à nous traquer.

Je repliai le bout de papier et le remis dans la main d'Adam, regrettant de ne pas pouvoir l'emporter.

– Je suis tellement désolé, murmurai-je à Adam avant de revenir dans mon présent.

# CHAPITRE DIX-HUIT

– RAS, décréta Kendrick en sortant de sous mon lit.

– Vérifie sous l'évier avec le détecteur de métaux, conseilla Stewart, installée devant mon ordinateur. Passe-le sur les tuyaux.

Assis sur mon lit, adossé au mur, je regardais la télé depuis presque deux heures. Je n'éprouvais rien d'autre qu'une totale apathie, et je craignais que cela ne change si jamais je bougeais ne serait-ce que d'un iota.

– Blondinette ne figure pas dans les dernières photos de surveillance des agents Eyewall, remarqua Stewart.

*Évidemment.* Je ne serais pas passé à côté de ça.

– C'est vraiment possible qu'elle travaille pour Eyewall ? s'interrogea Kendrick sous l'évier. Je la prenais juste pour une fille normale.

– Sans doute pas, mais on ne peut pas l'exclure, répondit Stewart. Réfléchis : Jackson l'a quittée dans une autre ligne temporelle pour la protéger, son journal se balade dans le temps… Il paraît évident que quelqu'un veut piéger Jackson. Ce journal se trouvait chez l'agent Meyer père. Quelqu'un s'est arrangé pour que Jackson tombe dessus.

Non seulement il s'efforce d'éviter tout contact avec elle, mais en plus elle a subi un genre de lavage de cerveau qui fait qu'elle le déteste.

Tandis que je me concentrais sur le match des Mets à la télé, Kendrick émergea de sous l'évier en tirant sur sa robe.

– Tu as raison, dit-elle. Elle n'est peut-être qu'un pion... et Adam Silverman aussi, même s'il a visiblement des dons précieux.

*Avait des dons précieux.*

– D'après toi, l'agent Meyer savait qu'elle faisait partie de la CIA ? avança Kendrick d'un ton hésitant, sachant comment Stewart et moi risquions de réagir.

– Non, trancha Stewart, tuant dans l'œuf cette hypothèse. N'oublions pas que Blondinette se trouvait à la fête de Healy... même si c'était sur ton intervention. Elle avait un comportement bizarre. J'ai écouté l'essentiel de sa conversation avec Jackson.

Elles m'avaient exclu de cette discussion plus d'une heure auparavant, lorsque j'avais cessé de répondre à leurs questions. Lorsque j'avais découvert les détails : Adam Silverman, élève de terminale au lycée George-Washington de Newark dans le New Jersey, futur étudiant de première année du MIT, décédé le 19 mai 2009, cause de la mort : accident domestique.

*Ben tiens ! Un accident...*

– Putain de merde ! s'exclama Stewart en bondissant du canapé. Pourquoi je ne me suis pas souvenue de ça plus tôt ?

Du coin de l'œil, je la vis ouvrir le placard pour en sortir le sac de Mason, auquel elle n'avait pas touché depuis qu'elle y avait pris ce matin un T-shirt et un jogging. Je perçus son malaise quand elle y récupéra son ordinateur et le transporta jusqu'au canapé, comme s'il risquait à tout moment d'exploser ou de se briser.

– Mason faisait des trucs de ouf avec son ordi, alors si elle avait une oreillette ou un autre système de communication ce soir-là, ça doit être enregistré là-dedans.

– Comment ça ? s'étonna Kendrick en s'asseyant près d'elle. Il aurait dû le streamer via internet, et du coup le contenu serait accessible à tout le monde.

Stewart soupira et tourna l'ordinateur vers elle.

– Oui, il a streamé toutes les communications radio à un kilomètre à la ronde et les a encryptées sur le disque dur. Il n'y a que des petits génies comme lui et toi pour les désencrypter et analyser des heures et des heures de données.

– OK, je m'y attaque tout de suite, soupira Kendrick.

Personnellement, je préférais ne rien entendre au sujet de cette soirée. Il me restait à décider si j'allais partir, quitter cet univers cauchemardesque. Je pouvais retourner dans la ligne temporelle de 2007. Adam et Mason étaient encore vivants, là-bas. Et, autre avantage, Holly 007 ne m'avait pas accusé de meurtre.

Je fermai les yeux sans même m'en rendre compte.


**18 JUIN 2009, 6 H 05**


– Encore cinq minutes, dit Kendrick. Je le transfère sur mon iPod, comme ça on pourra écouter au casque.

Je me redressai d'un bond en me frottant les yeux.

– C'est déjà le matin ?

– Tiens ? Il n'est plus sourd et muet, lui ? ironisa Stewart.

Je balayai la pièce du regard et constatai qu'elles étaient en sweat-shirt, que des miettes et des serviettes jonchaient le comptoir de la cuisine, et... je sentis une odeur de café. Je me levai, passai dans la salle de bains et ouvris l'eau dans la douche pour éviter toute forme de communication.

– Il est complètement à la masse, là. On est censées en faire quoi ? demanda Stewart assez fort pour que je l'entende.

– Laisse tomber pour le moment, répondit Kendrick. Les six heures de sommeil ont dû lui faire du bien.

*Six heures ?* Sans doute un nouveau record, pour moi... J'avais espéré me réveiller armé de la volonté de transformer pour le mieux cette année, cet univers, mais j'avais juste envie de tout arrêter.

Quand j'entrai dans la cuisine quelques minutes plus tard pour me servir une tasse de café, Kendrick me rejoignit et me colla un écouteur dans l'oreille.

– Ça va, toi ? demanda-t-elle.

– Pas vraiment.

– On a désencrypté plusieurs échanges entre des agents de la CIA le soir du bal. Il y en avait partout. Les trois qu'on a identifiés comme appartenant à Eyewall donnaient leurs instructions à distance. C'est pour ça qu'on ne les avait pas en photo.

– Super.

Kendrick soupira et me laissa seul dans la cuisine. Je crois qu'elle ne savait pas quoi me dire, et c'était tant mieux, parce que je n'avais pas besoin qu'elle me donne des raisons de rester. Je posai la tête sur le comptoir en enfouissant le visage dans mes bras quand l'enregistrement débuta.

– *Flynn, qu'est-ce que vous ne comprenez pas dans « ouvrez l'œil, mais de loin ? »*

– C'est l'agent Collins, expliqua Stewart. Il fait partie d'Eyewall.

– Comment tu le sais ? demanda Kendrick en mettant sur pause.

– Je le sais, c'est tout, répondit sèchement Stewart.

J'échangeai un bref regard avec Kendrick, sachant que Stewart venait de nous livrer une information réservée aux seuls membres de sa spécialité. *Elle doit vraiment nous faire confiance, maintenant.*

Kendrick relança l'enregistrement, et je repris ma position antérieure.

– *J'étais censée faire quoi ?* murmurait Holly d'une voix étouffée. *Ils ont annoncé mon numéro, et Brian m'a pratiquement poussée sur la piste.*

La fameuse danse à cinquante mille dollars. J'entendis Kendrick pousser un grognement sur le canapé... C'est elle qui avait monté ce coup-là. Qui nous avait monté un coup. Un bruit d'eau se fit entendre. Holly avait dû aller aux toilettes.

– *Lewis est fin prête, elle a passé des jours à étudier la vie de ce mec dans les moindres détails, et maintenant, il va falloir que ce soit vous,* la tança l'agent Collins.

– *Non... je ne suis pas prête.*

– *Et moi, je ne suis pas prêt à laisser une stagiaire lilliputienne foutre en l'air ma mission, mais apparemment, il va falloir faire avec.*

Ce sinistre message de l'agent Collins fut suivi par des crachouillis statiques, puis sa voix résonna de nouveau.

– *Parfait, Flynn. Le suspect numéro vingt-deux a un taux d'alcoolémie sans doute bien supérieur à la limite autorisée. À vous de jouer... mais faites exactement ce que je vous dis. Au mot près. Il n'est pas sacrifiable comme les autres... pas encore. On a besoin de lui.*

J'entendis la musique, les pas des danseurs sur la piste. Toute la scène se rejouait dans mon esprit.

– *Ça fait vingt minutes qu'il vous reluque les fesses. Nos geeks sont en train de passer au crible les photos de toutes ses ex pour voir si c'est parce que vous lui rappelez quelqu'un, mais en fait peu importe. L'essentiel, c'est que vous lui avez tapé dans l'œil, pas besoin de savoir pourquoi.*

– *Ou alors, il simule et on est en train de tomber dans le panneau*, marmonna Holly.

– *C'est pour ça qu'on a des renforts prêts à intervenir. Allez commander un verre, et ne faites pas tout un plat de l'incident de tout à l'heure.*

– *Parce que ça n'avait rien de malsain, peut-être ?*

– *Je n'en sais rien, Flynn. Peut-être qu'il a pris quelque chose... des opiacées ou je ne sais quelle drogue sophistiquée les gosses de riches comme lui se procurent.*

– *Qu'est-ce que vous avez, en pression ?* demanda Holly au barman.

– *Vous pouvez toujours rêver, Flynn,* grogna Collins dans l'oreillette. *Maintenant, engagez la conversation.*

Le barman proposa perfidement de l'eau à Holly.

– *Je croyais que tu étais parti,* me lança-t-elle.

Je m'entendis alors intervenir auprès du barman, puis Holly commanda une Budweiser Light.

– *Asseyez-vous près de lui et ne buvez pas plus d'une bière,* ordonna l'agent Collins. *Et même, pas plus de la moitié d'une.*

– *Très fort ! Tu l'as déjà fait, ça ? L'intimidation ? Le côté « je connais des people » ?* me demanda Holly.

Il y eut quelques autres échanges entre nous, puis une nouvelle intervention de l'agent Collins.

– *OK, il sait que c'était un moment embarrassant, tout à l'heure, alors allez-y, dites-le carrément. Ça va peut-être briser la glace.*

– *En tout cas, t'es le roi du collé-serré, toi !*

Je m'entendis lui présenter mes excuses, puis je perçus mon changement de ton quand j'avais décidé de m'accorder cette unique soirée de plaisir coupable.

– *Alors, d'où venez-vous, mademoiselle Holly Flynn ?*

– *Dites-lui la vérité,* conseilla Collins. *S'il travaille pour Tempest, il pourra le découvrir de toute façon. Sinon... il s'en fichera ou il ne s'en souviendra même pas.*

L'agent Collins resta muet pendant toute notre conversation sur le New Jersey et les soirées dans les bois et les tonneaux de bière. Mais quand Holly dit : « *Ça fait une heure que tu es assis là. Tu ne crois pas que ta cavalière va s'ennuyer un peu... ou se sentir abandonnée ?* » et que je répondis : « *C'est juste ma partenaire... enfin, ma partenaire* de labo, je veux dire... à la fac de médecine », l'agent Collins éclata de rire.

– Partenaire de labo, mon cul, oui !

– Et ton copain, à toi ? Ça ne le dérange pas que tu flirtes avec des inconnus ? la titillai-je.

– Allez-y, Flynn, dit Collins. Dégagez-lui le terrain, mais sans être trop explicite.

– Brian est meilleur en flirt qu'en foot, rétorqua Holly.

– Parfait, très bien, approuva Collins. Maintenant, proposez-lui d'aller danser. Carter et Lewis sont déjà sur la piste. Elle est prête à prendre le relais s'il se lasse de vous. Cette mission est la vôtre si vous la voulez, mais, entre vous et moi, Lewis meurt d'envie que vous vous plantiez. Elle vient de me dire que vous n'aviez pas les couilles pour vous rapprocher un peu plus du sujet ! s'esclaffa-t-il.

À croire qu'il savait que cela ferait démarrer Holly au quart de tour. Elle détestait qu'on lui dise ce dont elle était capable ou pas.

La chanson de Journey retentit, et je me rappelai les mouvements soigneusement calculés de Holly. Elle voulait leur prouver qu'ils avaient tort, mais elle n'avait pas naturellement l'aisance du personnage qu'elle jouait. Sauf que... il y avait bien eu quelques minutes où j'avais trouvé qu'elle se laissait porter par les événements... ou bien se prenait-elle au jeu ?

Ou bien était-ce moi qui me prenais au jeu ?

– Je suis sûr que tu te lâches un peu trop, quand tu bois, la taquinai-je.

– Je suis sûre que tu n'auras pas l'occasion de le découvrir.

– *Faites en sorte qu'il vous invite chez lui, Flynn. Il faut qu'on arrive à fouiller son appartement,* l'instruisit Collins.

– *Sauf si...* embraya Holly.

– *N'en rajoutez pas, non plus. Vous pourrez toujours lui filer un truc dans son verre. Pas besoin de coucher,* précisa Collins.

– Au fait, tu habites où, déjà ? demanda Holly.

Je m'entendis décliner sa proposition hardie, puis ce fut le moment des griffonnages sur les serviettes en papier. En écoutant d'une oreille les deux minutes suivantes, je repensai à ce que Holly avait écrit : *Dis au vent et au feu de s'arrêter, mais pas à moi.* Cherchait-elle à me faire passer un message ? Cette citation, c'était tellement elle. Du Holly pur jus. Ce qui rendait encore plus difficile la tâche de distinguer la Holly de ce soir-là de celle du journal intime.

Ensuite vint l'instant où je l'avais embrassée, puis l'agent Collins reprit la parole.

– *Bon, visiblement, il ne va pas vous inviter chez lui. On part sur le plan B. Faites la preuve que c'est un agent, et mettez un terme à cette relation, du moins pour le moment.*

Voilà qui expliquait ses questions étranges sur la couleur des yeux. Le plan B, c'était l'histoire du pari avec le sénateur Healy, les billets pour *Wicked*, et moi essayant de ne pas me sentir mortifié. Holly parla ensuite à l'agent Collins dans un murmure.

– *Je ne crois pas que ce soit lui. Il est tellement... vulnérable, mais en même temps sur ses gardes. Je ne le vois pas impliqué, pour Adam. Je n'en sais rien... Il n'a pas l'air d'être du genre à assassiner quelqu'un. C'est plus dur que je ne le croyais, cette mission.*

– Personne ne vous demande de jouer les psys, dit l'agent Collins. Contentez-vous d'obéir aux ordres, et laissez-nous faire l'analyse de données. Vous vous en êtes bien sortie, ce soir, pour une bleue.

– Et maintenant, qu'est-ce qu'on fait ?

– Je crois que ce ne serait pas une mauvaise idée que vous rendiez le suspect numéro vingt-deux un peu jaloux, suggéra Collins. Ça plantera une petite graine au cas où.

– Bon, d'accord, répondit Holly avec un soupir.

– Ça va, j'ai compris. Vous avez besoin d'une pause. Allez récupérer Brian, et faites en sorte que notre homme vous voie partir tôt tous les deux. Ça suffira. Et au fait, Flynn ?

– Oui, monsieur ?

– Dormez un peu, mangez quelque chose, téléphonez à votre mère... Bref, faites ce qu'il faut pour vous requinquer. Je vous veux à 100 % de vos capacités pour la prochaine mission. On ne peut pas changer ce qui est arrivé à Adam, mais on peut empêcher que ça vous arrive à vous, et on peut découvrir qui a fait ça.

Il y eut un long silence avant que Holly lui réponde.

– D'accord, je vais essayer.

– Carter ? interpella Collins après une courte pause.

Carter, l'agent sur la piste de danse. Je m'étais déjà repassé dans ma tête les images de ce soir-là, et j'avais la certitude que je pourrais l'identifier. Ce qui nous donnait plus d'infos sur Eyewall que nous n'en avions encore deux jours plus tôt.

– Oui, chef ? répondit l'agent Carter.

Du coup, j'avais le nom, le visage, et la voix.

– *Flynn est sur le départ... On se réintéressera au suspect vingt-deux dans quelque temps*, l'informa Collins.

– *Il faudra bien qu'elle couche avec un suspect, un jour ou l'autre*, commenta Carter en riant. *Sinon, à quoi elle sert ? Vous la ménagez trop. Avec Lewis, vous auriez été plus exigeant.*

L'enregistrement s'interrompit, et je restai là, pantelant, appuyé contre le comptoir, à me retenir d'envoyer une chaise à travers la fenêtre. Je finis par me redresser pour me diriger vers le canapé, où Kendrick était assise, les yeux écarquillés, tandis que Stewart se rongeait un ongle en évitant mon regard.

– Vous avez déjà dû faire ça ? demandai-je.

– Ça quoi ? rétorqua Kendrick, l'air surprise par la question. Flirter avec un suspect ?

– Il veut savoir si on a déjà eu pour mission de coucher avec quelqu'un, expliqua Stewart en se décidant à me regarder.

– Non, répondit aussitôt Kendrick, avant d'ajouter avec un soupir : Mais ça a failli.

– Vraiment ? Parce que tu te croyais obligée de le faire, ou bien c'était ton idée à toi ?

Stewart éclata de rire, puis son visage se fit très grave.

– C'est ça, elle l'a fait parce que ça avait l'air amusant. Non mais, t'as pris quelque chose, ou quoi ? On fait ce qu'on a à faire. Si Kendrick était grosse et moche, elle n'aurait pas à s'inquiéter à ce sujet, et moi non plus. Mais le pouvoir, c'est le pouvoir, quelle que soit la façon dont on peut se l'approprier.

Mes yeux plongèrent dans ceux de Stewart, parce qu'il fallait que je lui pose la question. Je devais savoir.

– C'est ça qui s'est passé avec moi ? Quelqu'un t'a ordonné de le faire ?

Elle soutint mon regard, mais mit un long moment à répondre.

– Non, ce n'était pas une mission. Ton père n'aurait jamais… enfin, je veux dire… je n'aurais pas pu…

– Comment tu savais, pour l'agent Collins ? demandai-je en profitant du fait qu'elle soit en veine de franchise.

– L'agent Collins m'a proposé un job, dit-elle en secouant la tête d'un air agacé.

– Quand ça ? intervint Kendrick.

– Il y a deux ans… juste après le début de ma formation.

– Il sait à quelle unité tu appartiens ? demandai-je.

J'avais beau ne pas vouloir penser en agent, je ne pouvais m'en empêcher. Stewart avait été sollicitée par le service qui essayait de nous détruire. Comment être sûr qu'elle n'avait pas accepté ce poste tout en restant membre de Tempest ?

– Il le sait maintenant, mais à l'époque, je n'en suis pas certaine, répondit Stewart en nous regardant alternativement pour évaluer nos soupçons.

– Eh bien, tu vas peut-être te souvenir d'autres choses sur les EDT, ou de détails qui pourraient nous aider à les supprimer, avançai-je, songeant que ce serait peut-être là notre seule solution pour libérer Holly.

– Je ne vais pas me souvenir de quoi que ce soit d'autre, rétorqua-t-elle d'un air buté. Alors, ne pense même pas à aller raconter tout ça à je ne sais qui.

– C'est quoi, cette histoire ? dis-je, bras croisés, en la fixant dans les yeux. Tu as envisagé de te joindre à Eyewall ? Tu as entendu ce qu'ils pensent de nous, pourtant.

– Laisse tomber. Je croyais que s'il y en avait un qui pouvait comprendre, c'était bien toi.

Kendrick ne nous quittait pas des yeux, mais n'intervenait pas.

– Et pourquoi moi ? rétorquai-je. On ne m'a pas proposé d'entrer dans leur petite société secrète, si c'est ça que tu penses. L'agent Collins ne m'a pas offert un job, à moi.

– Tu as entendu Thomas l'autre soir, ou pas ? s'agaça Stewart. Il a dit des choses qu'aucun d'entre nous n'avait jamais entendues. Et ça ne donnait pas vraiment l'impression qu'ils voulaient nous tuer. Je sais qu'on doit partir du principe qu'il cherche à nous manipuler, mais si ce n'était pas le cas ? On ne sait même pas contre quoi on se bat. Tout ce qu'on sait, c'est Marshall qui nous l'a dit, et maintenant Healy. Il n'est pas question que je descende des membres d'Eyewall sans une raison valable.

Stewart se tourna vers Kendrick, et j'en fis autant. Elle avait baissé les yeux. Elle prit une longue inspiration avant de nous regarder et de prendre la parole.

– Stewart a raison. Tout ce qui s'est passé l'autre soir m'a secouée, mais en même temps, je n'arrivais pas à expliquer ma peur… et maintenant, cette histoire avec Holly…

– On ne sait rien là-dessus, concédai-je.

Cette incertitude aurait dû aggraver les choses, or, peut-être parce que j'étais encore en état de choc, le fait que nous venions tous les trois de douter de nos employeurs créait ce lien entre nous que je n'avais jamais voulu former, et… c'était agréable. Mon cœur s'accéléra alors qu'une idée germait en moi.

– J'ai besoin que vous cherchiez quelque chose pour moi. C'est hyper important, mais je ne peux pas encore vous dire pourquoi.

– D'accord, acceptèrent-elles.

– Les photos de surveillance du 15 mars de cette année, entre 17 et 18 heures, commençai-je, craignant à tort qu'elles ne fassent preuve de réticence. La caméra de la 92ᵉ Rue, devant le YMCA.

Stewart prit l'ordinateur, le posa sur le comptoir de la cuisine, et se mit à tapoter à toute vitesse.

– Je crois que je sais comment les récupérer, dit-elle.

Kendrick se plaça aussitôt derrière elle pour regarder par-dessus son épaule. En jetant un coup d'œil à la table basse, je constatai que le journal de Holly s'y trouvait, ainsi que quelques photos d'Adam et moi qu'elle avait prises et collées sur diverses pages. Je ramassai le cahier rose et les photos, puis m'assis sur mon lit pour feuilleter les pages.

*27 septembre 2009*

*Je suis complètement paumée. Ce soir, j'avais prévu d'aller voir Jackson à sa résidence universitaire et de rompre avec lui (évidemment, il n'était pas au courant de la deuxième partie du plan). Eh bien, je suis arrivée un peu avant 19 heures, et ses colocs, Jake et Danny, m'ont ouvert.*

*Parce qu'il n'était pas encore rentré de ses cours.*

*Ah oui ? Il était 19 heures. Qu'est-ce qu'il fichait depuis cinq heures ? Un genre d'activité mystérieuse, comme d'hab.*

*À 19 h 30, j'étais furax, et il ne répondait pas à son téléphone. Je ne me suis pas barrée, parce que je me disais que, demain, je risquais de me dégonfler et de ne pas arriver à lui dire ce que je voulais lui dire.*

Je savais bien que j'avais eu une bonne raison de ne pas lire ce passage la veille au soir. Mes yeux glissèrent de cette page à la photo d'Adam et moi au zoo, de part et d'autre du cul d'un éléphant. Je tournai quelques pages pour revenir vers le début du journal, où figurait une autre photo d'Adam et moi, avec Holly entre nous deux, sous une même couverture lors d'une sortie scolaire de deux jours.

Holly connaissait la réponse à la question d'Adam 007 : c'était mon ami, indépendamment de ces histoires de voyage dans le temps. Je n'avais jamais vraiment cerné les raisons concrètes pour lesquelles nous nous étions si bien entendus dès notre rencontre, mais, en y repensant aujourd'hui, je me disais que mon moi d'alors devait désespérément chercher quelqu'un qui voie au-delà de mon attitude de petit con.

Et il n'était plus là.

– Jackson ? appela Kendrick, tandis que Stewart continuait à chercher les images. Pendant que tu dormais, on a mis au point une ou deux stratégies pour garantir la sécurité de Holly et faire en sorte qu'elle ne se retrouve pas coincée entre les feux croisés de Tempest et d'Eyewall.

J'entendis ses paroles, mais sans les assimiler. Mes yeux passèrent de Stewart et Kendrick au journal de Holly, puis à la photo d'Adam. Et la simple idée qu'elles aient passé toute la nuit à m'aider, à ébaucher un plan pour protéger une parfaite inconnue... tout ça pour moi. C'était risqué, cela contrevenait aux ordres de la CIA, et aucune des deux ne paraissait nourrir le moindre doute.

*Et moi, pendant tout ce temps-là, je leur ai menti.*

C'était trop dur à supporter, trop dur de garder tout ça pour moi et d'être franc à propos de tout le reste. *Adam n'est plus là... Mason n'est plus là... Papa est porté disparu... Holly a subi un lavage de cerveau.* Ces deux filles étaient ma famille, à présent, ou du moins ce qui y ressemblait le plus dans cette ligne temporelle.

– Junior ? fit Stewart en se rapprochant de moi pour claquer des doigts sous mon nez. Tu as entendu ce qu'elle vient de te dire ?

Je l'attrapai par le bras et me raccrochai à elle pour ne pas craquer complètement.

– Je ne suis pas sûr que vous devriez m'aider.

– Pourquoi ? demandèrent-elles en chœur.

– Aucun agent de Tempest ne va me tuer ni me jeter en pâture aux loups. Et les EDT ne vont pas me tuer non plus, expliquai-je, sentant ma respiration s'accélérer sous l'effet de la panique, sachant que j'allais tout déballer malgré moi. Mais vous deux, vous êtes sacrifiables, surtout Stewart.

– À cause de ton père ? demanda Kendrick. Je ne crois pas que cela te donne un gros avantage. Il est aussi remplaçable que nous.

– Non, ça n'a rien à voir avec mon père, dis-je lentement, essayant de comprendre pourquoi elles n'avaient toujours pas saisi mes allusions.

– Il se fout de notre gueule, déclara Stewart en secouant la tête.

– Je ne me fous pas de votre gueule ! m'écriai-je avant de baisser le ton. Ils ne me tueront pas parce que je suis trop précieux. Ce n'est pas un EDT qui m'a amené dans cette ligne temporelle. J'y suis venu par moi-même.

# CHAPITRE DIX-NEUF

Stewart approcha son visage tout près du mien, puis jeta un regard inquiet à Kendrick.

– Tu crois qu'il est en état de choc ?

– Sûrement, déclara Kendrick en nous rejoignant.

Je dégageai Stewart de mon chemin et me dirigeai vers le placard, où j'attrapai mon petit coffre-fort, qui renfermait toutes mes notes.

– Si je vous raconte tout ça, c'est parce que je ne vais sans doute pas rester très longtemps ici, donc ça n'a plus trop d'importance.

– On ferait mieux d'appeler le docteur Melvin, suggéra Kendrick.

Je trouvai la bonne page et jetai mon journal de bord sur le lit.

– En 1989, le docteur Melvin et Tempest ont pris les ovules d'une EDT et les ont fécondés avec le sperme d'un quidam pour les réimplanter dans l'utérus d'une femme du nom d'Eileen Covington, et neuf mois plus tard naissaient deux demi-EDT.

– Attends, c'est du projet Axelle que tu nous parles ? demanda Kendrick.

– Tu es courant ? m'étonnai-je.

Stewart nous regardait l'un et l'autre d'un air perplexe.

– Oui, mais pas de tout, répondit Kendrick. Je ne sais pas ce qui est arrivé aux produits ni à la mère porteuse. Je pensais que ça n'était pas encore arrivé.

– La mère porteuse a été tuée par un EDT prénommé Raymond en octobre 1992. Le produit féminin d'Axelle est mort d'une tumeur au cerveau en avril 2005, débitai-je d'un seul souffle. Et le produit mâle d'Axelle... eh bien... vous l'avez devant vous.

– Non ! dit Kendrick.

– Impossible ! renchérit Stewart en secouant la tête.

Bon, au moins, elles n'allaient pas essayer de m'attaquer, comme je l'avais craint, mais elles risquaient de me faire interner chez les fous.

– Les filles, réfléchissez deux minutes.

Je m'interrompis, car je n'avais pas la patience d'attendre. Le sang pulsait trop fort dans mes veines. Malgré les mises en garde d'Emily, malgré tout le reste, je choisis de fonctionner à l'instinct.

– Je vais vous montrer.

– Nous montrer ? s'écrièrent-elles.

– Ouais. Surtout, ne clignez pas des yeux.

Je reculai d'un pas.

Une demi-seconde s'écoula, et je me retrouvai au même endroit, sauf que Stewart et Kendrick n'étaient plus là, non plus que tous les papiers et les tasses jonchant la table basse. J'allumai mon ordinateur et cliquai sur la date : 16 juin 2009, 00 h 22.

C'était deux jours plus tôt. C'est bien sur cette date que je m'étais concentré, mais cela m'avait paru plus dur… plus lourd, et j'étais convaincu d'avoir sauté plus loin dans une autre ligne temporelle, sauf si…

Je m'emparai d'un couteau dans le tiroir de la cuisine, repoussai le lit, soulevai une lame de parquet à l'aide du couteau, la retournai et y gravai les mots : *Jackson est passé par là.*

Je remis la planche et le lit dans leur position initiale avant de refaire un saut dans l'autre sens.


## 18 JUIN 2009, 7 H 32


J'atterris si près de Kendrick que je la fis tomber sur le canapé et m'effondrai sur elle. Elle leva les yeux vers moi, l'air sous le choc, et s'exclama : « Oh ! putain ! » tandis que, derrière nous, Stewart lâchait un « Merde alors ! ».

J'avalai ma salive, m'attendant à être bombardé d'un million de questions, ou bien passé à tabac.

– Mais tu ne l'as pas ! protesta Kendrick. Le gène Tempus, tu ne l'as pas… Je le saurais, sinon.

– Peut-être parce que je suis juste un hybride ? avançai-je en me laissant glisser sur le sol.

Je relevai le lit vers le mur et tâtonnai frénétiquement pour retrouver la fissure presque invisible à l'endroit où j'avais soulevé la latte. Ma main s'immobilisa quand je mis les doigts dessus. Exactement comme je l'avais laissée quelques minutes plus tôt. Mon cœur s'emballa alors que je la soulevai pour regarder mon graffiti vieux de deux jours.

– Oh ! nom de Dieu ! m'exclamai-je, incrédule. Je l'ai fait ! Enfin, je l'avais déjà fait, mais cette fois je l'ai fait volontairement... J'ai modifié le passé. J'ai réussi un saut à la Thomas.

Le sourire béat sur mon visage devait leur sembler très alarmant, car Kendrick et Stewart se rapprochèrent l'une de l'autre comme pour partager leur inquiétude à voix basse.

Quant à moi, je venais de comprendre que je n'aurais peut-être pas besoin de partir, finalement, que je n'aurais peut-être pas à prendre le risque de créer de nouvelles lignes temporelles. Je pouvais réellement modifier le passé. Je pouvais tout arranger.

– On se refait du café ? suggérai-je finalement. J'en ai pour un bon bout de temps à tout vous expliquer.

– Euh, d'accord, bredouilla Kendrick en passant dans la cuisine.

– Je suis tout ouïe, dit Stewart avec un soupir en se laissant tomber sur le canapé. Je sens que ça va être intéressant.

– Si par intéressant tu veux dire délirant, alors oui, ça va être passionnant, même.

# CHAPITRE VINGT

– Ça ne marche pas !

Ma tête me faisait atrocement mal, et j'étais incapable du moindre mouvement. Allongé par terre à plat ventre, pantelant, j'attendais que la douleur diminue.

– Peut-être que tu te concentres sur le mauvais moment ? avança Kendrick.

Nous venions de passer huit heures à parler des voyages dans le temps et à pratiquer des expériences. Kendrick en savait beaucoup plus que je ne l'aurais jamais imaginé, et elle s'était avérée presque aussi utile qu'Eileen.

Malgré toutes ses connaissances et ses recherches, je n'arrivais pas à réussir un nouveau saut à la Thomas et les demi-sauts que j'effectuais m'épuisaient.

– Allez, on fait une pause, s'il te plaît ! dit-elle en indiquant le canapé du doigt. On peut réétudier les données sur les lignes temporelles. Ça t'aidera peut-être à comprendre ce que tu cherches à réaliser.

Je poussai un soupir agacé, mais je ne pouvais guère m'y opposer dans la mesure où je n'avais plus une once d'énergie. Je me relevai et me frottai les yeux.

– Tu sais, quand j'ai sauté du toit, pendant le mois d'août 2009 qui a précédé mon arrivée ici...

– Oui, quoi ?

– Je passe mon temps à oublier ce détail, mais, depuis que ça s'est passé, je me suis souvent interrogé là-dessus.

J'appuyai la tête contre le dossier, fermai les yeux et respirai lentement pour calmer mes nausées.

– Il y avait deux Holly..., repris-je. C'était bizarre, parce que j'avais supposé qu'on était dans la ligne temporelle de 2007...

– Dans ton Monde B, précisa Kendrick.

– Oui, dans mon Monde B... mais en 2009, tu vois... Comme si j'avais avancé de deux ans et sauté sur une autre ligne en même temps...

– Mais tu n'aurais pas pu sauter plus loin dans l'avenir que...

– La dernière date que j'avais quittée en 2007, en effet, terminai-je en hochant la tête sans rouvrir les yeux. Je sais bien. Le docteur Melvin m'a déjà expliqué tout ça. Mais dans ce cas, ce saut était forcément un saut à la Thomas, non ? Sauf que ce n'est pas possible non plus, parce que Holly se serait rappelé nous avoir vus, elle et moi, quand on est revenus vers l'avenir.

– C'était quel jour, ce saut ? demanda Kendrick, le front soucieux, en feuilletant les pages de mon journal de bord.

– C'était en 2009, enfin, la deuxième fois, après mon retour du Monde B. On est partis du 15 août et on a atterri le 12 août, mais je ne sais pas à quelle heure.

– Quelle était ta source ?

– Le journal que lisait une dame.

– C'est ton seul point de repère ? Bon, d'après mes recherches sur les sauts complets, ses souvenirs lui sont peut-être revenus petit à petit. Tempest ne dispose pas de beaucoup de données sur les sujets vivants qui ont été affectés par un saut complet. Il s'est passé, quoi, une quinzaine d'heures avant que tu fasses le saut pour retourner le 15 mars ?

– Oui, c'est ça, confirmai-je en rouvrant les yeux pour consulter le papier devant moi. Donc, ce que tu es en train de me dire, c'est que si j'étais resté plus longtemps, elle se serait peut-être rappelé avoir vu une autre version d'elle-même trois jours plus tôt ?

– Elle s'est bien souvenue d'avoir vu deux versions d'elle en même temps. Elle était là. Le seul souvenir qu'elle a peut-être retrouvé par la suite serait celui de l'autre version d'elle-même qui est allée à Central Park avec Raymond et des EDT. Certaines personnes sont naturellement prédisposées à mieux gérer les chocs que d'autres. Peut-être que Holly est comme ça. Au lieu de faire l'autruche ou de trembler de peur quand on la pousse d'un toit et que son petit ami lui fait traverser son portail temporel, peut-être qu'elle enfouit tout ça, qu'elle n'absorbe tout l'impact du moment que beaucoup plus tard.

– Ça ressemble à une capacité d'agent secret, ça, commentai-je d'un ton amer.

Je bouillais à l'idée que Holly ait quoi que ce soit à offrir à la CIA. Je voulais qu'elle sorte de cette histoire, qu'elle retourne à sa vie normale.

– Tu sais, le futur qu'Emily t'a emmené voir ? lança Kendrick, ce qui me tira de mes pensées.

– Le futur pourri, genre apocalypse ?

– Oui, dit Kendrick avant de feuilleter ses notes, puis de lever les yeux vers moi. Je crois que je sais ce qui s'est passé. C'est un terme que j'ai vu apparaître dans la base de données Tempest quand j'étudiais tout ce qui avait pu être écrit sur les voyages dans le temps : un Vortex. C'est comme ça qu'on désigne une période où la fréquence des voyages dans le temps augmente. Il paraît que ça peut provoquer des tremblements de terre, des tsunamis, des ouragans…

– Quoi ? Mais enfin, pourquoi personne ne m'en aurait parlé ? Pourquoi personne ne m'aurait dit de ne pas voyager dans le temps parce que cela risquait de provoquer un tremblement de terre dans l'avenir ? C'est une info trop énorme pour être tenue secrète !

– Sans doute parce qu'il faudrait beaucoup de voyages dans le temps pour provoquer ça. Et quand je dis beaucoup, je pense à des centaines, ou même des milliers, de personnes qui sauteraient partout dans tous les sens, précisa-t-elle en se renfonçant dans le canapé sans plus me regarder. Je n'en suis pas sûre, mais il est possible qu'il s'agisse des données d'Eileen. Ça colle avec sa théorie selon laquelle tu as ouvert le Monde B sans le savoir et permis aux EDT de rebondir dessus, ce qui a augmenté le nombre de voyageurs temporels, le résultat étant qu'un Vortex a été créé. Ou va être créé dans l'avenir, je ne sais pas trop.

Ses paroles restèrent suspendues dans le silence qui suivit cette révélation. En gros, le futur apocalyptique était de ma faute. C'était moi qui avais provoqué le Vortex.

– Eh ben, voilà une info réjouissante !

Je lui souris pour lui montrer que je ne lui en voulais pas, mais, à la vérité, tout cela tombait plutôt mal. J'avais assez de problèmes à gérer comme ça.

Michael frappa à la porte avant que Kendrick ait pu me répondre et, en voyant son visage s'illuminer à sa vue, je n'eus pas le courage de la retenir. Healy allait sans doute nous réexpédier tous en France sous peu et Kendrick devrait encore abandonner Michael. Je savais que cela lui pesait, alors même qu'elle avait consacré toute son énergie à m'aider ces deux derniers jours.

Je restai seul environ cinq minutes, et Stewart déboula comme si elle habitait là.

– Elles ont disparu !

– Qui ça ? demandai-je en me levant d'un bond. Qu'est-ce qui se passe ?

– Les images des caméras de surveillance que tu m'as demandé de récupérer. J'ai tout retrouvé jusqu'à 16 h 49 le 15 mars, et à partir de 18 h 13…

– Mais rien entre les deux ?

– Exact.

– Alors Adam était sur une piste. Ces photos sont importantes.

Je me laissai retomber dans le canapé et dus me pencher en avant pour mettre la tête entre mes genoux quelques instants. Prononcer son nom faisait mal... Le revoir en train de mourir.

– Qu'est-ce qui ne va pas ?

– J'ai fait trop de voyages dans le temps.

– Et ?

– Et je suis trop nul, lâchai-je en me relevant lentement.

Stewart s'efforça de dissimuler sa déception, mais en vain. Elle voulait tant que je sauve Mason. Je savais qu'elle y pensait depuis l'instant où je lui avais révélé mes capacités ce matin, mais jamais elle ne me le demanderait ouvertement, parce que cela signifierait reconnaître à quel point elle était attachée à lui.

– Mais non, tu n'es pas nul... C'est juste que tu as été un peu trop chouchouté. Tu n'as pas assez d'expérience en matière de blindage mental. Les autres, ce ne sont pas des hybrides, alors ils n'ont pas les gènes du quidam. C'est sans doute ça qui fait baisser ton QI de deux cents points.

– Merci, c'est trop gentil ! dis-je en levant les yeux au ciel.

Elle s'assit près de moi et tourna la tête, révélant des cernes sombres sous ses yeux. Elle tenait entre ses mains le journal de Holly.

– Et si on demandait à quelqu'un de me balancer du toit de cet immeuble ? Peut-être que tu aurais plus de réussite ?

– J'y ai pensé.

Son visage se décomposa, et je dus me retenir de pouffer. Déstabiliser Jenni Stewart étant un exploit rarissime, je savourai cet instant. Bien sûr, cela me valut un bon coup de poing dans l'épaule. Je me levai pour aller m'étendre sur le lit, me sentant déjà prêt à dormir. Je me glissai à grand-peine sous la couverture, sachant qu'il me fallait absolument du repos avant de pouvoir comprendre quoi que ce soit ou passer à l'action.

– Au fait, tu es au courant pour cette histoire de Vortex ?

Stewart secoua la tête, alors j'entrepris de lui expliquer la théorie de Kendrick et son origine possible dans les notes d'Eileen.

– Je crois qu'on devrait parler au docteur Melvin, dit Stewart en s'asseyant près de moi sur le lit.

– C'est ce que je pensais, aussi. Mais je crois qu'il faut qu'on réfléchisse au meilleur angle d'attaque. Il prend peur facilement, et là il se referme comme une huître et on ne peut plus rien en tirer.

– Oui, je sais, dit-elle en posant la tête sur l'oreiller.

– Qu'est-ce que tu fais ?

– Je dors. C'est quelque chose que je n'ai pas fait depuis vingt-quatre heures, expliqua-t-elle d'une voix déjà pâteuse. J'étais trop occupée à t'aider à résoudre tous tes problèmes. Alors si tu dors, moi aussi. On sera plus frais pour aller voir le docteur Melvin.

Elle se rapprocha de moi et la chaleur de son corps m'ôta l'envie de protester. Ma couverture n'était pas assez épaisse pour calmer mes frissons.

– Ça fait quoi, comme sensation ? demanda-t-elle après deux minutes de silence. Je veux dire les voyages dans le temps... les sauts. Ça fait comment ?

La chaleur de son corps se répandit sous la couverture et mes dents s'arrêtèrent enfin de claquer.

– Dans un demi-saut, on a l'impression d'être déchiré en deux, et après, quand on revient, ça fait le même effet qu'un énorme jetlag. Il s'est écoulé plein de temps pour moi, mais pas pour les personnes qui sont restées dans ma *home base.*

– Je crois que ça me paraîtra toujours dément...

– C'est pareil pour moi, dis-je en riant.

Elle se rapprocha encore et posa la joue contre ma poitrine.

– Avec Mason et ton père, on a eu un grand débat un soir. L'année dernière, je crois, quand on faisait une surveillance pour une mission au Costa Rica. Mason nous a servi une théorie délirante sur les paradoxes temporels. Pour lui, il était impossible de survivre à la vue de son autre soi pendant un saut complet... Le choc serait suffisant pour tuer la personne, enfin, les deux versions de la personne. Ton père a dit un truc, et sur le coup, je n'y ai pas trop fait attention, mais maintenant...

– Quoi ? demandai-je, sentant mes paupières s'alourdir.

– Il a dit que les gens sont capables de supporter beaucoup plus qu'on ne le croit... Qu'on est conçus pour s'adapter à notre environnement. Les humains sont des survivants. J'ai eu le sentiment qu'il en parlait d'expérience, comme si lui-même s'était vu en face un jour. Mais bon, oublions, dit-elle avec un bâillement en se blotissant contre moi. J'expliquerai mieux tout ça quand j'aurai un peu dormi.

L'histoire de mon père ayant vu un autre lui-même me fit repenser à Holly ayant vu une autre Holly. Elle avait plaisanté sur les séances de psy que ça allait lui valoir, mais à part ça elle avait semblé bien gérer.

– Je crois qu'on est tous les deux en train de faire la même chose : on analyse tout ce qu'il a pu nous dire, comme si ses mots étaient les pièces d'un puzzle géant qu'on doit reconstituer.

Sans y penser, je passai le bras autour de sa taille, puis je ricanai en me rendant compte de mon geste.

– On ne serait pas en train de se faire un câlin ? lançai-je. Moi qui me disais que si jamais je me retrouvais si près de toi un jour, c'est que je serais gravement blessé ou complètement à poil.

– C'est un rare moment de faiblesse, de la pitié, pas plus, dit-elle en détendant ses muscles et en poussant un soupir épuisé. À te croire, je ne touche jamais personne autrement que pour les ratatiner ou les séduire.

– Quand tu jouais tes personnages d'étudiante à la fac, il y en avait qui étaient stables et affectueuses ?

Je plaisantais, mais en même temps je voulais vraiment savoir jusqu'où elle allait dans ses rôles de composition. Je cherchais en fait à le savoir depuis le jour où elle m'avait raconté son histoire.

– Pas vraiment. Je suis sortie avec des tas de mecs, mais en général, je ne…

Elle s'interrompit, puis éclata de rire.

– Quoi ?

Elle s'écarta juste un peu, si bien que nous ne nous touchions plus, mais en revanche je pouvais voir son visage.

– Disons juste que je savais assez bien actionner la guillotine au bon moment.

– Ah ! la vache, quelle garce ! gloussai-je. C'était la méthode que tu réservais aux crétins, ou tu séduisais aussi les mecs bien, genre Michael ?

Je m'attendais à une repartie bien sentie qui mettrait un terme à cette conversation délicate, mais elle fit exactement le contraire.

– Déjà, Michael n'est pas un mec bien, c'est un saint. Une espèce complètement différente. Un mec comme lui ne se retrouverait jamais avec moi.

Son visage restait détendu, mais elle semblait plongée dans ses pensées, pas sur la défensive comme à son habitude.

– Ce n'est pas que j'essayais de diminuer les mecs ou de les manipuler. C'est juste que… si on donne aux gens tout ce qu'ils veulent, après, ils n'ont plus besoin de vous, pas vrai ?

Depuis le temps que je la connaissais, je la comprenais enfin, et les raisons pour lesquelles elle s'entendait si bien avec Mason m'apparaissaient clairement : tous deux avaient été rejetés. D'autres agents avaient connu la perte d'un être cher, mais le chagrin ne provoque pas les mêmes effets que l'abandon. Stewart avait été abandonnée à l'adolescence, expédiée à la fac par ses parents, qui avaient gardé le silence radio après son arrestation, alors qu'elle aurait eu vraiment besoin d'eux. Quant à Mason, sa mère était prétendument morte en couches, le laissant orphelin à vie.

Voilà justement pourquoi l'approche « rien de personnel, juste le boulot » m'avait attiré au début de notre formation.

Mais là, parler à Stewart, lui confier mes secrets, c'était aussi réconfortant qu'avec Adam 007 et Adam 009.

Mes fonctions psychanalytiques refusaient de se débrancher tant que je n'aurais pas obtenu certaines réponses.

– À ton avis, pourquoi ça nous a paru si facile de… enfin… de passer à l'acte ? Enfin, de presque passer à l'acte, jusqu'au moment où je nous ai fait une rechute émotionnelle…

– Parce qu'on est complètement à la masse, tous les deux, rétorqua-t-elle en refermant les yeux.

– Alors, toi aussi tu y as repensé ? insistai-je.

– Ben, oui. On est nuls en amitié, tous les deux. Tu tiens mieux ton rôle que moi, mais c'est quand même du flan. Je t'ai observé pendant deux ans avant que tu entres à Tempest. Tu n'as jamais vraiment été proche de quiconque. Je ne crois pas que tu sois un salaud ou un manipulateur… C'est juste qu'il y avait des limites que tu n'étais pas prêt à franchir.

Elle avait raison. Mon amitié avec Adam était sans doute ce qui se rapprochait le plus d'une « vraie » amitié, mais je ne lui avais pas révélé grand-chose sur moi avant que tous ces problèmes me tombent dessus.

*Avant que je me retrouve coincé en 2007.*

– On est nuls en amitié, répétai-je, me faisant à cette idée au moment même où je prononçai ces mots.

– Ouais, et je l'ai compris en lisant le journal de Blondinette. Tu sais, je voulais vraiment te faire ce coup-là, dit-elle en riant. T'exciter à mort et faire tomber le couperet au dernier moment. Mais tu m'as complètement déstabilisée en essayant de me pousser à parler de moi. Là, j'ai dû mettre le holà.

– C'est une technique que j'ai souvent utilisée. Des paroles au lieu des bisous...

– Tu ne lui as jamais dit que tu l'aimais. Tu crois que vous auriez été mieux ensemble si vous aviez été juste amis ?

– Je n'ai jamais voulu être l'ami de Holly, répondis-je sans une once d'hésitation. Et j'ai fini par le lui dire, que je l'aimais.

– Et ça en vaut la peine ? marmonna-t-elle d'une voix ensommeillée.

Je soupirai, refoulant le sentiment de vide qui me rongeait depuis quelques mois. C'était une question difficile, parce que je la traduisais automatiquement en : *Est-ce que Holly en vaut la peine ?* Ce qui appelait évidemment un oui. Holly valait bien tout ce que je pourrais endurer. Mais je savais que Stewart ne parlait pas de Holly, ni de personne en particulier. Juste du concept. Ce boulot aurait été nettement plus facile si c'était le Jackson insouciant et sans attaches qui était entré à la CIA. Tomber amoureux m'avait foutu en l'air. Grave. Cela avait compliqué ma vie, et je ne pourrais jamais plus revenir en arrière. Jamais. Je pouvais supprimer les souvenirs que Holly avait de nous, me soustraire à notre relation encore et toujours, mais je ne pourrais jamais changer la façon dont moi, j'en avais été affecté.

– Non, ça n'en vaut pas la peine, répondis-je enfin. Pas pour des gens comme nous.

– C'est bien ce que je pensais. Et voilà ce qu'on appelle faire des progrès, cher ami.

Stewart était bien la dernière personne que j'aurais crue susceptible de combler le vide laissé par l'absence d'Adam.

– Adam et Mason, marmonnai-je avant de m'endormir. Je vais arranger ça... même si je dois en souffrir physiquement. *Ou pis encore...*

– Je vais obliger le docteur Melvin à m'expliquer comment faire.

## 19 JUIN 2009, 22 H 49

– Devine qui nous file, murmura Stewart sans même regarder derrière nous.

Jetant un bref coup d'œil par-dessus mon épaule, j'aperçus une queue-de-cheval blonde émergeant de l'entrée d'un magasin de musique de la Cinquième Avenue.

– Au moins, on sait qu'elle va bien, comme ça.

Ce que je trouvais le plus insupportable, c'était d'être physiquement proche de Holly et de n'avoir jamais été aussi loin d'elle. Des ennemis. Jamais nous n'avions été ennemis. Même des étrangers, cela valait mieux que des ennemis. *Holly, mon ennemie...* Pis encore, Stewart, Kendrick et moi avions dû mettre notre enquête de côté toute la journée pour accomplir des missions imposées par Healy et Freeman. Jusqu'à maintenant.

Après avoir tourné le coin de la rue, Stewart s'appuya contre un mur pour tripoter quelque chose dans sa veste.

– Elle a arrêté de nous suivre pour passer un coup de fil.

– Comment tu sais que...

Je fus interrompu par la voix de Holly dans mon oreillette.

– Tu as mis son téléphone sur écoute ?

– Bien joué, hein ? se félicita Stewart, qui se remit à marcher pour que nous n'ayons pas l'air trop suspects.

– Je suis désolée, Maman, s'excusait Holly. J'aurais dû te dire que j'avais démissionné. J'ai trop de boulot pour mes cours d'été.

– Cela fait plus d'un mois que tu n'as pas reçu de chèque du centre aéré, souligna Katherine Flynn d'une voix distincte. Tu comptais me le dire quand ?

– Je suis désolée, répéta Holly d'un ton irrité. On peut en parler plus tard ?

– Quand ça ? Il est presque 23 heures. Tu es où ?

– Dehors, répondit sèchement Holly. Je serai rentrée pour minuit, d'accord ?

Fin de la communication. Stewart me jeta un regard en coin.

– Aucun d'entre nous n'a à se dépatouiller avec des parents civils. Voilà une complication à laquelle je n'avais pas pensé avant.

– On a bien de la chance, marmottai-je.

Puis je me souvins de l'expression paniquée de Holly dans mon appartement, quand elle pensait que j'allais l'attaquer. Elle m'avait supplié de la laisser appeler sa mère. Stewart m'avait assuré qu'il s'agissait d'un code pour signaler à son équipe qu'elle se trouvait en danger, mais je n'en étais pas convaincu.

Le reste du trajet jusqu'au centre médical se fit en silence. Même Stewart avait l'air un peu nerveuse. Dans l'ascenseur, elle se mit à se ronger les ongles.

– On va y arriver. N'oublie pas le plan, c'est tout. Révèle-lui juste assez d'infos pour qu'il nous en redemande, murmurai-je, une fois arrivé devant le cabinet du docteur Melvin.

– Et toi, ne lui dis pas que tu n'es pas foutu de réussir un saut complet, siffla Stewart alors que je toquais discrètement. C'est mieux que n'importe quelle arme avec laquelle on pourrait le menacer.

Le docteur Melvin ne répondit pas. Pourtant, de la lumière filtrait sous la porte. Je tournai la poignée. La première chose que je vis en entrant, ce fut un tag rouge géant sur le mur du fond.

– C'est du japonais, constata Stewart. Ça veut dire quoi ?

Je scrutai longuement l'idéogramme avant de répondre.

– Eyewall.

Les mots étaient à peine sortis de ma bouche que j'entendis Stewart pousser un petit cri. Ma panique redoubla quand je regardai à gauche du bureau. Le docteur Melvin gisait à terre, les yeux grands ouverts, la peau grisâtre. *Oh ! non, ce n'est pas possible. Il ne peut pas être...*

S'agenouillant près de lui, elle posa deux doigts sur son cou.

– Il est mort, parvint-elle à articuler. Melvin est mort.

# CHAPITRE VINGT ET UN

Le sang qui battait dans mes tempes couvrait tous les autres bruits. Stewart remuait les lèvres, elle me disait quelque chose, mais je ne savais pas quoi. Finalement, elle me donna un coup de pied dans le tibia, et je me ressaisis. Je fermai la porte à clé.

– Qu'est-ce qu'on fait ? lui demandai-je.

Elle s'était relevée, mais son regard paniqué me révéla qu'elle n'en menait pas plus large que moi. Thomas avait raison à mon sujet : les émotions brouillaient mon jugement, m'empêchaient de me concentrer sur une tâche précise. Mais de toute notre unité, Stewart était de loin l'agent qui savait le mieux garder la tête sur les épaules. Elle prit une profonde inspiration et s'activa.

– Enfile ça ! m'ordonna-t-elle en me passant une paire de gants en caoutchouc. Réassemble l'ordi.

Je pivotai sur moi-même et constatai seulement maintenant que des composants métalliques jonchaient le sol.

– Ses données… ses données expérimentales. C'est ça qu'ils ont pris, pas vrai ?

Je revis dans ma tête Adam se livrant à la même activité, mais juste une fraction de seconde, avant de me replonger dans l'horreur du moment présent.

– Oui, confirma Stewart en se glissant sous le bureau. Et comme ils sont de la CIA, ils devraient savoir faire ça sans laisser de bazar. Or ils ont laissé un sacré bazar.

– Eyewall voulait qu'on sache qu'ils ont pris ses données, alors ?

Je jetai quelques éléments métalliques dans la coque à présent vide de l'ordinateur.

– Ils voulaient qu'on sache qu'ils sont en désaccord avec les travaux du docteur Melvin, répondit sèchement Stewart.

Le clonage... Voilà ce qu'Eyewall avait dû découvrir au sujet du docteur Melvin. Healy avait dit qu'étudier le clonage pour en faire une réalité avait été un des plus grands regrets du docteur Melvin. Comment avait-il dit ? *Un rêve de gosse délirant.*

– Tu as envoyé le signal de détresse ? demandai-je à Stewart.

– Bien obligée, dit-elle à contrecœur.

Quelque chose attira mon attention sous le bureau. Je me couchai sur le dos et regardai en l'air. Stewart se retourna près de moi pour examiner les caractères rouges que j'avais repérés.

Encore du japonais.

– Qu'est-ce que ça dit ? Je ne lis pas le japonais.

– *La mort, le meurtre*, déchiffrai-je. *Injustifiables sauf pour servir le plus noble but : préserver l'humanité pendant des siècles. L'état naturel de l'humanité. Toute autre forme nous détruirait tous.*

Le silence s'abattit tandis que nous absorbions la portée de ces mots. La sonnerie de mon téléphone nous fit
sursauter et nos deux têtes se heurtèrent.

– Allô ? dis-je en sortant de sous le bureau sans regarder
vers le corps du docteur Melvin. Oui, c'est moi... Je veux
dire, ici l'agent Meyer.

– L'agent Stewart est avec vous ? demanda le sénateur Healy.

– Oui, monsieur.

– Le docteur Melvin est avec vous ?

Au ton qu'il employa, je devinai qu'il savait déjà. Peut-être
les agents d'Eyewall avaient-ils aussi griffonné des graffitis
sous son bureau à lui.

– Oui, mais... il est mort.

Long silence, puis Healy parla d'une voix ferme et
autoritaire.

– Rendez-vous à l'appartement de votre père. Laissez
tout en l'état, et verrouillez la porte en sortant. Je viens de
recevoir toute une série de messages, dont un qui laissait
entendre que votre père était peut-être rentré de sa mission.

Il ne m'en fallut pas plus pour me lever d'un bond,
imité par Stewart.

– OK, on part tout de suite, l'assurai-je avant de raccrocher.

Je jetai un dernier regard au docteur Melvin avant de
fermer la porte. Accablé de douleur et de tristesse, je ne
savais pas comment réagir. La seule chose que je me sentais
capable de faire, c'était continuer à m'activer.

– Healy pense que mon père est rentré, informai-je
Stewart tandis que nous nous hâtions vers l'escalier. Il

semblait être au courant pour le docteur Melvin... ou en tout cas, il s'en doutait.

Je crois que nous retenions tous les deux notre souffle en déboulant chez mon père.

– Papa ? hurlai-je alors que Stewart filait dans la cuisine.

Je ralentis environ deux secondes après être entré dans le salon. Je sentais presque l'odeur de renfermé et de vide. La panique et le chagrin me submergèrent. Je restai là debout en silence, attendant que Stewart me rejoigne. Il me suffit de lui jeter un coup d'œil pour obtenir ma réponse.

– Et merde ! jurai-je à mi-voix alors que la panique se muait en fureur.

Pourquoi tout allait de travers ? Je pris mon téléphone pour envoyer un texto à Healy : *Il n'est pas là !* Puis je balançai mon portable à travers la pièce et il alla s'écraser contre le mur en brisant le silence. Il fallait que je fasse quelque chose de productif, sinon les mots allaient continuer à résonner dans ma tête : *Le docteur Melvin est mort...*

J'eus l'œil attiré par le long tabouret de piano noir. Je traversai la pièce et l'ouvris à la volée pour farfouiller dans des piles de partitions que je jetai partout par terre.

– Tu fais quoi ? s'inquiéta Stewart.

– Ça lui est déjà arrivé de laisser des indices pour nous, sauf que là on n'a peut-être pas compris sa petite chasse au trésor.

Je m'éloignai en direction de la chambre de mon père. J'entendis Stewart pousser un soupir, puis me suivre.

Je me mis à farfouiller frénétiquement la penderie, et Stewart eut la sagesse de ne pas critiquer mon manque de méthode. Il nous fallut environ une heure pour tout sortir et examiner avec un œil d'agent aguerri. Stewart inspectait encore quelques photos rangées dans une boîte à chaussures quand je décidai d'abandonner.

M'appuyant contre la paroi du placard à présent vide, je fermai les yeux, puis m'efforçai de concevoir une théorie un peu folle qui permettrait d'entrer en contact avec mon père. Je remarquai à peine un ronflement derrière moi, quand soudain, au moment où j'ouvrais les yeux, le sol se déroba littéralement sous mes pieds.

– Oh ! putain !

Je fis un bond de côté pour ne pas tomber dans le trou de plus d'un mètre qui s'était ouvert dans la moquette. Je me retournai pour l'examiner.

– Je te jure que je ne savais pas que c'était là.

– Qu'est-ce que c'est que ça ? s'interrogea Stewart en regardant par-dessus mon épaule. Tu as appuyé sur quelque chose ? Tu as déclenché un truc avec un fil ?

– Non, je me suis juste adossé au mur.

Je me mis à quatre pattes pour me pencher au-dessus de la cavité. Je distinguai une échelle de corde sans voir où elle descendait.

– C'est quoi, cet endroit ? Comment on peut être passé à côté d'une ouverture comme ça dans le sol ? On aurait dû remarquer un truc dans la moquette qui indiquait que ça s'ouvrait…

Je désignai l'échelle d'un signe de tête, traversé par un frisson d'excitation à l'idée d'une telle distraction.

– On va voir ce que c'est ?

Stewart se mordit la lèvre et regarda de nouveau la chambre.

– Healy nous a dit d'attendre ici. Il pourrait débarquer d'un instant à l'autre.

– Alors, on a intérêt à se dépêcher, insistai-je en plaçant un pied sur l'échelle pour commencer ma descente.

La pénombre régnait. L'échelle faisait environ la hauteur d'une volée de marches. Cette pièce secrète appartenait forcément à l'étage du dessous, mais y avait-il une porte d'accès ? J'atterris sur ce qui me sembla être de la moquette, et j'entendis bientôt Stewart faire de même. Comme elle, je cherchai à tâtons un interrupteur. Je me cognai les mollets contre une table et entendis une lampe basculer. Je la rattrapai et l'allumai. Un lit simple recouvert d'un édredon bleu marine se trouvait juste devant moi, à côté du chevet que j'avais failli renverser.

La pièce mesurait environ la moitié de mon studio d'emprunt dans l'immeuble de Kendrick. Il y avait une salle de bains avec douche et une minuscule kitchenette. Pas de micro-ondes ni de télé, juste une bouilloire rouge posée sur la plaque.

– Il n'y a même pas de détecteur de fumée, murmura Stewart. C'est complètement illégal.

– Le plus gros souci, c'est l'absence de porte, fis-je remarquer en allant inspecter des étagères sur lesquelles se trouvaient un tourne-disque et des dizaines de 33-tours bien alignés.

– Il n'y a même pas d'issue de secours, dit-elle avant de s'accroupir devant les étagères. Regarde tous ces disques… Il y a encore des gens qui en écoutent ? Hank Williams, Frank Sinatra, non mais on rêve !

Je remis en place l'aiguille de la platine et m'assis sur la moquette à côté de Stewart.

– Et les livres, alors ? *Retour au paradis*, *À l'est d'Eden*, *Le Vieil Homme et la mer*…

Elle se dirigea vers la commode pour en ouvrir le tiroir du haut. J'eus l'œil attiré par quelque chose de rouge au-dessus de moi. Le plafond blanc, si bas que j'aurais pu le toucher en me mettant sur la pointe des pieds, était recouvert de phrases écrites à l'encre rouge, bleue ou noire.

– Hé, Stewart, lève un peu les yeux, dis-je en montant sur le lit pour mieux voir.

– Je reconnais cette écriture, s'écria-t-elle, identifiant en même temps que moi la cursive soignée de mon père. Tu crois que c'était sa chambre à lui ?

– Possible.

Je penchai la tête pour lire la phrase écrite juste au-dessus de l'oreiller.


« Je ne pense jamais à l'avenir, il arrive bien assez tôt. » Albert Einstein


– Et celle-là, regarde, dit Stewart presque dans un murmure.

Je regardai l'endroit qu'elle m'indiquait, et ne pus m'empêcher de sourire.

« L'important est de ne jamais cesser de s'interroger. La curiosité a sa propre raison d'être. »
Albert Einstein


– Sages paroles, commentai-je en me déplaçant pour en trouver d'autres.

La plus longue était inscrite sur le mur derrière le lit, sauf qu'elle n'avait pas été tracée par la main de Papa.

– Celle-ci, c'est Eileen, constatai-je grâce à mes souvenirs des notes qu'elle avait prises lors de mon dernier saut en 1992.


« Il a maintenant quitté ce monde étrange un peu avant moi. Cela ne signifie rien. Les gens comme nous, qui croyons en la physique, savent que la distinction entre passé, présent et futur n'est qu'une illusion obstinément persistante. »
Albert Einstein


– Tu sais pourquoi elle me gonfle, cette citation ? lança Stewart. Einstein ignorait à quel point elle était juste. Il émettait juste une hypothèse. Nous, on ne peut pas se permettre ce luxe.

– Tu as bien raison.

– Bon, il y a autre chose que du Einstein, sur ce mur ?

Je baissai les yeux pour découvrir un gros cœur rouge sous l'inscription d'Eileen, puis un autre message de Papa, que Stewart lut en même temps que moi, toujours en quête de réponses.

« Il se sentait à présent proche d'elle au point de ne plus savoir où il finissait et où elle commençait. »
Léon Tolstoï

Je relus alternativement les citations d'Eilcen et de Papa, les imaginant ici, assis sur le lit, en train de s'écrire des messages.

Stewart s'éloigna de moi pour retourner près de la commode, dont elle avait laissé le tiroir ouvert.

– C'est quand même un endroit étrange où habiter. Tu sais… je n'arrive pas à imaginer ton père ailleurs que dans son appart.

– Moi non plus, dis-je avant de remarquer qu'elle avait sorti une pile de photos de la commode. C'est comme s'il ne cadrait pas avec cette pièce, alors que, visiblement, si.

– Je pensais la même chose.

Elle me tendit la photo de Papa et moi au piano que j'avais vue sur la cheminée quand j'avais passé ces deux heures avec Eileen. Stewart, elle, regarda une photo d'Eileen et de Courtney dans Central Park.

– Elle est vraiment jolie, commenta-t-elle. C'est trop bizarre : c'est tes parents, mais en même temps, pas vraiment.

– Si, c'est mes parents, répondis-je fermement. Plus que quiconque.

Je ramassai sous d'autres photos une boîte d'allumettes blanche sur laquelle étaient inscrits en noir les mots BILLY'S TAVERN.

– Tu as déjà entendu parler de ce bar ?

– Non, jamais, répondit-elle avant de jeter un coup d'œil à l'échelle de corde. On devrait remonter.

Je voyais bien qu'elle nourrissait la même inquiétude que moi : la trappe allait-elle se refermer ? Et quelqu'un d'autre connaissait-il l'existence de cette cachette ?

Il n'y avait qu'une manière de le découvrir.

Une fois de retour dans la penderie, j'entrepris de tâtonner sur les murs pour découvrir un bouton ou une targette.

– Et si je m'appuyais contre le mur, comme tout à l'heure ?

J'enjambai précautionneusement la trappe et m'adossai au mur. Il ne se passa rien.

– Essaie de toucher le mur avec tes mains, suggéra Stewart, les sourcils froncés. Il y a peut-être un détecteur biométrique…

À la seconde où mes doigts se posèrent sur le mur, la trappe commença à se refermer.

– Dis donc, grosse maligne, comment t'as deviné ?

– Au pif, dit-elle en scrutant la moquette parfaitement raccord. Je me demande s'il faut enlever tout le poids au sol pour que ça s'ouvre. J'imagine que tu n'avais jamais vidé complètement le placard de ton père avant de poser les mains sur le mur…

– Ben, non, jamais avant aujourd'hui. Mais ça aurait identifié mes empreintes, ce truc ?

Elle eut l'air aussi démunie que moi face à ce mystère. Le bruit de la porte d'entrée qui s'ouvrait nous ramena à la situation présente, et je me précipitai dans le couloir si vite que je faillis percuter le sénateur Healy, dont l'expression sinistre n'avait rien d'encourageant.

– Agent Stewart, Jackson, je suis désolé de vous avoir envoyés ici avec de faux espoirs. Hélas ! les mauvaises nouvelles continuent.

Il nous indiqua d'un geste le canapé du salon, mais je ne bougeai pas plus que Stewart, qui retenait son souffle, elle aussi. Healy poussa un soupir et se tourna pour nous faire face.

– Je suis désolé d'avoir à vous annoncer ça, Jackson, mais il semblerait que... enfin... il semble que votre père ait pu passer un accord avec Eyewall.

*Il est en vie !* Je ne pus m'empêcher d'éprouver un certain soulagement.

– Quel genre d'accord ? demanda Stewart, impassible.

– L'agent Freeman et moi travaillons sur cette enquête depuis une semaine, répondit Healy. Cassidy, l'EDT que nous avons capturée en Allemagne, s'est échappée alors que cela nous paraissait impossible. Et l'agent Freeman m'a aussi confié que l'agent Meyer avait reçu une offre voici quelques mois.

– Quoi ? m'exclamai-je en même temps que Stewart.

L'expression de Healy se fit de nouveau grave, plus encore que tout à l'heure.

– On lui a fait miroiter un traitement... qui n'a pas encore été découvert.

– Un traitement ? répétai-je, perplexe.

– Contre le cancer ? devina Stewart en me jetant un coup d'œil.

Healy hocha lentement la tête, confirmant cette hypothèse.

– Il a sans doute été emmené dans le futur pour aider Eyewall...

Je pris la nouvelle comme un coup de poing dans le ventre. Il ne ferait jamais ça. Il ne me laisserait jamais seul sur la foi d'une info qui avait tout l'air d'un piège.

– Attendez, c'est possible, ça ? intervint Stewart. Ça ne le tuerait pas ?

– Un seul saut ne le tuera pas, répondit Healy. Et il n'est pas le premier à s'être laissé corrompre.

J'avais la tête qui tournait. C'en était trop. Qu'est-ce qui me retenait encore dans cette ligne temporelle... dans celle-ci ou une autre, d'ailleurs ?

– Malheureusement, nous ne pouvons rien dire d'autre pour l'instant, reprit Healy. La raison pour laquelle je vous ai fait venir ici tous les deux, c'est que je savais que vous seriez suivis, ce qui nous donne l'occasion de contre-attaquer.

– Eyewall, devina Stewart. Et qui nous suit ?

– J'ignore quels agents en particulier. Mais toute notre équipe de terrain est déjà à leur poursuite. On sait que la mort du docteur Melvin a tout déclenché. Vous allez sortir d'ici et vous séparer. L'agent Parker est posté en face, il me fait des rapports réguliers.

– Quelle est exactement notre mission ? demanda Stewart.

– Leur mettre la main dessus, dit simplement Healy. Si vous pouvez les prendre vivants pour qu'on puisse les interroger, tant mieux, mais n'oubliez pas qu'ils ont sans doute le même plan. Cela dit, je vous garantis que ça ne va pas durer longtemps.

J'étais pétrifié par le choc, par ce sentiment écrasant que tout cela devenait bien trop énorme pour que j'en vienne à bout. Mais sitôt sorti dans l'air du petit matin, je repérai une silhouette blonde et menue cachée derrière Parker, prête à le prendre en filature.

Et je sus que c'était moi qui allais devoir poursuivre Holly.

Stewart partit dans le sens opposé au mien. J'adressai un coup d'œil à Parker, puis branchai mon micro.

– Laisse-moi m'occuper de Blondinette... J'ai mémorisé son profil.

– Bien reçu.

Je fus soulagé de voir Parker reporter son attention sur un autre agent. La silhouette de Holly disparut derrière un bus, et je me lançai à sa poursuite.

Elle accéléra le pas, au point que je faillis ne pas la voir descendre dans le métro. Arrivée devant le portillon, elle regarda par-dessus son épaule et me repéra. Elle ouvrit des yeux tout ronds, poussa l'homme qui se trouvait devant elle et sauta par-dessus le tourniquet.

*OK... Elle ne va pas se laisser attraper sans réagir, visiblement.*

J'agitai un faux badge du FBI sous le nez du préposé et sautai à mon tour le portillon. Plusieurs passagers crièrent à mesure que Holly les bousculait pour les projeter dans mon chemin. Les hurlements redoublèrent quand elle sauta sur les voies.

– Oh ! non, Holly !

*Ça, ce n'était pas au programme. Elle était censée avoir peur et se rendre sans m'opposer de résistance.* La dernière chose que je voulais était qu'elle mette sa vie en danger afin de m'échapper.

Elle était déjà remontée sur l'autre quai avant que je saute moi-même sur les rails. L'idée me faisait horreur, mais pas moyen d'y couper. À la seconde où je posai le pied sur le quai d'en face, un métro s'engouffra dans la station.

Repérant Holly à moins de dix mètres, je supposai qu'elle allait monter dans la rame. Les portes s'ouvrirent, mais elle ne monta pas, préférant s'engager dans le tunnel, où le rebord ne faisait que quelques centimètres. Je la suivis à contrecœur.

Les passagers sur le quai n'étaient plus que de petites taches au loin et l'obscurité nous engloutit tous les deux, mais je voyais toujours sa fine silhouette progresser. Puis soudain elle disparut. Il me fallut vingt secondes pour atteindre le renfoncement dans lequel elle avait plongé.

Derrière une grande porte marron, un escalier vers le niveau inférieur menait à un couloir sombre où régnait une odeur d'égouts et d'eau croupie. Je concentrai mon regard sur la chevelure blonde de Holly.

Ou du moins, je m'y employais quand une chaussure heurta ma joue et m'envoya valser contre le mur. J'identifiai mon assaillant, un agent d'Eyewall qui figurait dans notre liste de suspects. Il tendit les mains vers ma gorge. Aussitôt, je le projetai sur le sol carrelé, puis, utilisant une technique que de grands maîtres des arts martiaux nous avaient enseignée en Chine, je lui serrai le cou jusqu'à ce qu'il s'évanouisse. Enfin, je saisis son arme et son badge et repartis à la poursuite de Holly. Mes yeux n'étaient toujours pas accoutumés à la pénombre, et je fus soudain surpris d'entendre sa respiration tout près de moi.

– C'est un cul-de-sac, dit une voix masculine à ma droite.

De fait, Holly s'était plaquée contre le mur, sur lequel elle passait les mains comme pour y repérer une porte. L'homme à ma droite plongea sur moi, et je l'étalai facilement d'un coup de coude à la tempe. Il s'affala contre le mur.

– Flynn ! cria dans un râle l'autre agent, qui avait repris connaissance. Vas-y ! Maintenant !

Je vis luire dans la pénombre le blanc des yeux de Holly, qui s'engouffra de côté par une porte que je n'avais pas remarquée. Je la suivis et la porte se referma derrière nous, nous faisant sursauter tous les deux. Un gros clic résonna dans le silence presque total, n'était la respiration bruyante de Holly. Je devinai l'exiguïté de l'espace dans lequel nous nous trouvions, sans doute un tout petit local.

À la lumière de mon portable, je découvris son visage apeuré. J'éclairai ensuite les murs, et je compris qu'elle m'avait entraîné dans un piège. Voilà quel était son plan depuis le début. Eyewall savait que nous allions suivre leurs agents, que nous irions au contact. Stewart et Kendrick avaient-elles déjà mis la main sur leurs cibles respectives ? Étaient-elles prises au piège comme moi ? Et où se trouvaient tous les autres... Parker, Freeman ?

Le bruit d'un mouvement me fit braquer la lumière sur Holly.

– Recule ! ordonna-t-elle.

Elle me tenait en joue, comme deux jours plus tôt dans mon studio, sauf qu'elle était moins fébrile, cette fois-ci. Je levai les mains en l'air et reculai jusqu'au coin le plus éloigné d'elle.

– On dirait que tu as réussi à me piéger. Félicitations !

Elle se dirigea vers la sortie sans lâcher son arme, et agita de l'autre main la barre fixée au centre de la porte.

Le local n'était guère plus grand qu'un dressing et ne semblait pas comporter d'autre accès que celui par lequel nous étions entrés. Tout en pestant, Holly appuyait de tout son poids sur la barre.

– Je pense que c'est verrouillé, lâchai-je en m'adossant au mur.

– Impossible, ils ne m'enfermeraient pas ici avec...

Elle fit volte-face et posa son autre main sur son arme.

– Il faut croire que si. L'attente risque d'être longue. Tu vas me garder en joue comme ça pendant des heures ? J'ai les bras qui vont vite fatiguer, moi.

– Oui, je vais te tenir en joue jusqu'à ce que je décide de te tirer dessus ou jusqu'à ce que je m'évanouisse ou que je meure.

– Bon, super. On va bien s'amuser, comme c'est parti. Tu pourrais peut-être me tirer dans la jambe, comme ça on pourrait tous les deux s'asseoir. La petite course-poursuite que tu m'as imposée m'a épuisé.

– Tu préférerais te prendre une balle dans la jambe plutôt que d'avoir les bras qui fatiguent ?

– Tu ne me tireras pas dessus, dis-je en braquant la lumière sur son visage pour y découvrir sans surprise son air fumasse.

– Ne me cherche pas.

Je projetai ensuite la lumière sur chacun des murs, même si j'avais déjà intégré les dimensions des lieux.

– Eh bien, étant donné la taille de notre petite cellule, si tu rates ton coup...

– Je ne vais pas rater mon coup.

Je savais que je n'aurais pas dû être titillé par cette déclaration, mais je ne pus m'en empêcher. *Holly Commando...* Un nouveau surnom.

– Oui, bref, si tu rates, la balle rebondira sur les murs et ira sans doute te frapper *toi*.

Elle avait sorti son portable et saisissait un texto dont je savais qu'elle ne pourrait pas l'envoyer depuis ce sous-sol. J'attendis qu'elle m'ait jeté un coup d'œil avant de ranger mon téléphone dans ma poche, et je dégainai vivement mon arme et celle que j'avais prise à l'autre agent. Holly tressaillit malgré elle, et leva par réflexe un bras devant sa tête.

– Tu vois ? Tu n'as pas tiré, dis-je.

J'ouvris les deux magasins d'une pichenette, fourrai un des pistolets sous mon aisselle et sortis de l'autre toutes les balles, qui tombèrent une à une sur le carrelage avec un bruit métallique. Après avoir vidé le deuxième, je les posai par terre et les fis glisser vers Holly avec une force telle qu'ils allèrent heurter ses baskets.

– Holly...

– Agent Flynn, rectifia-t-elle sans baisser son arme.

– D'accord, agent Flynn. Maintenant que je suis désarmé, je vais m'asseoir et attendre que quelqu'un vienne nous chercher.

– Déshabille-toi, ordonna-t-elle en se rapprochant de moi.

Là encore, assez excitant, comme consigne. Mais je chassai cette idée de mon esprit, sachant que tout cela faisait peut-être partie du plan. Holly était très capable de me perturber, comme elle l'avait prouvé lors du bal de Healy. J'ôtai mes chaussures et les lui tendis.

– Et ton short, dit-elle d'une voix légèrement moins assurée.

– Sérieux ?

– Oui, fit-elle en balançant mes chaussures dans un coin.

Je poussai un soupir appuyé et débouclai ma ceinture avant d'enlever mon short, me retrouvant pieds nus en caleçon et polo.

– Et c'est là que la porte s'ouvre, c'est ça ?

– Passe-moi ton polo, aussi, fit-elle en ignorant ma plaisanterie.

– C'est du niveau de la cour de récré, commentai-je en déboutonnant mon polo avant de le lui lancer.

Elle l'agita en l'air comme un drapeau, puis ramassa mon short, qu'elle secoua pour en faire tomber mon portefeuille, mes clés et mon téléphone. Elle en retira ma ceinture et me le rendit, ainsi que mon polo.

– Tu peux les remettre.

– Oh, merci, agent Flynn !

Je me rhabillai, puis m'assis par terre dans mon coin. Enfin, Holly s'assit elle aussi, dans le coin opposé au mien, et se détendit un brin. Son arme reposait sur ses genoux avec son portable.

– Tu as l'air fatiguée, remarquai-je.

J'y voyais un peu mieux maintenant que mes yeux s'étaient adaptés à la pénombre.

– Je suis en entraînement à l'agrypnie, avoua-t-elle avec un gros soupir.

– Ça consiste en quoi, au juste ?

Je soulevai mon polo pour m'essuyer le visage, car la sueur dégoulinait depuis mon front.

– On surveille ton sommeil et on le régule pour réduire le nombre d'heures sur une période de six semaines. Là, j'en suis à un maximum imposé de trois heures par jour. Et on est soumis quotidiennement à des tests de compétences intellectuelles pour voir comment on gère, dit-elle avant de regarder la porte avec envie. Putain, je ne comprends pas pourquoi ils m'ont enfermée ici avec toi. Ça ne faisait pas partie du plan. Il devait y avoir une deuxième porte... une autre sortie.

– Tu crois que l'agent Collins se soucie de ce qui t'arrive ? Tu n'es qu'une stagiaire. Ils peuvent supprimer toutes les preuves. Faire passer ton comportement mystérieux des derniers mois pour... je ne sais pas, moi... une addiction au crack, par exemple, et tu pourrais mourir d'une overdose.

– Super ! On pose les flingues, et toi tu enchaînes direct avec la manipulation mentale, me tança-t-elle, avant d'afficher une certaine satisfaction. Tant mieux, d'ailleurs. Je suis la meilleure de mon groupe pour le décryptage des intentions réelles d'un suspect.

Je ne pus m'empêcher de rire.

– Eh bien, la concurrence ne doit pas être trop rude, sinon tu ne serais pas là à me menacer d'une arme. Je t'ai déjà dit que je ne te ferais aucun mal, tu te rappelles ?

Son visage trahit son émotion au souvenir du soir où je l'avais surprise dans mon studio, puis son regard noir revint.

– Ben oui, parce que tu veux me retourner. Tu veux réduire un peu le nombre d'agents Eyewall.

– Ils te mentent, Holly. Ils te mentent sur toute la ligne, dis-je d'une voix soudain plus tendue. Je ne suis pas un méchant.

– Moi non plus. C'est pas beau, ça ? Allez, on va se fabriquer des bracelets d'amitié et organiser une pyjama party, railla-t-elle.

Je pris le risque de traverser la pièce en glissant pour aller m'asseoir juste devant elle. Elle retint sa respiration et resserra les doigts sur son arme.

– Je peux t'arracher à leurs griffes. On peut aller où tu voudras. Ce qui est arrivé à Adam n'a rien d'un accident, et ce n'était pas nous, je te le jure.

– Et ton épaule, alors ? J'ai vu ta cicatrice.

– J'ai été touché par une balle qui n'est pas ressortie, dis-je en palpant instinctivement mon épaule droite.

– Je n'ai jamais reçu une balle, dit-elle posément. Enfin, jusqu'à maintenant, en tout cas...

Je tressaillis au souvenir de ce jour atroce dans sa chambre d'étudiante. Jamais je ne pourrais oublier cette image.

– Bon, alors, que dis-tu de ma proposition ? insistai-je, conscient qu'elle avait volontairement changé de sujet.

Elle détourna la tête. À l'évidence, elle ne répondrait pas à mon offre. Vu les circonstances, Holly avait un avantage psychologique sur moi, puisque, pour elle, j'étais juste un mec, rien de plus.

Une heure passa sans un mot ni un regard. Mais je crois que sa peur de s'assoupir prit le dessus et qu'elle se crut obligée de parler.

– Ça fait longtemps que tu es à la CIA ? demanda-t-elle.

– Quelques mois seulement, répondis-je en me redressant de ma position allongée. Et toi ?

Nouvelle pause.

– J'ai commencé il y a un an à peu près. Adam avait hacké un truc énorme et il s'est fait pincer. Il a paniqué à mort, il m'en a parlé parce qu'il ne savait pas quoi faire. Bref, au lieu de l'envoyer en prison, la CIA l'a recruté.

– Oui, j'ai entendu dire qu'ils faisaient souvent ça.

– Ils voulaient juste qu'il suive la formation de base pour l'utiliser dans l'informatique. Rien à voir avec ce que je fais, moi, maintenant. Pendant son entraînement, on lui a confié une seule mission, un truc de débutant. Il s'agissait de convaincre une réceptionniste de lui remettre des dossiers médicaux. Il m'a emmenée avec lui, et il s'est complètement bloqué, alors je suis intervenue pour le sortir de ce mauvais pas et j'ai accompli la mission à sa place... mais évidemment...

– Ils observaient ?

Elle hocha la tête et, quand elle reprit la parole, ce fut d'une voix tremblante.

– Je n'y ai plus repensé mais, quelques jours plus tard, un mec déboule chez nous pour présenter à ma mère un cursus d'excellence auquel il suggère que je m'inscrive. C'était du pipeau, je l'ai compris tout de suite. Au départ, j'ai vraiment adoré la formation, les missions... Et l'agent Collins était un patron très cool, ajouta-t-elle avant de prendre une profonde inspiration.

– Holly, Adam savait que Tempest n'était pas du mauvais côté... Je l'ai vu juste avant que...

Je m'interrompis, conscient d'en avoir trop dit. Son visage trahit sa colère, et je craignis qu'elle ne me repousse.

– Ne m'en parle pas comme si tu le connaissais ! Tu te fous d'Adam et tu te fous de moi ! Je sais très bien comment marche ce petit jeu, sans doute mieux que toi.

– C'est moi qui ai découvert le corps du docteur Melvin. Je me demande bien qui est à l'origine de ce massacre. Pas Eyewall, quand même ?

J'avais haussé le ton d'un cran, et Holly tressaillit. Je me passai la main dans les cheveux et m'efforçai de me calmer. Rien ne se déroulait comme prévu.

– Pardon, je n'avais pas l'intention de crier.

– C'est moi qui l'ai trouvé, murmura-t-elle avec un calme effrayant. Adam... Ça a été le moment le plus atroce de toute ma vie.

– Tu ne peux pas avoir été là, je l'aurais su.

– Crois-moi, j'y étais.

J'en eus froid dans le dos. Elle avait dû arriver après... bien après.

– Raconte-moi.

– Un agent est venu me chercher en voiture, et après on devait passer prendre Adam, commença-t-elle en fixant le mur derrière moi. En entrant chez lui, on l'a trouvé, le visage couvert de sang. Il ne respirait plus, mais il avait encore les yeux grands ouverts, qui me regardaient comme s'il me suppliait de l'aider, sauf que c'était trop tard.

Je fermai les paupières un instant. Les images d'Adam, le souvenir de sa mort, la douleur déferlaient sur moi par vagues énormes. Oubliant son arme, Holly leva les mains pour se couvrir le visage. Sa réaction me surprit, mais c'était peut-être la première fois qu'elle parlait vraiment d'Adam. Elle reprit la parole d'une voix étranglée par les larmes.

– Carter, l'autre agent, m'a sortie de là avant que je puisse faire quoi que ce soit. Il a dit qu'il fallait suivre le protocole. Je ne me rappelle même plus être remontée en voiture. On a juste laissé Adam là comme si on n'avait rien vu. Et plus tard ce jour-là, je me suis retrouvée assise en face de sa mère au commissariat, pendant qu'un flic m'interrogeait. J'ai dû mentir à cette femme, lui dire que je ne l'avais pas vu de la journée, expliqua-t-elle en ôtant les mains de son visage, révélant ses joues baignées de larmes. Tu sais ce que la police lui a raconté ?

– Non, quoi ? murmurai-je alors que j'avais lu le rapport des dizaines de fois.

– Ils lui ont dit qu'il était tombé en se prenant les pieds dans quelque chose, répondit-elle, s'efforçant en vain de contrôler sa voix. Il a été assassiné, et sa propre mère pense que c'est de sa faute à elle parce qu'elle a laissé traîner le fil de l'aspirateur ou je ne sais quoi. Je ne peux rien lui dire, rien… Je dois la laisser croire, jour après jour, qu'elle aurait pu empêcher la mort de son fils, qu'elle en est même peut-être responsable… et je ne veux plus. Je ne veux plus faire ce boulot. Mais il n'y a pas de porte de sortie. Je vais rester cet agent dont l'unique motivation pour obéir aux ordres sera de pouvoir rentrer chez moi sans trouver ma mère gisant dans une mare de sang comme Adam.

Elle porta de nouveau les mains à son visage et pleura de plus belle. J'avais l'impression d'avoir été renversé par un camion. Je m'avançai pour la prendre dans mes bras. Impulsion stupide puisqu'elle ne me faisait pas confiance, mais je n'y songeai même pas. Holly était là, et elle pleurait... Au diable les barrières invisibles entre nous.

– Je suis désolé, Holly, vraiment désolé. Cela n'aurait jamais dû arriver.

La gorge nouée, je serrai Holly plus fort. Sa joue se posa contre mon torse, et tout son corps fut secoué de sanglots. Je me déplaçai pour me positionner dos au mur, l'entraînant avec moi.

Aucune de mes missions Tempest ne m'avait autant effrayé que ce qu'elle me racontait. Elle était allée se fourrer dans un service bien plus rude que le mien. Tout cela la dépassait complètement. Et c'était de ma faute. Elle me passa un bras autour de la taille, et je sentis qu'elle essayait de se ressaisir, d'arrêter de pleurer. Elle leva un peu la tête, et j'essuyai quelques larmes sur ses joues avec mon pouce. Mon cœur se serra. Sa bouche était si près de la mienne... *Concentre-toi ! Concentre-toi sur un moyen de l'arracher à leurs griffes, de la convaincre d'accepter ton aide.*

Si j'arrivais à soustraire Holly à ce destin funeste, j'aurais au moins remporté une victoire dans ma croisade pour sauver le monde. Ses doigts remontèrent lentement de ma taille à mon torse, mais ils étaient serrés sur quelque chose. Une chaussette ? Je n'eus qu'une demi-seconde pour apercevoir le chiffon avant qu'elle l'applique sur ma bouche et mon nez. Les vapeurs toxiques envahirent mes narines et tout vira au noir.

# CHAPITRE VINGT-DEUX

– Jackson ? Jackson !

Une gifle vigoureuse venait de me réveiller. Allongé par terre, j'inspirai une odeur d'égouts qui faillit me faire vomir et je sentis une fine pellicule de sueur sur mon front. J'ouvris les yeux en papillotant et découvris le visage de Kendrick.

*Kendrick... pas Holly ?*

– Attends avant de te rasseoir, ordonna-t-elle en me retenant des deux mains. Oh ! là là ! tu as le cœur qui bat très vite. Qu'est-ce qu'elle t'a filé ?

J'essayai de me remémorer l'odeur du produit chimique.

– Je n'en sais rien... Comment as-tu fait pour entrer ?

Un bip aigu retentit au-dessus de nos têtes, et je levai les yeux pour découvrir un gros trou dans le plafond.

– Alors c'est comme ça qu'elle est partie, devinai-je.

– Et que moi je suis arrivée.

Elle sortit un mini-ordinateur dans lequel elle entra plusieurs chiffres et, quelques secondes plus tard, la porte s'ouvrait. Mon portefeuille, mes clés et mon téléphone se trouvaient toujours par terre, là où Holly les avait fait tomber. Je les ramassai avant de me diriger vers la sortie. Kendrick me suivit dans l'escalier puis dans les tunnels du métro. Je m'arrêtai au contact de sa main sur mon bras.

– Tu... Tu vas bien ? me demanda-t-elle.

– Ne le chouchoute pas... déjà qu'il est pourri gâté.

Je me retournai. Stewart était là, l'air un peu ravagé, vêtements déchirés, cheveux ébouriffés.

– Vous savez si Holly va bien ? m'inquiétai-je.

Stewart me fusilla du regard, puis me donna une bourrade qui faillit me projeter sur les voies.

– J'hallucine ! Blondinette t'entraîne dans un genre de caverne high-tech, elle te fait sniffer du chloroforme, elle réussit à grimper aux murs et à desceller une plaque du plafond, elle t'abandonne en train de baver par terre, elle s'enfuit sans une égratignure, et toi tu veux savoir si elle va bien ?

Nous venions d'émerger à l'air frais, et je fus surpris par le soleil matinal. J'avais passé des heures là-dessous.

– Je crois qu'ils l'ont piégée. Elle n'était pas censée se retrouver enfermée avec moi.

– Junior, il serait temps que tu regardes la réalité en face, lâcha Stewart.

– C'est-à-dire ?

– Blondinette a des capacités, dit-elle en arquant un sourcil. Bien plus que tu ne le soupçonnes.

– Non... Elle est...

*Tout ce qui s'est passé hier soir... Elle m'a joué la comédie ?* Je me figeai au milieu du trottoir, essayant d'assembler ce puzzle démentiel. Ses larmes... Elles étaient forcément sincères. Cela ne voulait pas dire qu'elle me faisait confiance, juste qu'elle avait utilisé son chagrin réel pour me manipuler.

Malgré tout, je savais que Holly avait peur et que son seul but hier soir avait été de survivre. Elle aurait pu me tuer pendant que j'étais inconscient, mais elle ne l'avait pas fait. Ce n'était pas le moment d'exposer ma théorie à Kendrick et Stewart, qui avaient l'air passablement remontées contre Holly et Eyewall.

– Et les autres ? Où en est la mission ? m'inquiétai-je.

Elles échangèrent un coup d'œil, et ce fut Stewart qui répondit.

– On a perdu deux des nôtres, et on a tué un agent d'Eyewall… une fille qu'on n'avait jamais vue avant. Freeman en retient quatre autres près de l'hôpital souterrain.

– Quels agents a-t-on perdus ? demandai-je, soudain accablé par mon black-out de plusieurs heures.

– Miller, le partenaire de Parker, répondit Kendrick.

– Et Davis, ajouta Stewart.

Je poussai un profond soupir, à la fois heureux et coupable de m'en être sorti vivant.

– On était en surnombre. Comment ont-ils réussi à descendre deux d'entre nous ?

– Ils connaissaient nos plans dans les moindres détails, jusqu'à qui allait suivre qui, et aussi les forces et les faiblesses de chacun, expliqua Stewart. Si Kendrick s'était retrouvée enfermée dans ce local à ta place, elle aurait décodé la combinaison de la porte en moins d'une heure, alors que toi…

– Moi, je suis un tireur d'élite, ce qui ne m'a pas aidé dans cette situation, terminai-je alors que nous arrivions devant notre immeuble. Vous croyez qu'on a une taupe dans le service ?

– C'est ce que pense Freeman.

– Et vous, alors ? Vous ne m'avez pas raconté ce qui vous était arrivé.

Elles sourirent toutes les deux.

– Kendrick a mis Collins au tapis en un rien de temps... Moi, je suivais un certain Strowski. On a foutu le bordel dans un cours de cinéma à la fac, mais je l'ai coincé assez facilement.

Je ne m'imaginais pas Kendrick pourchassant l'agent Collins. Comme si moi j'avais affronté Freeman et... OK... je m'en étais pas mal sorti contre lui dans l'autre ligne temporelle, mais il ignorait que je maîtrisais certaines techniques d'autodéfense...

Quand Stewart fut repartie chez elle, je montai l'escalier avec Kendrick. Juste avant que j'ouvre la porte de mon studio, elle commença à parler.

– Je voulais juste... Je veux que tu saches... Je comprends... pour Holly... Si Michael appartenait à une autre agence...

– Oui, je me doutais que tu comprendrais.

Je m'appuyai contre le chambranle pour réfléchir à la suite des opérations. Repensant à Holly et à tout ce que je n'avais pas eu l'occasion de raconter à ma partenaire depuis nos expériences scientifiques de la veille, je me rappelai alors le scoop le plus important.

– Tu veux bien m'accompagner quelque part ? J'ai un truc incroyable à te montrer.

– Je n'arrive pas à croire que personne n'ait été au courant, déclara Kendrick en scrutant la cachette sous le placard de Papa.

Cette fois-ci, j'avais eu l'idée de lui demander de toucher le mur pour actionner l'ouverture. Raté. Donc, en avait-elle conclu, seules mes empreintes étaient reconnues par le système.

– Je ne sais pas à qui Papa dissimulait cette pièce. C'est pour ça que je n'en ai parlé à personne.

Elle passa dans la kitchenette et s'arrêta devant la cuisinière.

– Tu sens ?

– Je sens quoi ?

Elle avait sur la figure une expression du genre « je viens de faire une découverte digne d'un génie ».

– Une impulsion électromagnétique. C'est très discret… Indétectable si on ne connaît pas les signes.

Une impulsion électromagnétique… Où avais-je déjà entendu ce terme ?

– Et ça sert à quoi ?

– Je le sais seulement parce que ça faisait partie de mon…

Elle croisa mon regard et afficha une expression méfiante.

– De tes cours de spécialité ? supposai-je en secouant la tête, pensant que nous avions dépassé le stade des cachotteries à la con.

– Oui, confirma-t-elle avec un sourire penaud. Je ne connais que deux endroits où Tempest a créé une IEM. Mais je ne sais pas trop à quoi ça sert.

– L'hôpital souterrain ! me rappelai-je soudain.

J'y avais été enfermé avec Marshall lorsque j'avais fait un demi-saut jusqu'en 1996. Et du coup, la réponse m'arriva d'un coup.

– Ça empêche les EDT de faire un voyage dans le temps !

– Mais bien sûr ! s'exclama-t-elle, l'air stupéfait. Et si tu essayais, pour voir ?

Je me concentrai au maximum sur un saut complet et ressentis aussitôt une douleur fulgurante à la tête. Au moment où j'eus l'impression de me diviser en deux comme lors d'un demi-saut, je m'interrompis avant que la pièce n'ait disparu.

Je tombai à genoux en me tenant les tempes. J'avais des taches noires et jaunes devant les yeux. Kendrick s'agenouilla près de moi, une main posée sur mon dos. Je pris quelques longues inspirations et la douleur s'atténua au bout d'une ou deux minutes. Je me relevai lentement en faisant un sourire à Kendrick.

– C'est sûr, il y a un champ de force, ici. Ce n'était pas juste un essai raté, je n'ai jamais rien ressenti de tel.

– Il y en a aussi un dans le labo en France, mais il faut l'activer exprès. Je l'ai branché une ou deux fois pour analyser les réactions physiques que ça provoque : vertige temporaire, nausée. Ton père doit aussi pouvoir désactiver celui-ci. Tu sais ce que ça veut dire ?

– Euh…

– Ce studio est le petit abri antiatomique de ta famille.

– C'est pour ça que le système a reconnu mes empreintes, raisonnai-je, tout en la regardant poursuivre son inspection. Mais s'il y a juste besoin de ce truc magnétique, là, pourquoi on n'en installe pas dans plus d'endroits ? Par exemple dans tout notre appart à l'étage au-dessus ?

– Parce que cette pièce n'a pas d'issue. Si votre appart, ou même tout l'immeuble, était protégé par une impulsion électromagnétique, les EDT pourraient toujours sauter par une fenêtre ou sortir par la porte et effectuer leur voyage temporel après. Sans compter que l'exposition prolongée à une IEM est dangereuse, ajouta-t-elle en passant le doigt sur les disques alignés sur l'étagère.

– Dangereuse ? À quel point ?

*On ne devrait peut-être pas rester là.*

– Quelques jours ou quelques semaines ne feraient de mal à personne, mais des mois ou des années pourraient provoquer des difformités et des mutations génétiques chez la génération suivante.

Elle leva la tête et croisa mon regard, alors que nous comprenions en même temps certaines choses.

– Ces mecs zarbi dont je t'ai parlé, ceux du futur… du futur apocalyptique… Ils avaient l'air monstrueux. Je voyais leurs veines à travers la peau… Tu crois qu'on va tous devenir des mutants, dans le futur ? Enfin, pas nous personnellement, mais la race humaine ? avançai-je malgré le ridicule de ma théorie.

– Et si le futur que t'a montré Emily contenait tellement de voyageurs temporels qu'il a fallu les contrôler avec l'IEM et que, du coup, tout le monde est devenu difforme ? Non, ça n'est pas logique, dit-elle en secouant la tête. On connaît déjà les effets de l'IEM. Donc ils auraient compris les risques bien avant de laisser naître des mutants.

– Mais peut-être qu'il suffit de quelques mutants pour détruire le monde ?

– Ou d'un seul mutant et de clones...

Son expression de scientifique sérieuse laissa place à un large sourire.

– Oh ! là là ! on a vraiment un job pourrave ! plaisanta-t-elle avant de prendre un disque sur l'étagère. Tiens, si on écoutait la musique de ton père, peut-être qu'on apprendrait quelque chose ?

– Frank Sinatra...

Je mis le disque sur la platine, puis m'étendis par terre alors que résonnait *Fly Me to the Moon.*

– On jouait cet air dans le big band de jazz à l'école.

– Tu jouais de quel instrument ? demanda-t-elle en s'étendant près de moi.

– Du saxophone, répondis-je, les yeux fermés pour mieux écouter, car j'avais un sentiment familier. Je me demande si je suis déjà venu ici. Enfin, avant hier, je veux dire.

Kendrick allait me répondre quand mon téléphone sonna. Il affichait le nom de Parker, donc je devais répondre.

– Oui ?

– Kendrick est avec toi ? demanda-t-il aussitôt.

– Euh, oui. On récupérait des trucs chez mon père.

378

Kendrick se figea pour tendre l'oreille.

– Tant mieux. Healy veut que vous rameniez vos fesses à l'hôpital souterrain, expliqua Parker.

– Il a dit pourquoi ?

– Il veut que vous parliez à l'agent Collins. Enfin, que vous interrogiez l'agent Collins. Il vous a spécifiquement réclamés.

Je raccrochai et regardai Kendrick.

– Tu as déjà conduit un interrogatoire ? lui demandai-je.

– Non, jamais.

# CHAPITRE VINGT-TROIS

Debout devant la porte verrouillée dont il s'apprêtait à composer le code, Healy me jeta un dernier coup d'œil.

– Rappelez-vous les techniques que l'agent Parker vous a enseignées. Donnez-lui quelque chose qui l'intéresse, et demandez-lui deux fois plus en échange.

Je venais de passer deux heures à regarder Parker briser mentalement les trois autres EDT prisonniers pour essayer de découvrir qui dirigeait Eyewall, qui donnait les ordres, comment tout avait commencé et quand. La seule chose que nous avions obtenue d'eux, c'était que Collins était le donneur d'ordres. Maintenant, nous avions besoin de savoir qui le chapeautait.

– Compris, dis-je en essuyant mes mains moites sur mon jean.

– Il a demandé à vous parler à vous. Il est sur le point de craquer, rappela Healy pour la énième fois.

La porte s'ouvrit et j'entrai seul, m'obligeant à ne pas sursauter quand elle se referma. Assis sur le sol carrelé, dos au mur, bras croisés, Collins avait l'air beaucoup plus calme que ses trois compères.

– Agent Meyer... Il leur en a fallu, du temps, pour vous faire rappliquer, déclara-t-il d'un ton calme et amène qui me rendit encore plus nerveux.

– J'avais des choses à faire.

– Bien sûr, dit-il avant de désigner la table au centre de la pièce pour que nous allions nous y installer face à face. Puisque mon avenir d'homme libre est légèrement compromis, j'ai besoin de vous demander quelque chose.

– Moi d'abord.

– Comme vous voulez.

– Que va-t-il advenir de vos autres agents maintenant que leur chef est prisonnier ?

– Nous avons des systèmes de remplacement, comme Tempest, se vanta-t-il avec un sourire satisfait.

– Évidemment. Parce que le monde va disparaître si vous ne nous arrêtez pas...

Je levai les yeux au ciel et attendis la réponse sarcastique qu'il allait sans nul doute me servir.

– Honnêtement, je n'en suis pas sûr. La bataille est devenue trop énorme pour qu'on arrive à suivre, qu'on cerne la raison principale pour laquelle on l'a commencée, dit-il avant de se pencher en avant pour passer mon cerveau aux rayons X de ses yeux. Et je ne crois pas être le seul soldat à ne pas trop savoir où il en est en ce moment, pas vrai, agent Meyer ?

*Bien, c'est officiel, je suis nul en interrogatoires.*

Je décidai d'opter pour l'angle d'attaque le plus puéril.

– Alors, il paraît que vous vous êtes fait battre par une fille ?

Il éclata de rire et se carra sur sa chaise.

– Ah, ça oui ! On savait qu'elle était membre de Tempest, mais je la prenais sincèrement pour l'intello de votre tandem. Ses aptitudes au combat m'ont pris par surprise un quart de seconde, et, comme vous le savez, ça suffit largement.

– Il ne va pas vous tuer, dis-je, suivant le script d'interrogatoire que Parker avait élaboré pour moi. Healy ne va pas vous tuer... pas si vous acceptez de nous aider.

– C'est-à-dire de vous révéler le nom de mon patron ?

– Tout juste.

Je poussai un soupir dépité, car je savais qu'il n'allait pas me le dire. Évidemment qu'il n'allait pas me le dire.

– Les rumeurs sont vraies ? demanda-t-il en changeant de sujet. Je ne suis pas le seul à m'être fait avoir par une fille ?

– Eh bien... je ne suis pas tombé aux mains de l'ennemi, moi.

– « Ennemi » est un terme très ambigu, Jackson. Vous êtes à la CIA depuis assez longtemps pour le savoir.

Il me dévisagea de nouveau avec ce regard intense qui me donnait l'impression que mes pensées étaient sur la sellette.

– Pourquoi avez-vous fait en sorte que Holly... enfin, l'agent Flynn, se retrouve enfermée avec moi hier ? Quel était le but de cette expérience ?

– Je l'utilise pour vous atteindre, répondit-il sans hésiter. Cela fait un bon moment que je me pose certaines questions, et la seule personne qui commençait à trouver des éléments de réponse est morte… assassinée, d'ailleurs, et je ne doute pas de l'implication de votre unité là-dedans.

– Adam, murmurai-je.

– Oui, confirma-t-il en se penchant de nouveau en avant. Vous êtes en train d'enregistrer cet interrogatoire ? Si j'étais vous, j'arrêterais la bande.

Quelque chose dans son visage, dans sa voix, m'indiqua que le reste serait en « off », et j'éteignis l'enregistreur miniaturisé fixé sur ma manche. Mon pouls s'emballa sans que je sache pourquoi.

– Depuis un certain temps, je travaille à ma propre mission, commença-t-il d'une voix presque inaudible. J'ai monté une équipe susceptible de m'aider sur un projet difficile. Et jusqu'à récemment, je pensais que vous me cachiez certaines choses, mais je commence à croire que vous en savez encore moins que moi.

– À quel sujet ?

– Vous avez des infos sur mes antécédents ? Les raisons pour lesquelles je me suis retrouvé à la CIA ?

Je fis non de la tête.

– Mon père était un agent, et mon grand-père avant lui, dit-il avant de sortir de sa poche un portefeuille fatigué, dont il extirpa une vieille photo qu'il posa sur la table. Le voilà, mon grand-père, en 1952.

Je baissai les yeux vers la photo et faillis tomber de ma chaise. L'homme d'âge mûr aux cheveux blonds posait à côté d'un jeune homme brun de peut-être dix-neuf ou vingt ans. Mon père… Le grand-père de l'agent Collins avait été pris en photo en 1952 avec mon père !

– Mais comment…, bredouillai-je, mystifié.

– Comment votre père, qui doit être à peine plus âgé que moi, peut-il avoir été pris en photo avec mon grand-père, qui est mort deux mois après ? Kevin Meyer n'aurait même pas dû être né à ce moment-là.

C'était quoi, ce délire ? *Tu es un agent… Réfléchis… Utilise la logique…*

– Comment pouvez-vous être sûr que cette photo a été prise en 1952 ?

– J'ai fait beaucoup de recherches. L'agent Silverman était mon chef de projet, là-dessus.

J'en eus l'estomac tout retourné, au point d'avoir envie de vomir. Adam… J'avais besoin d'Adam plus que jamais.

– Si je cherche votre grand-père dans la base de données, je vais le trouver et constater qu'il est bien mort ?

– Oui, confirma-t-il en me regardant encore plus intensément. C'est pour ça que je suis membre d'Eyewall depuis si longtemps. Parce que je pense que vous êtes en train de jouer avec…

– Le temps, terminai-je à sa place.

– Oui, avec le temps.

– Et vous pensez que mon père a fait ça ? Qu'il est retourné en 1952 et qu'il a rencontré votre grand-père et qu'il s'est fait prendre en photo avec lui ?

Était-ce possible ? Était-il comme moi ? Sur la photo, il avait l'air environ du même âge qu'en 1992.

– Honnêtement, je n'en sais rien, reconnut l'agent Collins avec un soupir.

C'était le premier signe de stress qu'il laissait transparaître depuis le début de l'interrogatoire.

– Que va-t-il arriver à Holly ? Vous l'avez choisie exprès pour ce projet et maintenant vous êtes ici...

– Je ne sais pas. J'ai fait tout ce qui était en mon pouvoir pour la soustraire au contrôle d'autres personnes, mais là... ça ne va pas être facile pour elle, reconnut-il en se passant la main dans les cheveux, autre signe évident de stress. Elle se retrouve livrée à elle-même, et je ne suis pas sûr qu'elle survive.

Jamais je n'avais autant apprécié qu'on me parle avec franchise. À tel point que je décidai de lui rendre cette faveur.

– J'ai en effet joué avec le temps... et beaucoup... mais pas comme vous le croyez. Et Holly ne me connaît pas, mais moi je la connais... ou plutôt je la connaissais.

– Alors, c'est vrai ? s'émerveilla-t-il, baissant sa garde. Votre père peut...

– Pas que je sache. Je n'ai pas demandé à être comme je suis. Et j'essaie toujours de comprendre ce qui se passe, exactement comme vous. Je n'ai pas vraiment choisi mon camp.

– Vous avez dépassé la durée recommandée pour un interrogatoire, remarqua-t-il en consultant sa montre. Ils vont bientôt entrer pour s'assurer que je ne vous ai pas attaqué.

– Exact.

Mes pensées étaient trop embrouillées pour que je lui pose les questions qui restaient en suspens.

– Gardez-la, dit-il en posant la photo dans ma main. Découvrez ce qu'elle signifie.

– D'accord, acceptai-je en la rangeant dans mon porte-feuille avant de me diriger vers la porte.

– Jackson ?

– Oui ?

– Concernant l'agent Flynn... Faites très attention. Si quelqu'un dans mon service la soupçonne d'être un peu moins qu'une ennemie pour vous, elle est morte. Ne croyez pas lui faire une faveur quand vous vous rendez en lui remettant votre arme.

Malgré mon émotion, je fis l'effort de hocher la tête d'un air impassible.

– Merci, agent Collins.

Dès que je passai la porte, Parker bondit hors de son siège.

– Mais ça va pas ? Pourquoi t'as débranché ton micro ?

– Ça n'allait nulle part, mentis-je avant de lui tourner le dos pour regarder autour de moi dans le hall. Je n'ai rien pu tirer de lui. Ce type est un vrai mur de brique.

Malgré cette déclaration, je dus me soumettre à deux heures de dictée et de prise de notes avec Parker et Free-man. Il s'agissait de passer en revue les comptes rendus et les enregistrements (quand il y en avait) de tous les interrogatoires réalisés aujourd'hui pour les analyser selon différents angles.

Le temps de terminer cette tâche, je me demandai si Kendrick était partie ou non. Je la trouvai bien vite au labo, plongée dans quelque projet inconnu. À la seconde où j'entrai, je fus bouleversé par l'absence évidente du docteur Melvin. Ce lieu était le sien. La pièce où il avait créé ses projets, y compris Axelle.

*Toute mon existence tourne autour de cet endroit précis.*

Kendrick ôta ses lunettes de protection et me jeta un coup d'œil.

– Tu vas bien ?

Je chassai de mon esprit mes souvenirs du docteur Melvin pour me concentrer sur les dernières informations.

– Euh, oui, mais il faut qu'on…

– OK, dit-elle, percevant ma détresse. Donne-moi deux minutes.

Il ne lui en fallut qu'une, puis ce fut le trajet jusqu'à la sortie, en silence par crainte des oreilles indiscrètes. Une fois arrivé sur le trottoir, je l'attirai dans un restaurant bondé pour lui raconter toute l'histoire.

## 20 JUIN 2009, 23 HEURES

– Je ne vois pas pourquoi il t'aurait caché ses capacités de voyageur temporel, commenta Kendrick alors que nous traversions Central Park.

Après un repas auquel nous n'avions touché ni l'un ni l'autre, j'avais décidé de retourner inspecter la chambre secrète dans l'appartement de mon père.

– Même si je me méfie de l'agent Collins, je dois reconnaître que tout paraît plus logique, d'un coup. Les allumettes de ce bar qui a fermé il y a cinquante ans, les disques, les livres... C'est presque comme si Papa avait voulu que je découvre la vérité.

Pendant le dîner, Stewart nous avait envoyé par texto le fruit de ses recherches sur Billy's Tavern, et nous n'étions guère plus avancés : le dossier fiscal indiquait que le bar avait fermé en 1959.

– Oui, je suis d'accord avec toi. Collins ne t'aurait pas lancé sur cette piste s'il n'était pas aussi concerné. La plupart des agents d'Eyewall d'aujourd'hui, sinon la totalité, ne savent sans doute même pas que le voyage temporel existe.

Alors que nous traversions un endroit désert du parc, quelque chose m'attira l'œil sur ma droite. Quelque chose qui fit battre mon cœur plus vite : une petite fille rousse qui errait toute seule dans le parc à la nuit tombée. Je tirai Kendrick par la manche.

– Ô mon Dieu ! Tu ne vas pas y croire !

– Attends... c'est... ?

– Emily, murmurai-je.

– C'est vraiment elle ?

Je regardai de nouveau l'enfant, qui était en train de fouiller dans une grande poubelle.

– Je n'en suis pas sûr. D'habitude, c'est elle qui me trouve.

Sans me quitter des yeux, Kendrick porta son téléphone à son oreille alors que je ne l'avais même pas vue composer un numéro.

– Stewart, retrouve-nous chez Meyer père, OK ?

Je me dirigeai vers la fillette, et Kendrick m'emboîta le pas.

– Elle a l'air plus menue... trop menue, balbutiai-je.

– Comment on saura si c'est bien elle ?

La petite silhouette émergea de la poubelle, tenant entre les mains les restes d'un bagel. Je ne voyais pas distinctement son visage dans le noir, mais peu importait : je distinguais le blanc de ses yeux, et elle parlait en farsi d'une voix tremblante.

– OK, je ne pense pas qu'il y ait beaucoup d'enfants SDF à New York qui connaissent le farsi..., murmura Kendrick.

Je me rapprochai, et la petite Emily se recula en serrant plus fort ses vieux bouts de bagel.

– Je ne crois pas qu'elle me reconnaisse, constatai-je.

– Emily ? dit Kendrick en se postant près de moi.

La fillette fit volte-face et s'enfuit en courant.

– Emily, attends ! criai-je.

– Elle ne fait pas de saut, remarqua Kendrick alors que nous la suivions. Peut-être qu'elle n'y arrive pas. En tout cas, il faut qu'on l'arrête, même si ça veut dire lui faire un plaquage.

Et faire un plaquage à cette frêle enfant fut exactement ce que fit Kendrick. Nous n'avions pas le choix. La police finirait par la trouver, ou bien quelqu'un de plus dangereux. Elle se débattit pendant une minute, puis abandonna, le visage mouillé de larmes.

– Parle-lui en farsi, dis-je à Kendrick.

Je m'agenouillai dans l'herbe pour mieux l'observer. Comme elle était maigre ! Les autres versions d'Emily avaient été minces, mais cette enfant paraissait décharnée.

– Emily, nous ne te voulons aucun mal, je te le promets, dit Kendrick en farsi. Tu le connais, lui ? s'enquit-elle en me désignant d'un signe de tête. Tu le reconnais ?

Emily secoua vigoureusement la tête.

– Tu viens de quelle année ? demandai-je.

Emily ne répondit pas, mais elle leva la main et brandit trois doigts.

– Trois ? demandai-je.

– Est-ce qu'elle veut dire...

– Trois, deux, zéro, zéro, énonça Emily en farsi à notre stupéfaction.

– Merde alors ! marmonna Kendrick en la relâchant et en se remettant en position accroupie.

Réagissant du tac au tac, la gamine se leva d'un bond et se remit à courir, mais elle devait être trop effrayée, ou bien trop affaiblie, parce que, quelques instants plus tard, elle tomba par terre à quatre pattes, la respiration haletante. Je la pris dans mes bras et elle ne se débattit même pas. Elle ne tenait pas sa tête, comme si elle était en train de perdre connaissance.

– Tu crois que c'est à cause du saut dans le temps ? Des effets secondaires ?

Tandis que nous marchions, Kendrick lui prenait le pouls.

– Elle a une tension beaucoup trop élevée et elle est à moitié inconsciente. Regarde-la, elle n'a que la peau sur les os. Elle est sans doute déshydratée et sous-alimentée.

Nous marchions à grands pas vers l'allée qui nous ramènerait à l'immeuble de mon père, notre destination initiale, même si nous n'avions pas vraiment de plan.

– Kendrick ?

– Je sais... Tu penses qu'il faut l'emmener à l'hôpital, c'est ça ?

– Oui.

– On ne peut pas... enfin, je veux dire, on peut, mais Healy le découvrira et on leur aura fourni leur petit rat de laboratoire à étudier, sinon pire.

– Je sais, mais...

– Jackson, j'ai plus de compétences que la plupart des médecins, dit-elle d'un ton ferme. Et c'est une voyageuse temporelle. Si ça se trouve, elle ne va pas rester très longtemps.

Emily s'était endormie, ou bien avait perdu connaissance, et elle ne se réveilla pas avant notre arrivée dans les confins insonorisés de l'appartement.

– Oh ! là là ! Depuis combien de temps tu crois qu'elle est là ? demandai-je à Kendrick. Si elle n'arrive plus à retourner dans le futur pour une raison qui nous échappe, peut-être que ça fait des jours qu'elle erre comme ça dans New York.

– Ce qui est sûr, c'est qu'elle n'a pas été nourrie depuis des semaines, constata Kendrick d'une voix tremblante.

J'allumai la lumière avant de déposer Emily sur le canapé. Elle bougea un peu et ouvrit les yeux. Sous la forte lumière, je la voyais enfin plus nettement. Elle avait des feuilles et des brindilles fichées dans les cheveux. Son

T-shirt noir et son jean étaient déchirés. Regarder son corps émacié me donnait la nausée.

Kendrick revint de la salle de bains les bras pleins. Elle me tendit un linge humide que j'approchai du visage d'Emily, qui s'éloigna aussitôt.

– Peut-être qu'elle a faim ? suggérai-je. Elle était en train de fouiller dans une poubelle.

– Tu veux quelque chose à manger ? demanda Kendrick en farsi, tout en s'asseyant près d'elle sur le canapé.

Emily parut d'abord hésiter, puis elle fit oui de la tête.

– D'accord, dit Kendrick. Il va falloir que tu nous laisses t'aider. Il ne faut pas que tu partes en courant... ni que tu partes tout court, d'accord ?

Emily répéta son signe de tête, puis se mit à pleurer.

– Va lui chercher à manger.

J'allai fouiller dans le réfrigérateur et en sortis une canette de Coca et des restes de sushis. Quand je revins dans le salon et que je tendis mes trouvailles à Kendrick, elle leva les yeux au ciel et partit d'un pas furieux dans la cuisine.

– C'est pas bon, le Coca ? demandai-je à son retour. Et les sushis, c'est très sain.

– Tu imagines quelqu'un qui n'a pas mangé depuis des jours et qui se goinfrerait de vieux sushis et de boissons gazeuses ? Elle vomirait dans les cinq minutes !

Kendrick tendit à Emily une petite bouteille d'eau et une demi-tranche de pain pita. Sous nos regards attentifs, Emily mangea le pain, d'abord en picorant, puis en prenant de plus grosses bouchées. Kendrick lui posa des questions en rafale pendant que je lui essuyais le visage avec le linge humide.

– Quel âge as-tu, Emily ?

– Trois mille cent dix jours, répondit-elle, la bouche pleine.

– Huit ans, calcula Kendrick. Ça veut dire qu'elle a huit ans.

– Tu crois qu'elle parle une autre langue que le farsi ?

– Je parle toutes les langues, affirma Emily dans un anglais parfait.

– Tu sais ce que c'est, le voyage dans le temps ? lui demanda Kendrick en lui tenant la bouteille d'eau pour qu'elle en boive un peu plus.

Emily prit une longue gorgée et hocha la tête.

– C'est ce que je viens de faire, non ? Le docteur Ludwig a dit que je n'en étais pas capable, mais il avait tort.

– Le docteur Ludwig ? répétai-je en même temps que Kendrick.

Emily se redressa sur le canapé et nous regarda l'un après l'autre.

– Je ne veux pas vous en dire plus.

– Pas de problème. Tu n'es pas obligée de nous dire quoi que ce soit. Nous, on te laisse t'installer ici et manger ce que tu veux. C'est comme ça que ça marche, dans notre période temporelle.

– En 2009, on nourrit les enfants, précisa Kendrick avec un sourire.

– Les enfants ?

– Oui, dis-je en indiquant une taille d'enfant avec ma main. Tu sais... les petites personnes, comme toi.

– Les non-développés ? supposa-t-elle, l'air moins apeuré, en engloutissant la dernière bouchée de pain.

Stewart arriva sur ces entrefaites, nous évitant de devoir conceptualiser la différence entre enfants et adultes, et fut choquée à la vue d'Emily. Kendrick emmena la petite dans la salle de bains pour la laver. Avant de faire couler l'eau, elle dressa une liste de courses et nous ordonna d'y aller. Sans doute pour nous donner l'occasion d'envisager comment cacher l'existence de cette enfant à la CIA, et surtout à Tempest.

En supposant que personne d'autre ne vienne la récupérer. Ou la capturer, je ne savais pas trop...

Le magasin Rite Aid était à peu près le seul ouvert à cette heure tardive. Je partis d'un côté et Stewart de l'autre, chacun avec un chariot. Le mien se remplit de compléments vitaminés, d'antalgiques pour enfants et de solutés de réhydratation. Stewart me rejoignit devant le rayon parapharmacie.

– Je prends des gommes vitaminées ? lui demandai-je.

– C'est celles-là les meilleures, décréta-t-elle en attrapant trois flacons, qu'elle jeta dans le chariot. Bon, on en fait quoi, de cette môme ? En supposant qu'elle n'ait pas déjà fait un saut dans le temps avant qu'on rentre.

– Notre seul souci, à l'heure actuelle, c'est Healy.

*Maintenant que le docteur Melvin est mort.*

– Mais j'ai eu une conversation très intéressante avec l'agent Collins, ajoutai-je.

– Tu as toute mon attention, là.

Je lui racontai mon étrange interrogatoire de l'agent Collins et l'histoire de la photo de son grand-père avec Papa. Elle parut aussi perplexe et troublée que moi.

– Donc, apparemment, mon père est dans le futur... et aussi dans le passé avec un homme qui est mort il y a des dizaines d'années. Non mais ça va continuer longtemps, ce délire, d'ici à ce qu'on comprenne qui il est vraiment ?

Perdue dans ses pensées, Stewart n'avait pas de réponse à mes questions.

– Il faudra refaire un tour dans la chambre secrète, plus tard, voir si on peut découvrir autre chose, se contenta-t-elle de suggérer.

À notre retour chez Papa lestés de nos sacs, Kendrick avait couché Emily dans la chambre d'amis. Endormie avec ses cheveux roux épars sur l'oreiller, elle ressemblait à un petit rat tout mouillé.

– Je lui ai donné un sédatif, avoua aussitôt Kendrick. J'avais peur qu'elle ne fasse un saut accidentellement et...

– Et peut-être que ça aurait été la bonne solution, intervint Stewart. Qui sait ce que ça va lui faire de rester ici alors qu'elle vient de... là-bas ?

– Trois, deux, zéro, zéro, répétai-je à mi-voix.

Le silence s'installa alors que nous absorbions tous le concept de cette année-là. Tous les agents Tempest s'étaient demandé d'où venaient les EDT, mais personne n'avait jamais envisagé que cela puisse être d'un futur si lointain.

Kendrick alla vérifier une poche de liquide transparent qui pendait à côté du lit.

– C'est aussi pour pouvoir brancher l'intraveineuse que j'ai dû l'endormir. Elle souffre d'une déshydratation sévère. J'ai ajouté un supplément nutritif qui lui permettra de vite reprendre du poids.

– Tu nous fais quoi, là, Kendrick ? ironisa Stewart, les bras croisés. Tu vas élever cette môme jusqu'à ce qu'elle ait l'âge de Junior et qu'elle commence à faire des sauts dans le temps ? Elle pourrait nous mettre tous en très grand danger. C'est un genre de clone monstrueux de Jackson.

– Du calme, dis-je à Stewart en tendant le bras à travers la porte pour l'empêcher de se rapprocher d'Emily. On n'a pas à prendre de décision tout de suite.

– Elle l'a déjà prise, sa décision ! protesta Stewart en désignant Kendrick du doigt. Tu le sais aussi bien que moi. C'est le genre à sauver des pigeons même s'ils ont la tête coupée.

– Vas-y ! lâcha Kendrick, toute blême. Tu n'as qu'à la réveiller et la foutre à la rue pour qu'elle retourne bouffer les ordures. Je suis sûre qu'elle trouvera un moyen de rentrer chez elle avant de mourir de malnutrition ou de se faire braquer... ou pire.

Elle écarta Stewart et sortit d'un pas rageur dans le couloir. Je la suivis dans la cuisine après avoir jeté un regard noir à Stewart. Occupée à écrire frénétiquement dans un calepin posé sur le comptoir, elle ne me regarda même pas. Je m'accordai le temps de rassembler le courage de lui parler malgré sa fureur évidente.

– Stewart avait besoin de se défouler un peu. Je viens de lui raconter la conversation avec l'agent Collins, alors elle a beaucoup de choses en tête.

– Je sais, reconnut Kendrick avec un soupir en arrêtant d'écrire.

Réconforté de voir sa colère se dissiper, je posai les mains sur ses épaules pour la retourner vers moi.

– On a fait ce qu'on devait faire. Je ne sais pas si ça finira bien ou pas, mais, pour l'instant, on n'a pas d'autre option que de garder Emily ici.

– Stewart a raison, tu sais. Gamine, je sauvais les oiseaux blessés. J'ai sans doute exposé ma famille à des dizaines de maladies en ramenant des animaux sauvages à la maison… Et puis, elle s'inquiète pour toi, aussi. Elle a peur que ce temps que tu as passé enfermé avec l'agent Flynn ne te fasse faire quelque chose de stupide… peut-être même rejoindre Eyewall.

Je me frottai les yeux et m'angoissai de nouveau pour Holly. *Où est-elle en ce moment ? Est-ce qu'elle va bien ?*

– Je crois que vous ne comprenez pas, toutes les deux. Vous ne comprenez pas ce que c'est de regarder quelqu'un qu'on a si bien connu et qui a l'air identique, qui a les mêmes tics, le même humour… et de s'obliger à la voir comme une personne différente. Parfois, j'y arrive sans problème, mais à d'autres moments elle fait un truc qui me rappelle tellement la Holly que j'ai connue que je n'arrive pas à refouler mes émotions.

– Je sais, me rassura-t-elle, les yeux pleins de compassion.

– Eh bien, heureuse de savoir que tu n'es pas fiable !

Je sursautai et faillis tomber. Debout devant le réfrigérateur, les bras croisés, Stewart me toisait.

– Bon, je ferais mieux d'aller voir si Emily va bien, marmotta Kendrick avant de nous laisser seuls.

– Écoute..., commençai-je.

– Pas maintenant, Junior, m'interrompit Stewart en se couvrant les oreilles des mains. Tu m'as déjà refilé un tel lot de merdes à gérer ce soir que j'ai besoin de temps pour trouver un moyen de t'empêcher de te faire tuer par une petite agent à peine sortie du lycée... Tu veux bien refaire le coup des empreintes digitales pour que je puisse redescendre farfouiller dans l'abri antiatomique... *toute seule* ?

Je compris que ce n'était pas le moment de discuter.

Après lui avoir ouvert la trappe dans le placard, je retournai à la chambre d'amis et m'assis sur le petit sofa à côté de Kendrick, qui s'était remise à écrire dans son calepin, en utilisant un genre de sténo inclinée presque impossible à déchiffrer.

– J'avais toujours cru que ma rencontre avec Emily se situerait quand j'aurais la quarantaine, dis-je en essayant de lire ses notes. En tout cas, après le mois d'août 2009 où je l'ai vue pour la première fois. Je n'aurais jamais cru que ce serait avant cette date.

– Tu veux que je te dise un truc vraiment bizarre ? demanda Kendrick en refermant son calepin.

– Euh... encore ? m'esclaffai-je.

– Elle a tes empreintes digitales. Ça n'existe pas, deux personnes qui ont les mêmes. J'ai vérifié plus de vingt fois avec le logiciel. Je n'ai jamais rien vu de pareil.

Je dévisageai Emily, bouche bée.

– C'est comme si elle n'avait même pas d'identité à elle...

– Et c'est une fille et elle ne te ressemble pas... sauf les yeux, dit Kendrick en scrutant mon visage. Comment l'ont-ils fabriquée ? Moi qui me débrouille en biotechnologie, je n'arrive pas à trouver un semblant de début de réponse.

Je regardais la poitrine d'Emily se soulever au rythme de ses toutes petites inspirations d'enfant et ses lèvres former des mots sans les prononcer.

– Ce n'est pas comme si c'était un robot... Une personne est une personne, pas vrai ?

Question trop ambiguë pour que Kendrick puisse y répondre... Je le savais, mais je l'avais posée quand même. Elle finit par se lever pour se diriger vers la porte.

– Je crois qu'on ferait mieux de rester ici, ce soir. La changer d'environnement pourrait être un peu traumatisant.

– D'accord, mais... Michael ?

– Je lui ai dit... commença-t-elle, les yeux remplis de larmes. Je lui ai dit qu'on partait pour la France ce soir.

– Mais...

– Je lui ai déjà fait mes adieux, Jackson, déclara-t-elle d'un ton ferme. Je ne peux pas... Il est tout... tout ce que j'ai depuis que mes parents et Carson ont été tués... Et je vais le perdre, lui aussi, si je ne fais pas attention... C'est bien ce qui va arriver, hein ?

Je me rappelai à quel point j'avais apprécié la franchise de l'agent Collins quand il avait admis que Holly était en danger, et je savais que Kendrick en attendait autant de moi.

– Oui, certainement.

Elle hocha gravement la tête. C'était atroce de la voir suivre le même chemin que le mien. Son cœur qui se brisait en mille morceaux sans que personne ne puisse les recoller un jour. Elle était détruite. Comme moi. Mes pieds m'entraînèrent à l'autre bout de la pièce et je la pris dans mes bras. Elle se raidit un instant avant de craquer et de pleurer dans ma chemise.

– Je ne retournerai pas chez moi. Je ne peux pas le rejoindre... C'est trop risqué.

Je la serrai plus fort et prononçai les seules paroles que j'avais à lui offrir.

– On t'aidera, Stewart et moi. On trouvera une couverture... On effacera son nom de la base de données et de tous les dossiers. J'utiliserai le voyage temporel s'il le faut.

Elle rit malgré ses larmes et finit par me lâcher après une dernière étreinte.

– Merci.

– On est dans le même bateau, d'accord ? Maintenant qu'on a violé à peu près toutes les règles de la CIA...

– Bon, je vais prendre une douche. Tu veux bien surveiller la petite ?

– Pas de problème.

J'eus le sentiment que même elle doutait qu'Emily fût dans notre camp. Et pourtant, comme moi, elle avait du mal à voir au-delà de l'enfant. Bonne ou mauvaise, Emily n'était encore qu'une petite fille.

# CHAPITRE VINGT-QUATRE

Après avoir lutté contre le sommeil, je m'étais assoupi vers 5 heures du matin. Réveillé par le bruit de pages fébrilement tournées, je crus un instant qu'il s'agissait de Kendrick, avant de la découvrir profondément endormie au bout du lit. Stewart dormait aussi, étalée par terre à côté de son ordinateur allumé.

C'est alors que je vis Emily, assise en tailleur sur le lit, les yeux rivés sur les notes de Kendrick. Je marchai doucement vers elle et lui repris le calepin. Elle sursauta et me regarda avec de grands yeux avant de se reculer jusqu'à ce qu'elle touche la tête de lit.

– Tout va bien, la rassurai-je en m'asseyant près des pieds de Kendrick. Je ne vais pas te faire de mal. Aucun de nous ne te fera de mal.

– C'est correct, ça ? demanda-t-elle en indiquant du doigt les chiffres inscrits en haut d'une page.

– Tu veux dire l'année ? 2009 ? Oui, c'est correct.

Cette confirmation sembla l'abasourdir au point de lui faire oublier sa peur. Mes yeux tombèrent sur une aiguille qui gisait sur le lit, l'aiguille reliée à l'intraveineuse qui aurait dû être fichée dans sa main. Emily surprit mon regard et la ramassa pour la déposer au creux de ma paume.

– Cette solution contient des impuretés, murmura-t-elle. Je les sens à l'odeur.

Je trouvai d'abord cette déclaration un peu étrange, puis je me demandai ce que je dirais si j'étais projeté deux cents ans en arrière et qu'on me servait un verre d'eau. J'y flairerais des impuretés. Je remarquerais des choses que les habitants de cette époque trouveraient tout à fait banales.

– Tu as faim ? Je peux te préparer quelque chose, proposai-je dans l'espoir de me gagner ses faveurs. Super ! m'écriai-je à la vue de son petit hochement de tête. Viens, on va dans la cuisine.

Elle me reprit le calepin des mains et descendit du lit pour me suivre. Kendrick l'avait habillée avec un de mes T-shirts, qui lui tombait aux genoux. Le calepin serré contre son cœur avec une force que je me gardai bien de tester, elle me laissa la conduire jusqu'à la table et s'assit face à moi sur la chaise que je lui indiquai.

Elle picora un autre morceau de pain pita et sirota un peu d'eau. Quand elle eut ainsi les deux mains occupées, je saisis ma chance et récupérai le carnet. Lâchant son pain, elle attrapa la spirale et se coinça les doigts dedans, une expression si désespérée sur le visage que je lâchai aussitôt.

– C'est juste que... je ne comprends pas, dit-elle. Il faut que je lise quelque chose... des données. J'aime bien lire des données.

On aurait cru que je venais de l'arracher à sa mère. J'eus soudain l'idée de lui fournir des éléments concrets.

J'ouvris le tiroir à droite de l'évier et farfouillai dedans jusqu'à ce que je mette la main sur un tampon encreur noir desséché mais encore utilisable. J'attrapai une feuille blanche et la posai devant nous. J'enfonçai le pouce dans le tampon, puis l'appliquai sur le papier pour y imprimer mon empreinte. Ensuite, je glissai le tampon encreur à Emily, qui me dévisagea un bon moment avant de lever la main.

– Je te promets que ça ne fait pas mal, la rassurai-je.

Elle hocha la tête et déposa son empreinte à côté de la mienne. Je la regardai de près tandis qu'elle se penchait en avant au point de coller le bout de son nez sur la feuille. Je lui tendis la petite loupe fixée à mon couteau suisse pour l'aider dans son examen.

– C'est la même... On est pareils...

– En effet, oui.

Une autre idée me vint, et je sortis de la cuisine en courant pour récupérer mon coffre-fort dans mon sac. Je montrai à Emily qu'il s'ouvrait grâce à mes empreintes, révélant son contenu : mon journal, celui de Holly et différents objets personnels. Elle répéta mes gestes, ouvrit et referma le couvercle au moins une dizaine de fois. Puis elle tendit les mains pour me toucher le visage, comme Eileen ce jour-là, et colla presque son nez au mien pendant de longues secondes.

– Mais tu ne me ressembles pas ?

– Je sais. Moi non plus, je ne comprends pas. Pour ne rien te cacher, on espérait que tu saurais peut-être quelque chose.

Elle se rassit sur sa chaise, l'air moins apeuré, moins hésitant.

– Tu n'es pas comme eux... Ça les énerve, que tu ne sois pas comme eux, annonça-t-elle avant d'avaler sa salive. Et ça les énerve aussi que je sois peut-être comme toi.

Je supposai qu'elle parlait des EDT et du fait que j'étais plus émotif, plus humain qu'eux. Quelqu'un avait dû lui dire, peut-être sous l'effet de la colère, qu'elle se comportait comme moi... comme celui qui partageait ses empreintes digitales... son identité, d'une certaine manière.

– Je peux le lire, s'il te plaît ? demanda-t-elle en désignant le calepin.

– Il n'est pas à moi, alors on ferait peut-être mieux d'attendre que Lily soit réveillée.

– Elle a deux noms ? Hier soir, tu l'as appelée autrement.

– Kendrick, c'est son nom de famille, dis-je avant de marquer une pause. Et toi, tu as un nom de famille ?

– Non, juste des numéros. Vous avez des poulets ? lança-t-elle soudain en regardant le réfrigérateur d'un œil avide.

– Euh... pas ici, non. Enfin, pas des poulets vivants.

– Moi, j'avais un poulet. Il vivait avec moi, mais il est tombé malade et il est mort. C'était le dernier, soupira-t-elle.

– Le dernier ?

– L'extinction des espèces ? articula-t-elle comme si elle parlait à un enfant plus petit qu'elle.

– Il n'y a plus de poulets, dans le futur ?

– Non. De toute façon, tout va mourir un jour, non ?

– Je ne sais pas. Tu crois ?

– Tu as quel âge ? Tu as combien de noms ?

– J'ai dix-neuf ans. Ça fait dix-neuf fois trois cent soixante-cinq jours.

Elle se remit à grignoter son pain, mais pas avant d'avoir levé les yeux au ciel.

– Un an, c'est trois cent soixante-cinq jours un quart. Et d'où je viens, les voyageurs du temps comptent leur âge en jours. L'année de naissance est superfétatoire.

– Superfétatoire ? D'où tu viens, les gamins de huit ans emploient des mots comme « superfétatoire » ?

– Je ne sais pas, je n'ai jamais rencontré d'autres personnes de mon âge. Si vous avez des poulets, alors vous avez des œufs ?

*Pourquoi ? Ils vénèrent les poulets, dans l'avenir, ou quoi ?*

– Oui. Tu veux des œufs pour le petit déjeuner, c'est ça ? Ou bien tu as décidé de créer un élevage de poulets chez moi pour prévenir l'extinction de l'espèce ? C'est ça, ta mission ?

Et là, elle me prit par surprise en éclatant de rire.

– On ne peut pas élever des poulets, ici ! Où est-ce que je les emmènerais pour la promenade ?

– Dans Central Park ?

Je me levai pour aller chercher la boîte d'œufs dans le frigo. Emily me suivit et examina chaque œuf attentivement avant de me laisser les casser dans un bol.

– Ils ont l'air exactement pareils que d'où je viens... Toutes ces années, et ils ne changeront pas.

Quelques minutes plus tard, nous étions attablés devant deux assiettes d'œufs brouillés, qu'Emily humait littéralement.

J'espérai que Kendrick approuverait ce régime alimentaire. Sinon... eh bien c'était trop tard, de toute façon.

– Quand est-ce que tu m'as rencontrée avant ? J'avais quel âge ?

– La dernière fois que je t'ai vue, tu avais onze ans, répondis-je, ce qui me valut un regard exaspéré. Et si tu veux savoir combien ça fait en jours, débrouille-toi pour les maths.

– J'aime bien les maths. Enfin, on n'appelle plus ça des maths, mais j'ai lu des trucs là-dessus dans les données historiques.

– Vous appelez ça comment ?

– « Logique » ou « techno numérale », ou des fois « origines et angles », expliqua-t-elle en balançant les pieds au-dessus du sol. « Techno », ça veut dire technologie.

– J'avais compris, signalai-je avant d'inspirer un grand coup pour me lancer dans le petit discours que je devais lui servir. Emily, il va falloir que tu fasses très attention à ce que tu nous racontes. Cela ne veut pas dire que tu ne peux répondre à aucune question, juste que certaines informations peuvent faire plus de mal que de bien. Est-ce que tu comprends ?

– Oui, je comprends. Je n'aurais pas dû te raconter le truc sur les poulets, c'est ça ?

– Je ne sais pas trop. Moi, ça ne me dérange pas, mais j'en ai vu plus que Lily ou Jenni, puisque j'ai fait des voyages dans le temps. Donc pour moi, c'est différent. Tu peux m'en dire un peu plus qu'à elles, mais pas tout quand même, d'accord ?

– Parce que nous deux, on est pareils, fit-elle en me souriant. J'ai toujours voulu te rencontrer. Tout ce que j'ai entendu sur toi, c'était des mauvaises choses, mais je sentais que tu ne pouvais pas être mauvais... Ce n'était pas possible, sinon on ne t'aurait pas utilisé pour me fabriquer.

Donc elle savait comment les choses s'étaient passées. Elle en savait même plus que moi, là-dessus. Quel fardeau à porter, pour une enfant ! Et d'entendre des choses et de décider par elle-même qu'elle n'était pas d'accord avec ces choses, à un si jeune âge... ce degré de libre pensée était incroyable.

– Oui, on est pareils, confirmai-je en levant mon pouce noirci.

Kendrick entra dans la cuisine, à moitié endormie, à moitié hystérique. Elle s'arrêta net en nous voyant et resserra la ceinture de son peignoir.

– Ouf ! J'ai vu que la perf avait été débranchée, alors... Vous mangez des œufs ?

– Elle m'en a demandé, je n'allais pas refuser. Emily est obsédée par les poulets.

Emily pouffa de nouveau, et Kendrick nous regarda tous les deux d'un air ahuri.

– Les œufs, c'est très bien, décréta-t-elle. Tout ce qui lui fait envie, ça marche, ajouta-t-elle en s'agenouillant devant la fillette pour l'examiner. Tu as déjà l'air tellement mieux. Tu as repris des couleurs et tu n'as pas les joues si creuses.

Ce fut au tour de Stewart d'arriver, les yeux encore pleins de sommeil.

– C'est vrai qu'elle paraît plus en forme. N'oubliez pas, on a plein de vitamines.

Je fis un petit sourire à Stewart, sachant que cette boutade valait toutes les excuses du monde pour sa scène de la veille au soir. Une offre de paix. J'attrapai le flacon et en sortit deux gommes.

– Regarde, je crois que celle-là, c'est censé être un poulet.

Emily rit de plus belle et examina les deux petites pastilles dans ma paume.

– On dirait des micro-repas... commença-t-elle avant de s'interrompre avec une mine penaude. Désolée, je ne suis pas censée parler de ce genre de choses.

Stewart brandit un petit sac des magasins Gap et en sortit une poupée aux cheveux blonds.

– J'ai trouvé ça hier soir... tu sais, en bas... Il y a une robe et un autre ensemble qui iraient à merveille à notre mini-voyageuse.

Je pris la poupée et la regardai pendant une longue minute.

– C'était à Courtney. Elle s'appelle Lily.

– C'est une American Girl ! s'exclama Kendrick en s'approchant de moi pour toucher la robe. J'avais la même, bien sûr, j'avais choisi celle qui portait mon prénom.

Une petite marque noire sur un des bras en plastique m'attira l'œil et je me mis à rire.

– Je l'avais attachée à une mine en Lego bourrée de dynamite et j'avais écrit à Courtney une demande de rançon.

Kendrick m'arracha la poupée des mains et la confia à Emily.

– Surtout, ne laisse pas Jackson mettre la main sur Lily, hein ?

Puis elle emmena Emily dans la chambre pour lui donner de vrais vêtements, me laissant seul avec Stewart dans la cuisine.

– C'est tout ce que tu as trouvé... en bas ?

– Oui, dit-elle avant de me regarder pendant un temps atrocement long. Je crois que Collins avait raison... sur le fait de ne pas être trop arrangeant avec l'agent Flynn...

– Je me doutais que ça allait te plaire, ça, dis-je avec un soupir.

– Tu veux bien me laisser finir, oui ? C'est à propos de Holly... J'ai gardé l'œil sur elle hier, comme convenu, et quand je t'ai dit qu'elle allait bien... quand je t'ai envoyé le texto... j'ai peut-être omis certains détails.

– Comme quoi ? demandai-je, la peur aux tripes.

– Disons que... je crois qu'il faut que tu la surveilles, mais de loin. Pas de contact, sinon vous êtes morts tous les deux.

Elle affichait un regret évident, soit de ne pas me l'avoir dit plus tôt, soit de craquer et de me le dire maintenant. Quoi qu'il en soit, j'étais bien content de nous savoir désormais assez proches pour qu'elle aille à l'encontre de sa propre opinion pour m'aider, moi.

– Merci, à charge de revanche.

– C'est noté, dit-elle avant de consulter sa montre. J'ai remis son téléphone sur écoute. Blondinette doit aller à la bibliothèque de NYU cet après-midi, et je crois que tu devrais y être aussi... en dépit de tout ce qui se passe avec la môme clonée zarbi... Je ne sais pas pourquoi, mais j'ai l'impression que tout est lié... Holly, la photo de l'agent Collins, Emily, ton père qui manque à l'appel, Marshall qui est aussi dans la nature. Je n'arrive pas à mettre le doigt dessus, mais j'ai l'impression que toutes les pièces du puzzle vont s'assembler d'une minute à l'autre.

– On va arriver à tout comprendre, dis-je en passant le bras autour de ses épaules.

# CHAPITRE VINGT-CINQ

Ayant passé l'essentiel de la journée à accomplir mes missions et celles de Kendrick, restée auprès d'Emily, je ne pus m'occuper de chercher Holly que le soir venu. Sur la suggestion de Stewart, j'allai voir à la bibliothèque de NYU. Sitôt arrivé dans la section où, selon les rapports de surveillance, elle avait ses habitudes, je la repérai. Mais la voix de l'agent Carter m'arrêta avant que je puisse me rapprocher. Je renfonçai ma casquette de base-ball sur mes yeux et me cachai derrière une étagère.

Mon téléphone vibra, un texto de Stewart : *Elle est là ?*

*Oui, mais Carter aussi.*

*Merde. Mets-le HS si tu peux. S'il est seul.*

Elle me renvoya un texto quelques secondes plus tard, avant que j'aie pu répondre au précédent : *Je te rejoins. Si Carter quitte la bibli, dis-le-moi, je m'en occuperai.*

– Tu t'es déjà plantée deux fois, Flynn… disait Carter. Ne déconne pas ce soir.

*Ce soir ? Que se passe-t-il ce soir ? Une autre mission ?*

– Je suis sous la surveillance du logiciel robot, rétorqua Holly. Je ne vois pas pourquoi tu te sens obligé d'être là.

Je coulai un regard dans l'étroit espace entre le haut des livres et l'étagère du dessus. Holly était assise face à un ordinateur ouvert, entourée de livres et de papiers jonchant toute la table prévue pour six. Carter et elle étaient de dos, côte à côte.

– Et j'ai entendu dire que tu avais eu un D à ton dernier exam de maths. Si tu es très gentille avec moi, je pourrai peut-être te donner quelques tuyaux.

Je dus refouler un grognement écœuré.

– On ne m'accorde que trois heures de sommeil par nuit. Comment tu veux que je réussisse mes exams ?

J'envoyai un nouveau texto à Stewart : *Agrypnie, tu connais ?*

*Oui. C'est l'enfer.*

L'agent Carter se pencha vers Holly, dont tout le corps se raidit. Cette réaction ne suscita pas seulement la colère en moi, mais aussi l'inquiétude. Une grosse inquiétude. L'agent Collins m'avait bien prévenu que la vie serait rude pour Holly, mais Stewart n'avait pas mentionné Carter, ce matin.

*C'est sans doute pour ça qu'elle hésitait à me parler.*

Holly tapa quelque chose sur son clavier d'une main frénétique, puis se plongea dans le cahier devant elle.

– Je vais te proposer un deal, Flynn, reprit Carter en lui posant une main sur l'épaule. Tu fais quelque chose pour moi, et je te laisse tranquille pour la soirée.

*Oh ! non... Pas question !* Je faillis sortir de ma cachette, mais une petite femme blonde passa près de moi en se dirigeant vers eux.

*Katherine Flynn.*

– Maman !

– Holly ! Je t'ai cherchée partout, je t'ai appelée… Ta voisine de chambre m'a dit que tu étais peut-être là, expliqua Katherine en regardant successivement Carter puis Holly.

– Je te présente Patrick, dit mécaniquement Holly. On est dans la même classe.

– Enchanté, déclara Carter, qui se leva et adressa un clin d'œil à Holly. Ne t'endors pas sur tes bouquins, encore. Le bibliothécaire va finir par croire que tu es SDF.

Après un au revoir de la main, il se dirigea vers la sortie. Je lui emboîtai le pas sans même m'en rendre compte. La colère pulsait dans mes veines. Je faillis laisser échapper un éclat de rire quand je le vis prendre une rue déserte.

*Trop facile !*

– Agent Carter, comme on se retrouve ! lançai-je.

Il se retourna aussitôt et me regarda d'un œil noir.

– Vous avez déjà exécuté Collins ? Et les autres ?

– Non, répondis-je avant de plonger vers lui.

Aujourd'hui, j'étais intrépide, notamment parce que j'avais sur moi une seringue remplie de la drogue que j'aurais dû injecter à Collins la veille au soir s'il avait tenté quelque chose quand nous étions seuls tous les deux. Quand je l'eus plaqué au sol, je lui inoculai la substance, et aussitôt je ne vis plus que le blanc de ses yeux. Je l'entraînai sur le côté et déposai deux sacs-poubelle devant lui pour le dissimuler. Il serait HS pendant au moins douze à quatorze heures. J'envoyai un texto à Stewart pour lui indiquer l'emplacement, puis je retournai à la bibliothèque.

Quand je retrouvai ma cachette derrière l'étagère, Holly tapait encore à toute vitesse sur son clavier, tandis que Katherine attendait d'un air impatient. J'avançai un peu pour mieux voir.

– Je suis désolée de ne pas t'avoir parlé depuis si longtemps, mais je suis débordée, expliqua Holly.

– Au moins, rentre avec moi dîner. Tu as une mine affreuse. Combien de kilos tu as perdus ? s'inquiéta Katherine en s'asseyant sur la chaise laissée vide par Carter pour fouiller dans son sac à main. Tiens, je t'ai apporté des vitamines pour t'aider à dormir et te protéger de ces vilains rhumes que tu nous fais.

Holly avait en effet l'air ravagée. Plus qu'épuisée, et marquée par des cernes noirs. Elle qui d'ordinaire arborait un joli hâle avait la peau plus blanche que jamais, comme si elle n'avait pas été exposée au soleil depuis longtemps.

– Il faut que je reste encore un peu, j'ai eu un D à mon dernier contrôle de maths, prétexta-t-elle d'une voix un peu tremblante.

Ce détail n'échappa pas à Katherine, qui posa les mains sur le visage de sa fille et l'observa de près.

– Je t'en prie, ma chérie, dis-moi ce qui ne va pas. C'est à cause d'Adam ? Je crois que tu as besoin d'en parler à quelqu'un. Tu es en train de te rendre malade.

– D'accord, je vais aller voir un psy, dit Holly en hochant la tête. Tu as raison, j'ai besoin d'aide.

Visiblement, l'entraînement des agents servait aussi à rassurer les mamans inquiètes… Katherine se pencha en avant et la prit dans ses bras.

– Merci. Donne-moi ta clé, je vais aller remplir ton frigo.

– D'accord, dit Holly sans lâcher sa mère. Je suis désolée… j'ai juste… je suis désolée.

– Tu n'as pas à t'excuser, ma puce, mais prends soin de toi. Promis ?

– Promis, concéda-t-elle avant de murmurer : Je t'aime, Maman.

– Moi aussi, je t'aime, l'assura Katherine en se levant pour lui caresser les cheveux. Je regrette juste que tu n'aies pas attendu septembre pour commencer la fac. Ça te crée un tel stress, tout ça. Bon, en tout cas, je reviens demain voir si tu vas bien, d'accord ? proposa-t-elle en forçant un sourire.

– D'accord, accepta Holly en lui tendant la clé de sa chambre.

Sitôt Katherine partie, Holly enfouit la tête entre ses bras croisés sur la table. Je vis son corps remuer avant d'entendre ses sanglots. Je restai là pendant dix minutes atroces, à la regarder pleurer en me retenant d'aller la consoler, jusqu'à ce qu'elle finisse par ne plus bouger ni faire de bruit.

Stewart avait dit que je pouvais essayer de l'interroger si elle était seule, alors je me rapprochai d'elle et lui tapai doucement sur l'épaule, mais elle ne réagit pas. Un BIP, BIP, BIP retentissant émana soudain de son ordinateur, qui me donna une peur bleue, alors que Holly ne broncha pas. Je m'accroupis et découvris sur l'écran le long chat qui devait durer depuis son arrivée.

C'était ça, le test : elle devait répondre à des questions toute la nuit pour prouver qu'elle restait éveillée.

**19 h 08. VIGIE SOMMEIL** : *Combien de personnes résident dans votre pâté de maisons ?*

Il me fallut environ trente secondes pour passer en revue dans ma tête les voisins de Holly, puis je tapai rapidement :

**19 h 09. AGENT FLYNN** : *28.*

Je tirai une chaise pour m'installer devant l'ordinateur. La respiration de Holly était lente et profonde. Le bip s'étant arrêté, je remontai dans le chat pour regarder les questions précédentes et me faire une idée de ce qu'on pourrait lui demander. C'était l'exercice le plus débile jamais inventé :

**18 h 58. VIGIE SOMMEIL** : *Citez une information que vous avez récemment découverte sur un des membres de votre équipe.*
**19 h 00. AGENT FLYNN** : *L'agent Carter a les mains baladeuses.*

**18 h 48. VIGIE SOMMEIL** : *Citez une information que vous avez récemment découverte sur votre service.*
**18 h 50. AGENT FLYNN** : *Apparemment, la CIA n'applique pas les lois sur le harcèlement sexuel.*

Il me fallut une ou deux minutes pour que s'estompe le choc provoqué par la franchise de ses réponses, puis je passai en mode agent pour analyser la situation. Apparemment, les questions arrivaient toutes les dix minutes, ce qui voulait sans doute dire qu'elle avait dix minutes pour y répondre. Ce fut ensuite au tour de son téléphone de produire du bruit. Même s'il était sur vibreur, toute la table buzzait, et je l'attrapai avant que Holly ne se réveille.

Un texto de Brian. Super.

*Salut, ma belle, tu fais quoi ?*

Je vérifiai que Holly dormait toujours. J'avais les doigts qui me démangeaient de taper une réponse.

*Je regrette d'avoir perdu ma virginité avec un mec qui a une toute petite bite.* J'effaçai mon message avant d'oser l'envoyer, et écrivis ensuite : *Débordée, les cours, tout ça...*

*Tu veux en parler ?*

Je levai les yeux au ciel. Évidemment, il fallait qu'il soit gentil, cet enfoiré ! Mais franchement, comment aurais-je pu être jaloux de Brian quand je savais que Holly ne pouvait pas lui dire ce qui n'allait pas ? Elle n'avait personne à qui parler. Moi, j'avais Stewart et Kendrick, mais elle, elle était vraiment seule.

J'envoyai rapidement une réponse au cas où le téléphone de Holly serait également sous surveillance. *Demain ?*

*OK ;-)*

Une autre question s'afficha sur l'ordinateur, et je reposai le téléphone pour répondre avant que le bip bip se déclenche. C'était une question facile sur les personnes qui se trouvaient dans son environnement immédiat. J'y répondis en trente secondes, puis je tirai le cahier coincé sous les bras de Holly. Je retins mon souffle, craignant qu'elle ne se réveille en sursaut, mais elle marmonna juste quelque chose d'incohérent et se mit doucement à ronfler.

Malgré quelques taches dues à ses larmes, je pus lire le devoir qu'elle essayait d'écrire pour son cours d'anglais obligatoire de première année. Je me rappelais vaguement avoir eu le même sujet en mon temps : QUI SUIS-JE ?

Super sujet pour un agent de la CIA.

*Je ne suis pas sûre de pouvoir répondre à cette question, mais je vais faire de mon mieux. Chaque fois que je pense avoir trouvé une réponse adéquate, mon esprit vagabonde vers d'autres questions, comme qui j'étais avant, qui je voudrais être, et je n'arrive que rarement à penser à qui je suis vraiment en ce moment.*

*Il y a cinq ans, j'étais la petite élève de troisième qui a pris en pitié un grand maigrichon bien trop gentil pour se défendre lui-même. Le jour de la rentrée, j'ai arraché de son dos une pancarte insultante au beau milieu de la cafétéria. De ce moment-là, on est devenus les meilleurs amis du monde. Je n'ai jamais douté de ma fidélité à David, mais en vieillissant on a plus de mal à définir à qui on doit être fidèle. Il y a cinq ans, c'était évident. Tout noir et tout blanc. Aujourd'hui, c'est beaucoup plus compliqué.*

*Il y a trois ans, je faisais toujours des câlins à ma mère, je lui disais que je l'aimais, et le plus incroyable c'est qu'elle le savait déjà. Ce qui signifie qu'à l'époque, je n'avais pas besoin de le* lui dire, mais aujourd'hui, peut-être qu'elle en doute et que je devrais le lui dire, mais je ne le lui ai pas dit depuis longtemps.

Il y a deux ans, j'étais la fille qui bachotait à mort, économisait jusqu'au dernier sou et rêvait d'habiter seule à New York et de vivre une vie formidable. Je rêvais de cette liberté et de cette infinité de possibles. Je n'avais pas peur de l'inconnu. Je détestais la banalité.

Aujourd'hui, je me réveille chaque matin en n'ayant qu'un seul but : survivre à la journée qui commence. M'en sortir vivante, et tout ira bien. Mais depuis peu, je me demande pourquoi je devrais continuer. Je veux dire, à survivre. Pour pouvoir passer une nouvelle journée à avoir peur de ne pas y arriver ? À penser au fait que le lendemain sera pire ?

Toutes ces incertitudes font que j'ai l'impression de ne plus avoir de sensations, comme la chaleur du soleil à midi, l'odeur du café fraîchement moulu, le parfum de ma mère... Ça, c'est une chose dont j'arrivais toujours à me souvenir. Mais plus maintenant.

J'ai toujours cru que la vie jaillissait de partout quand on avait frôlé la mort ou quand on la sentait arriver. Le monde est censé exploser de vie et nous donner tellement envie d'y rester qu'on ferait n'importe quoi pour y arriver. Mais le monde devient de plus en plus sombre et je n'en distingue plus les couleurs. Images, odeurs, sensations... tout devient gris.

Et je suis si fatiguée que je pourrais dormir pour toujours.

Voilà qui je suis maintenant. Quelqu'un qui voudrait juste pouvoir dormir et ne jamais se réveiller. Mais je ne peux pas parce qu'il faut que je récrive cette dissertation, vu qu'il est hors

*de question que j'en dise autant sur moi-même à quiconque.*
*Ou si peu. Ça dépend où on se place.*

Je gardai les yeux posés sur le cahier bien après avoir fini ma lecture. J'avais mal à la poitrine en respirant. Tout était clair, à présent, et en même temps encore plus terrible. Celui qui avait orchestré ces péripéties, ce nouveau tour qu'avait pris la vie de Holly en l'intégrant à Eyewall pour me torturer moi (était-ce Thomas ?), savait exactement ce qu'il faisait. Contrairement à Holly, j'avais de bonnes raisons de me lever le matin, d'affronter la journée et ses événements. Garder Holly en vie, voilà quelle avait longtemps été ma motivation principale. Et Papa, aussi, dont j'étais la seule famille. Et maintenant, il y avait Stewart et Kendrick… et Emily.

Celui qui avait fomenté ce plan avait jugé utile que j'aie quelqu'un à protéger… plusieurs quelqu'un, même. Et moi qui avais cru si longtemps que c'était le contraire, qu'on m'enlevait tout jusqu'à ce qu'il ne me reste plus rien, qu'avoir besoin de quelqu'un rendait ma mission encore plus difficile…

Pendant tout ce temps, j'avais été bouleversé que Holly ne me reconnaisse pas, ne sache pas combien je l'aimais, mais maintenant cela n'avait plus d'importance. Plus aucune importance. Il suffisait que moi je le sache. Si Holly avait été à ma place, si elle avait aimé quelqu'un et dû quitter cette personne, elle aurait eu quelque chose à écrire dans sa dissertation. Elle aurait eu une bonne raison de continuer à vivre.

Après avoir répondu à une autre question sur l'ordinateur, je posai la tête sur mon bras, tout près d'elle, et humai son parfum. Elle avait la bouche ouverte et, chaque fois qu'elle inspirait, des cheveux épars se collaient à ses lèvres. J'écartai doucement une mèche de son visage et posai le bout de mes doigts sur sa joue.

Lire son texte désespéré et déprimant m'avait atterré, mais, en même temps, fait comprendre que Holly serait toujours Holly. Stewart avait tort à ce sujet. Ce n'était pas le fait que Holly ressemble physiquement à ma Holly qui me troublait. Non, cela n'avait rien à voir avec l'apparence. On aurait pu tout lui enlever, changer toute sa vie et je crois que, au fond d'elle-même, son âme serait restée identique. L'âme de ma Holly. Exactement comme Emily, entourée par des gens qui lui avaient raconté que j'étais mauvais, qu'elle ne devait surtout pas essayer de me ressembler, et qui avait résisté à cette idée. Quels que soient le lieu ou la date, elle resterait toujours Emily.

Quant à la Holly 009 que j'avais quittée… si elle était morte quand Thomas l'avait jetée du toit, elle serait morte en sachant que je l'aimais, mais surtout en se sachant elle-même capable d'un tel amour.

*Il y a des choses pires que la mort.*

Inutile qu'elle sache ce que je ressentais. Lui dire que je l'aimais compterait uniquement pour moi. Elle devrait suivre ce chemin seule. Avec moi, avec quelqu'un d'autre… peut-être avait-elle fait un pas en ce sens avec sa mère, ce soir.

Cela ne signifiait pas que j'allais en oublier mon vœu de l'aider ni ce que l'agent Carter lui avait dit, ni ce qu'elle

avait écrit sur lui dans ses réponses à l'ordinateur. Oh !
non. Lui, j'avais toujours envie de le réduire en bouillie.

Je pris le manuel de maths et l'exercice inachevé posé à
côté, et je me mis à lui faire tous ses devoirs, un par un.

Vers 22 heures, Stewart m'appela.

– Je viens de faire une connerie... une grosse, grosse
connerie.

*Aïe ! aïe ! aïe !*

– Quoi ?

– J'ai donné à Healy du sérum de vérité, dit-elle d'une
voix rauque qui trahissait sa panique.

– Pardon ? Pourquoi t'as fait ça ?

– Je ne sais pas combien de temps j'ai pour t'expliquer,
alors il va falloir que tu agisses vite.

J'entendais de la circulation en bruit de fond. Elle devait
être en train de courir dans la rue.

– Il faut que tu fasses un demi-saut. Jusqu'au 20 octobre
1952.

– Quoi ?

– Fais-le, Junior ! Tu me dois un service, je te rappelle.
C'est au sujet de ton père. Tu te rappelles Billy's Tavern ?

Quand elle m'eut décrit le coin de rue exact que je
devais viser, je raccrochai. J'ignorais si j'étais capable de
remonter si loin dans le passé, même dans un demi-saut,
mais il fallait bien essayer.

*1952... Voilà qui devrait être intéressant.* Juste avant de
réussir mon demi-saut, j'entendis mon téléphone sonner.
*Trop tard... je suis déjà en route.*

# CHAPITRE VINGT-SIX

Ce saut me perturba plus que tous les autres. La ville était sublime, en cette année-là. La voir, la sentir... pourquoi n'avais-je pas essayé plus tôt ? Je trouvai Billy's Tavern après avoir un peu marché, mais y entrer serait une autre paire de manches. Puisqu'il ne s'agissait que d'un demi-saut, je ne risquais pas de changer l'avenir ni de faire mal à qui que ce soit, donc je n'éprouvai aucune culpabilité à voler un blouson sur une table de pique-nique, où l'avait posé un vieil homme qui s'était baissé pour refaire son lacet de chaussure.

Comme toujours, le demi-saut atténuait la sensation de froid, mais mon T-shirt très moderne m'empêcherait de me fondre dans le décor. Je remontai la fermeture du blouson jusqu'au cou et tentai de tirer sur l'ourlet de mon jean pour qu'il ne laisse pas trop paraître mes chaussures. Le reste semblait acceptable pour 1952.

De toute façon, à la seconde où je vis un homme brun sortir de Billy's Tavern, j'oubliai tous mes soucis de camouflage. Je voulais des réponses. Maintenant.

Car juste devant moi, au beau milieu du trottoir, marchant d'un pas tranquille sous le soleil de midi, c'est mon père que j'avais vu. Une version très jeune de mon père. Plus jeune que je ne l'avais jamais connu dans la vraie vie.

Je marchai le plus discrètement possible, trottinant derrière lui pour suivre le rythme de son pas volontaire. Il savait où il allait. Il n'avait rien d'un voyageur temporel égaré. Ou bien si ? Il portait un vieux veston bleu marine élimé sur un pantalon habillé kaki et des souliers vernis noirs. Il avait les cheveux coiffés avec la raie sur le côté.

Trois rues plus loin, il tourna dans une ruelle entre deux bâtiments, ralentit un peu et fit soudain volte-face en dégainant une arme qu'il braqua sur moi.

– Haut les mains !

Je m'exécutai, encore sous le choc de voir son visage de si près.

– Attendez...

– Pourquoi me suivez-vous ? demanda-t-il en se rapprochant.

Il me regarda de près et son visage trahit une certaine surprise.

– Mais qui êtes-vous, bon sang ? dit-il en rengainant aussitôt.

– Euh... Jackson.

– Désolé, mais vous ne devriez pas faire peur aux gens comme ça, dit-il, l'air un peu paniqué, avant de tapoter l'arrière de son pantalon, où il avait rangé son arme. Il n'est même pas chargé, alors n'allez pas appeler la rousse.

*Ça veut dire quoi, ça ?*

– Euh, non, promis.

– Si vous faisiez mon boulot, vous n'agiriez pas autrement. L'expression « ne tirez pas sur le pianiste » ne semble pas très connue. J'ai des types qui me cherchent des noises tous les jours, et je ne peux pas rester là sans défense.

– Vous êtes bien Kevin ? articulai-je. Kevin Meyer ?

– Je vous connais ? demanda-t-il d'un ton suspicieux.

– Euh… peut-être, oui.

Puis je me souvins que tout cela n'avait aucune importance puisqu'il s'agissait d'un demi-saut. Quant à moi, j'avais besoin de savoir comment il avait atterri là.

– En fait, je vous connais peut-être, mais on ne s'est pas encore rencontrés.

– Oh ! la poisse ! s'exclama-t-il en portant les mains à son visage. C'est pas vrai que ça recommence. Et Melvin qui n'est jamais dans les parages quand ces chinoiseries se produisent !

– Le docteur Melvin ?

Papa éclata de rire, même s'il semblait plus paniqué et aux abois que moi.

– « Docteur » ne convient pas, non. Vu qu'il n'a que dix-sept ans, il n'a pas commencé ses études de médecine.

Il était possible que ce soit notre docteur Melvin, les dates coïncidaient à peu près.

– Il vous étudie ? Il vous aide à voyager dans le temps ? De quelle année venez-vous ?

– C'est pour ça que je passe mon temps à en rencontrer, des types comme vous ? enchaîna-t-il à voix basse, l'air médusé. Ils croient que je n'appartiens pas à ce monde ? Ils pensent que je me cache, comme Superman ?

– Est-ce que vous… dissimulez vos capacités ?

– Non, je n'ai pas la capacité de voyager dans le temps. Je ne sais pas pourquoi, mais je le croyais.

– Alors, vous avez été déplacé… L'un d'entre eux vous a entraîné ici et…

– L'un d'entre eux ? Pourquoi pas vous ou ceux comme vous ?

Question digne d'un interrogatoire professionnel. *A-t-il suivi un entraînement ?*

– Nous ne travaillons pas tous pour le même camp… du moins, c'est ce que je crois.

– Je n'ai pas été amené, ni rien, dit-il, sur la défensive. Si c'est pour ça que je passe mon temps à me retrouver coincé dans des ruelles sombres par des gens qui viennent du futur, alors vous pourriez peut-être leur faire passer un message : je vis ici. Je n'ai aucune information sur aucun événement du futur. Point final.

– Vous vivez ici maintenant… c'est-à-dire que vous préférez rester ici que retourner d'où vous venez ?

– Mais c'est pas vrai ! explosa-t-il en levant les mains au ciel. Cela ne cessera donc jamais ? Je vis ici ! insista-t-il. Je peux vous emmener chez ma mère, elle habite la maison qui était celle de sa mère. Nous avons des papiers… Ça, c'est la veste de mon père. Il est mort pendant la Seconde Guerre mondiale… Mon jeune frère Gabe est à la maison. On a le même groupe sanguin, vous n'avez qu'à nous faire passer des tests. Tout pourvu que ça cesse !

*Ô mon Dieu !* Il l'avait dit... à Eileen, en 1992... et je n'avais pas compris... je n'avais pas capté le message.

« *Quand je m'allonge ici et que je ferme les yeux, j'ai presque l'impression que je pourrais être n'importe où.*

*– N'importe où ? Quarante ans dans le passé, par exemple ? »*

Je n'avais jamais entendu mon cœur battre si vite. Jamais.

– Donc, vous êtes né en...

– 1934.

Je me collai au mur derrière moi, histoire de ne pas tomber à la renverse. Il n'avait pas été amené ici par un EDT ni par un autre voyageur temporel. Il avait été emmené d'ici jusque dans le futur... dans les années 1990, sans doute. Je portai la main à ma poitrine car je suffoquais. Il n'avait aucun parent proche vivant... personne... Juste une chambre secrète avec des choses qui lui rappelaient l'époque qu'il avait quittée. Frank Sinatra, le tourne-disque, les vieux livres...

Il appartenait à ce monde-ci. À cette année-ci.

– Oh ! là là !... Mais comment... J'ai juste...

– Alors, vous me croyez ?

– Faites-vous... Appartenez-vous déjà à la CIA ? Et d'ailleurs, est-ce que la CIA existait en 1952 ?

Il regarda à droite et à gauche pour être sûr qu'aucun passant ne pouvait nous entendre.

– Je suis toujours à l'entraînement. Et je ne sais pas comment vous avez obtenu cette information, mais je vous jure que je saurai vous retrouver si elle se répand.

Je le dévisageai et réussis enfin à reprendre mon souffle.

– Donc, vous faisiez déjà ce boulot avant que tout commence. C'est logique, vu que Melvin a dit que vous étiez entré au mérite.

– Je suis une formation aux services secrets depuis que j'ai douze ans. Dans un petit pensionnat à Washington qui s'appelle la Dunston Academy. Vous en avez déjà entendu parler ?

Je secouai la tête et il poursuivit, apparemment très fier de détenir une information dont je ne disposais pas déjà.

– Les élèves sont sélectionnés en primaire dans tout le pays. Évidemment, le côté boîte privée élitiste n'est qu'une couverture. On va sur le terrain dès la deuxième année et, le temps qu'on termine le lycée, on a tous fait des missions internationales et suivi des cours de niveau fac... En six ans, on apprend à maîtriser huit langues vivantes. Mon père a fait Dunston, lui aussi. Je n'ai appris ce qu'il faisait et ce que l'école représentait que deux ans après sa mort, quand j'ai été sélectionné et qu'on m'a attribué son ancienne chambre à l'internat. Enfin, à partager avec Melvin...

Je ne pouvais que le regarder d'un air ahuri. Mon père... peut-être plus jeune que moi de quelques mois... et pourtant il était déjà extraordinaire. Un vrai agent secret... et son père avant lui...

– Attendez, vous me dites que votre père est mort quand vous n'étiez qu'un enfant ?

– J'avais dix ans. Il est mort en France, en combattant Hitler... du moins c'est ce qu'on m'a raconté, dit-il d'un ton amer en s'appuyant lui aussi contre le mur.

– Je suis désolé... Et vous avez un frère, alors ?

– Gabe. Il a quatre ans de moins que moi.

Il sortit une cigarette de sa poche de chemise et me l'offrit. Je fis non de la tête et le regardai allumer sa cigarette avec une boîte d'allumettes siglée Billy's Tavern, puis tirer une longue bouffée. Jamais de ma vie je n'avais vu mon père fumer.

– Bon, alors, c'était qui, ces autres types... ceux qui sont venus vous voir avant moi ?

Il fit tomber sa cendre sur le gravier sans me regarder.

– Un homme qui vous ressemblait un peu... une jolie petite fille rousse...

– Les yeux bleus ou verts ?

– Bleus. J'ai supposé qu'elle était un peu spéciale... enfin, timbrée... mais maintenant je n'en suis plus si sûr, avoua-t-il avant de tirer une nouvelle bouffée. Et un grand homme de couleur... un chauve.

– Marshall.

– Il ne m'a pas dit son nom, fit-il avant de reposer les yeux sur moi. En fait, vous êtes le premier à me fournir un nom... et vous semblez beaucoup plus surpris de me voir que tous les autres. J'ai le sentiment qu'ils avaient déjà eu la même conversation avec moi des dizaines de fois.

– Que voulaient-ils ?

Il lâcha la cigarette sur le gravier et l'écrasa de son soulier noir.

– Me remmener... d'où j'étais venu.

– Mais vous venez d'ici, dis-je, comprenant son agacement, car il avait peut-être commencé à mettre en doute sa propre histoire.

– Eh oui... Tout a débuté quand j'ai trouvé des photos du Russe et de sa famille. Je suis prêt à jurer sur toutes les bibles de cette ville qu'elles dataient d'il y a vingt ans, mais ce Russe était là, chez Billy, à boire un verre, et il n'avait pas pris une ride. Melvin est soi-disant un génie des sciences, alors... ajouta-t-il avant de me regarder d'un air désespéré. Si je n'avais pas découvert ça, ils ne seraient pas sur mon dos, c'est ça ? J'ai déclenché quelque chose que je n'ai jamais eu l'intention de déclencher, et maintenant je me retrouve coincé. Et à qui donc vais-je aller raconter ça ? Je me ferais embarquer à l'asile en moins de temps qu'il n'en faut pour dire Eisenhower.

*Ça, pour te faire embarquer quelque part, tu vas te faire embarquer, oui.* Je me sentais disparaître. J'étais si loin dans le passé que je n'allais pas pouvoir rester très longtemps.

– Il faut que je parte.

– Quoi ? Pourquoi ? demanda-t-il en regardant de nouveau à droite et à gauche.

Je baissai les yeux vers mes mains, dont la transparence me fit tourner la tête.

– Ce n'est pas par choix... Mais je vous reverrai, c'est sûr.

Englouti par les ténèbres, je laissai Papa seul dans la ruelle. Fumant sa cigarette. En 1952.

# CHAPITRE VINGT-SEPT

Mon front en sueur reposait sur une table. Le jour, l'heure, l'année me revinrent lentement à l'esprit. Mon téléphone vibra de nouveau dans ma poche. Je l'y cherchai à tâtons sans même essayer de relever la tête. L'écran éclairé me fit prendre conscience par contraste que je me trouvais dans le noir, comme si on avait éteint les lumières dans la bibliothèque. J'aurais dû aller dans un lieu plus sûr pour effectuer ce demi-saut, sachant que je laisserais mon corps en 2009, incapable de se défendre. *Pauvre andouille !*

Je dus cligner des yeux plusieurs fois avant d'arriver à lire le texto. Une adresse. Un vieil immeuble d'habitation à quelques rues de là.

– Je le savais ! Je l'ai su dès que je vous ai vus tous les deux au bal de Healy. Les agents doubles ne font jamais illusion très longtemps. Elle aurait dû s'en douter.

Mon cœur battit à tout rompre, la poussée d'adrénaline me donnant enfin la force de lever la tête. L'agent Carter se tenait à quelques mètres de nous, l'arme au poing.

*Euh... l'agent Carter ?*

– Tu croyais que ton petit coup de seringue allait suffire ? lança-t-il avec un mauvais sourire qui luisait dans la pénombre. T'es bien comme Flynn... T'as pas les couilles d'aller jusqu'au sang.

Je constatai que Holly était toujours endormie près de moi, mais qu'elle commençait à bouger la tête. Mon regard glissa vers le sol, à quelques mètres de moi.

Je bondis de ma chaise et me précipitai vers le corps qui gisait sur la moquette.

– Freeman !

*Qu'est-ce qu'il fout là ?*

Une immense vague de nausée et de chagrin me submergea. Il avait les yeux ouverts. *Ouverts !* Combien de temps avais-je été absent lors de mon demi-saut ? Cela ne pouvait pas avoir duré plus de deux minutes ?

*Ô mon Dieu, non ! Pas Freeman.*

– Carter, qu'est-ce qui se passe ? Et pourquoi il fait tout noir ?

J'accordai à peine un regard à Holly, qui se redressait sur son siège en essayant d'accoutumer ses yeux à la pénombre.

– À toi de me le dire, Flynn. Ça fait combien de temps que tu travailles pour Tempest ? siffla Carter en se rapprochant d'elle.

– Je ne... Je ne suis pas... balbutia-t-elle, les yeux tout ronds.

– C'est une question rhétorique. Je connais déjà la réponse.

– Pauvre imbécile ! Tu ne penses donc qu'à ça ? Non mais, vraiment !

J'essayai désespérément de trouver un plan pour nous sortir de ce mauvais pas, mais trop de choses se bousculaient dans ma tête : mon père aurait dû être aujourd'hui aussi vieux que le docteur Melvin… Freeman gisait, mort, à mes pieds… et puis, qui m'avait envoyé le texto avec l'adresse ? Papa ou Marshall étaient-ils revenus ? Viendraient-ils me chercher si je ne me rendais pas là-bas ? Sans parler de mon voyage dans le temps qui me mettait à plat, une fois de plus.

Je me concentrai sur le visage de Holly, qui avait l'air paniquée malgré le fiel de ses derniers propos. *Joue ton rôle*, m'avait dit Stewart. C'est ce que je fis.

– L'imbécile dans cette pièce, ce n'est pas l'agent Carter, dis-je à Holly, qui se leva d'un bond, dégaina son arme et la pointa sur moi, exactement comme je l'avais prévu.

– Dis-lui, dis-lui que je ne travaille pas pour Tempest !

– Elle ne travaille pas pour Tempest, répétai-je à Carter.

– Ah, ouais ? ironisa-t-il.

– Réfléchissez un peu, agent Carter, dis-je en me rapprochant de Holly, qui releva le canon de son arme en serrant les dents. Quelques situations savamment orchestrées, et j'ai réussi à retourner un service contre un de ses agents. Sans rien avoir à faire, en plus ! Pas de nettoyage derrière, pas de corps à cacher ou d'histoires de couverture à inventer.

– Mais quel menteur ! accusa Holly, stupéfaite.

– Donc, tu es vraiment un agent double ? lui demanda Carter.

– Non !

– Alors descends-le. Tue-le, et cette conversation est terminée.

Le sang me battait si fort dans les tempes que j'entendais Carter de très loin. Je ne savais pas ce qui m'effrayait le plus : que Holly me tire dessus ou qu'elle ne me tire pas dessus.

– Allez, Flynn ! répéta Carter. Si tu travailles pour Tempest, ils te tueront si tu dégommes leur précieux agent Meyer. Mais si tu le fais… je dirai que c'était moi.

Holly riva ses yeux dans les miens et me communiqua toute sa haine. Elle baissa légèrement son arme pour viser mon genou.

– Pas la jambe, Flynn, dit Carter. La tête ou le torse, tu as le choix.

Holly prit une profonde inspiration en tapotant la détente du doigt. L'adrénaline qui pulsait dans mes veines me donna l'énergie d'agir. Je plongeai vers elle et la plaquai aux genoux. Un coup de feu retentit. Je tombai au sol avec elle, et la balle perdue brisa une lampe près de nous. Je lui arrachai l'arme des mains, me relevai et reculai en la mettant en joue.

Le rire de Carter déchira le silence qui régnait depuis le coup de feu.

– Qu'est-ce qu'on s'amuse ! Vous ne faites pas un otage terrible, agent Meyer. Vous croyez qu'on ne peut pas se permettre de perdre un stagiaire ou deux… ou douze, d'ailleurs ?

– Ce n'est peut-être pas à vous que revient cette décision, lui dis-je, histoire de lui rappeler que j'étais moi aussi armé, à présent.

Il rit de plus belle en secouant la tête, tout en se rapprochant de Holly sans me prêter attention.

– Et moi qui m'étais laissé impressionner, Flynn : la bimbo de Collins avait acquis certaines capacités. Mais hélas ! c'est tout simplement faux. Tu ne vaux rien, Flynn. Rien du tout. Et en plus, t'es une fille facile... très facile.

– Pauvre con ! l'insulta Holly en le fusillant du regard.

Elle semblait furieuse, mais en même temps elle tremblait. Une peur nouvelle l'avait submergée quand Carter avait prononcé le mot « facile ».

– Tu sais, le petit jeu auquel on joue dans notre service ? la titilla Carter. Le système à points ?

– Arrête ton cinéma, Carter. Je connais le système à points... Et je sais ce que tu vas me dire. Alors, qu'est-ce qui rapporte le plus ? Démasquer un agent double ou tuer une stagiaire défaillante ?

– Tu sais ce qui m'a valu le plus de points jusqu'ici ? demanda-t-il avec un sourire pervers. Me taper une espionne vierge. Apparemment, c'est le top du top... Je n'ai jamais récolté autant de points si facilement.

Holly blêmit et je virai rouge pivoine en récapitulant toutes les déclarations de Carter. *Ce n'était pas Brian...* Elle n'avait jamais dit qu'ils étaient ensemble, c'est juste moi qui l'avais supposé.

– *Pauvre Flynn, ton meilleur ami est mort... tu as besoin d'une épaule pour pleurer... et pourquoi pas quelques verres, aussi ?* surjoua-t-il en tendant la main pour lui toucher les cheveux, sauf qu'elle recula. Ça n'aurait pas pu être plus facile. Et je crois que je vais choisir de tuer l'agent double, en fait... Juste pour consolider ma première place au classement.

Ma fureur anéantit toutes les appréhensions que j'aurais pu avoir. *Il va la tuer.* La décision fut à la fois compliquée et simple. En une fraction de seconde, l'arme que j'avais volée à Holly n'était plus braquée sur elle, mais tirait dans la poitrine de l'agent Carter, qui s'effondra instantanément, une expression de perplexité sur le visage. Il ne m'en avait pas cru capable. *Il avait étudié mon dossier.*

Les bras, les jambes... j'avais tout qui tremblait. Holly poussa un cri, puis leva les yeux vers moi avec une expression horrifiée que je n'oublierais sans doute jamais.

Jamais.

*Joue ton rôle, sinon quelqu'un d'autre aura les mêmes soupçons que l'agent Carter.* Je m'emparai d'elle et lui collai l'arme sur la tempe, presque soulagé que le meurtre de l'agent Carter et la mort de Freeman m'aient mis en état de choc et d'insensibilité. Je ne savais pas si quelqu'un d'autre rôdait dans les parages à guetter un signe de compassion de ma part pour Holly, ce qui leur dicterait la conduite à adopter envers elle. Je ne voulais pas provoquer ça, même si je détestais l'idée de passer pour le méchant.

– On sort d'ici, et si tu essaies de t'enfuir, je te retrouverai. J'ai des méthodes de traque que tu ne pourras jamais déjouer.

Cette fois-ci, pas de larmes ni de rage chez Holly. Rien. Elle marcha lentement, à un ou deux pas devant moi, tandis que je visais son dos, mais assez bas pour que personne ne le voie quand nous sortirions.

– Où tu m'emmènes ?

Je ne lui répondis pas, parce que je n'en avais pas la moindre idée. Je lui attrapai le haut du bras pour la diriger vers l'adresse indiquée par mon téléphone.

Une fois dehors dans la chaleur nocturne, je continuai à jouer mon rôle d'agent, comme Holly d'ailleurs, regardant partout, analysant notre environnement. Je hâtai le pas, l'obligeant elle aussi à avancer plus vite en heurtant ses talons du bout de mes chaussures. Quand j'atteignis l'entrée de service du vieux bâtiment, je resserrai ma prise sur elle et reposai le canon de l'arme contre sa tempe. La porte étant légèrement fissurée, je l'ouvris d'un coup de pied, ne voulant pas donner à Holly une occasion de s'échapper si j'avais utilisé mes mains.

J'entrai avec elle dans un vestibule presque enténébré. Le parquet sale et abîmé, fendillé et écaillé, craqua sous notre poids. L'odeur de renfermé était si violente que je dus respirer par la bouche. Mon épaule frôla le mur, et je sentis qu'une affiche accrochée là commençait à se décoller. Je m'arrêtai pour la regarder, et je faillis lâcher mon arme en voyant la photo d'une personne multipliée à l'infini sur le mur.

C'était moi... et moi.

Sur la première photo, je marchais dans la 92e Rue en jean et polo bleu à manches longues. Je lâchai le bras de Holly pour coller mon nez au mur. La photo suivante me représentait le même jour, mais deux pas plus loin... et juste derrière moi, regardant dans l'autre sens, un autre moi... qui avait le bras en écharpe, un hématome sur la joue et une déchirure dans son jean parce qu'il s'était bagarré sur le toit d'un hôtel à Martha's Vineyard.

Il s'agissait des photos de surveillance du 15 mars 2009. Celles de la caméra installée au coin de la rue. Celles qu'Adam m'avait conseillé de chercher. Celles qui avaient mystérieusement disparu.

Et c'était là, clair comme de l'eau de roche. La preuve que j'avais réussi un saut à la Thomas. Deux versions de moi sur la même photo... Mais alors, que lui était-il arrivé, à lui... à moi... à l'autre moi ?

Je repérai la cellule à l'autre bout du vestibule avant de distinguer ce qu'il y avait à l'intérieur. Des barreaux en métal rouillé du sol au plafond. Je plissai les yeux pour mieux distinguer la silhouette recroquevillée dans le coin.

– Ô mon Dieu ! murmura Holly. C'est bien...

– C'est pas possible ! m'exclamai-je, incrédule, les bras ballants.

Un moi hagard, crasseux, barbu et hirsute se blottissait dans un coin, la tête appuyée contre le mur, les yeux fermés, les genoux relevés contre la poitrine.

Le Monde C n'existait pas. Eileen avait vu juste. J'avais vraiment effacé Holly 009 et mon autre moi de façon définitive. Une nouvelle espèce de chagrin me submergea. Pendant tout ce temps, j'avais nourri le vague espoir de pouvoir retourner un jour dans le Monde A. Même si cela ne devait pas se faire, je voulais avoir ce choix, et pourtant une partie de moi savait certainement que j'hésiterais à y retourner, à rompre la promesse que je m'étais faite. *Et me voilà, toujours dans le Monde A, pas dans le Monde C. Sauf que le Monde A que je connaissais et que j'ai quitté a disparu à tout jamais.*

Je ne pouvais pas détacher mes yeux de mon avatar, même lorsque j'entendis des bruits de pas derrière moi.

Mais une partie de mon cerveau se souvint de ma couverture, de mon plan. Je m'emparai vivement de Holly pour qu'elle ne puisse pas s'enfuir ni être prise en otage par quelqu'un d'autre.

– Alors, l'agent Freeman a fini par vous mener jusqu'ici ?

Healy... C'était Healy derrière moi, et je n'arrivais toujours pas à me retourner.

– Comment... je veux dire... qui ?

J'avais la bouche tellement sèche que j'avais du mal à parler.

– Comment se fait-il qu'il y ait deux versions de vous ? Et que ce ne soit pas un demi-saut ? compléta Healy en se plaçant près de moi.

Une faible ampoule s'alluma au-dessus de nos têtes. L'autre moi emprisonné remua un peu, son front se plissa à cause de la lumière, mais il ne se réveilla pas.

– Vous pouvez la relâcher, me dit Healy. Elle travaille pour nous.

Je m'arrachai à la contemplation de l'autre moi pour me retourner, et Holly avec moi.

– Pour nous ?

– Oui, nous.

Oh ! merde... Je jetai un coup d'œil à Holly, qui paraissait un peu soulagée de voir Healy.

– Calmez-vous, Jackson. Je sais ce que vous pensez.

– Que je suis foutu.

– Ah, ça, ça dépend de vous. Dites-moi comment il se fait que vous soyez ici devant moi et là-bas à l'intérieur de la cellule.

Mes jambes se remirent à trembler alors que j'absorbais l'impact de ses mots et des photos. *Un saut complet...* Healy hocha la tête comme s'il pouvait lire mes pensées.

– Oui, c'est ça. Le 15 mars 2009, vous avez atterri ici en provenance de quelques mois auparavant et vous avez cru que vous aviez créé une nouvelle ligne temporelle. Mais dites-moi, Jackson, quand vous avez quitté la date du 16 août 2009, quel était votre objectif ? Qu'aviez-vous l'impression de devoir faire ?

*D'effacer l'existence de Holly et la mienne.* Mais je ne le dis pas à haute voix. Je desserrai mon emprise sur le bras de Holly, mais continuai de plaquer mon arme contre son flanc.

– Pas besoin de me le dire, je le sais déjà, poursuivit Healy. On l'a su à la seconde où vous êtes arrivé, et là on a dû se dépêcher de cacher l'autre version de vous.

En temps normal, j'aurais interprété ce « on » comme désignant Tempest, mais là, je n'en étais plus si sûr. Maintenant que le docteur Melvin était mort et que Papa et Marshall manquaient étrangement à l'appel...

– Pourquoi vous ne me l'avez pas dit, tout simplement ? J'aurais pu repartir, si les choses n'étaient pas censées se dérouler comme ça.

Le regard de Holly passait de l'un à l'autre comme pour dire : *Qu'est-ce que vous racontez, tous les deux ?*

– Vous n'auriez pas pu repartir, fit Healy en secouant la tête. Nous voulions mettre la main sur le gamin qui pouvait réellement voyager dans le temps, mais vous n'étiez pas prêt à recevoir cette information, pas d'un seul coup, en tout cas.

Holly poussa un petit cri. Savait-elle quelque chose, ou bien venait-elle d'assembler les pièces du puzzle ?

– Alors le docteur Melvin, Marshall, mon père et vous, vous saviez que je pouvais réussir des sauts à la Thomas, des sauts complets ? demandai-je, pris d'une furieuse envie de pointer mon arme sur lui.

Il claqua des doigts, et un agent Eyewall que je reconnus pour l'avoir vu au bal fit son apparition.

– Emmenez l'agent Flynn dans l'autre pièce. Ça fait assez longtemps comme ça qu'elle a une arme pointée sur elle… qu'elle a été dupée par l'agent Meyer… manipulée.

L'homme entraîna Holly sans que je lui oppose aucune résistance, en raison du regard meurtrier qu'elle m'adressa. Il lui fit emprunter un couloir en lui demandant si elle allait bien. Healy reprit la parole à la seconde où ils eurent disparu.

– Le premier soir où je vous ai parlé, j'ai compris que vous ne prendriez pas le risque d'effectuer un voyage temporel dans le cadre professionnel. Vous avez toujours été un enfant têtu, égocentrique et irrationnel. Mais l'entraînement vous avait changé… ce qui aurait pu être utile à notre agence…

– Ah oui ? Et de quelle agence s'agit-il ?

Ma colère montait. Je sentais la tension croître entre nous, la menace de quelque chose de pire encore.

Healy me tourna le dos et passa la main le long du mur sous les photos, me laissant dans l'expectative. J'avais une arme à la main, mais aucun soutien. J'enfonçai vivement mon autre main dans ma poche et appuyai sur la touche d'appel rapide, en espérant que Stewart devinerait où j'étais en entendant la conversation.

– Il n'y a pas de Tempest, Jackson. Pas dans le futur, en tout cas, ajouta Healy en se retournant d'un bloc. J'ai repris ce service et je l'utilise comme moyen de tester les capacités de nos agents dans des circonstances extrêmes. Par exemple, on a testé votre père... sa stabilité émotionnelle quand il s'agissait de servir l'État. Il a choisi votre sœur avant son travail... et avant vous. Et sur un coup de tête... quelque chose d'irrationnel et de douteux... juste comme ça... il s'est laissé acheter.

– Où est-il ? demandai-je en serrant les dents.

– Exactement où je l'ai dit... dans l'avenir... à travailler pour Eyewall, lâcha Healy en se rapprochant de moi. Nous ne savons absolument pas ce que nous allons faire de vous, mon garçon. Tant de pouvoirs, tant de capacités, mais vous avez violé toutes les règles. Vous avez menti. Vous vous êtes retourné contre vos propres agents. Et vous vous en fichez complètement, pas vrai ? Toutes ces personnes auxquelles vous avez fait du mal, les dommages à un avenir que vous seul pouviez sauver... tout ça, vous vous en foutez !

– Il y a beaucoup de choses dont je ne me fous pas, rétorquai-je en serrant le poing.

– C'est vrai, et je les ai toutes utilisées sur vous, pour vous obliger à vous entraîner, à affiner vos capacités pour pouvoir les utiliser librement. Quand j'ai découvert vos liens avec Holly Flynn et Adam Silverman, j'ai modifié leurs vies, car j'étais certain que vous prendriez conscience du pouvoir que donne le voyage dans le temps.

– Vous... vous avez fait ça ? dis-je en laissant retomber le bras qui tenait l'arme. C'est vous qui avez fait entrer Holly et Adam à la CIA ?

– J'ai un partenaire qui procède aux altérations pour moi... C'est un poste que j'avais espéré vous confier, au bout du compte.

– Thomas ! murmurai-je.

– Non, Jackson, pas Thomas.

Healy se rapprocha encore, ses cheveux gris et son petit pull sans manches contrastant avec la puissance impressionnante qu'il dégageait.

– Pourquoi ne l'avez-vous pas fait ? me demanda-t-il. Après la mort de Mason ? Un petit saut complet et vous auriez pu le sauver. J'étais sûr que vous alliez le faire. Ensuite, j'ai envoyé l'agent Flynn fouiller chez vous... pour qu'elle vous apprenne la mort d'Adam et qu'elle vous déteste à cause de ça... Et malgré tout, vous n'avez pas changé le passé.

Je me tenais la poitrine d'une main. La sueur dégoulinait le long de mon front et sur mon bras, faisant glisser mon doigt sur la détente.

– Vous avez fait... tout ça ?

– Oui, dit-il d'un ton ferme. Et je continuerai à le faire jusqu'à ce que vous compreniez quelle est votre responsabilité envers notre monde, ajouta-t-il, puis son expression sévère se fit consternée en deux secondes chrono. Vous ne comprenez rien à rien, alors ? Les lignes temporelles... ce qui vous inquiète depuis le début... Vous avez créé un univers parallèle... Une seule autre ligne temporelle. Point final. C'est tout. Pour tout le monde. Aucun des autres n'y arrive, et vous n'y arriverez sans doute jamais plus. Vous pouvez vous rendre dans cette autre ligne temporelle, mais c'est juste un univers parallèle. Le pouvoir de tout changer est entre vos mains, mais vous n'avez aucun désir de suivre un ordre ou quoi que ce soit qui y ressemble.

J'avais l'impression de sombrer dans des sables mouvants, dans un monde sans oxygène. Eileen avait dit vrai, concernant l'autre ligne temporelle : elle m'avait ménagé une issue de secours.

– Attendez... Qui m'a envoyé tous les trucs... le journal intime ? Vous avez dit que j'avais effacé ce passé.

– C'est moi aussi. Votre père l'avait conservé sur sa clé USB du futur, nous l'avons reproduit à l'identique. L'écriture de Holly, tout.

– C'est vous qui avez tué le docteur Melvin ?

Sa réaction fulgurante me prit complètement par surprise. En deux temps trois mouvements, il m'avait agrippé par le devant de mon T-shirt, plaqué contre les barreaux en métal et appuyé l'arme de Holly contre la tête.

– Vous avez écouté ce que je viens de vous dire, mon garçon ? Je suis allé dans le futur... je viens du futur... et si vous ne vous contrôlez pas, ce futur va tomber en ruines... littéralement.

– Je l'ai vu, dis-je en le regardant droit dans les yeux. J'ai tout vu... Emily...

Il me rendit mon regard, et sa colère se mua en désespoir.

– Je suis en train d'essayer d'arranger ça, Jackson. Et vous ne faites rien pour m'aider. Vous êtes censé aider. L'agent Kendrick est censée aider.

– Aider à faire quoi ?

Jamais je ne m'étais senti si perdu et si perplexe de toute ma vie.

– Votre père, dit-il d'une voix rauque. Nous avons besoin de lui... Il faut que quelqu'un aille le récupérer. Il a été capturé... kidnappé...

L'arme tomba au sol avec un bruit métallique et Healy s'éloigna de moi d'un pas chancelant. Je n'arrivais pas à suivre ses rapides changements d'humeur. Il semblait sous l'emprise d'un sort dont il essaierait de se dégager.

– Pourquoi mon autre moi est-il là ? demandai-je en le montrant du doigt. Pourquoi le gardez-vous enfermé ?

– Pour vous le montrer, répondit-il, le front soudain tout ridé. Et si vous ne m'aidez pas, les EDT vont l'utiliser pour répondre à une question.

– Quoi ?

Les EDT, Tempest, Eyewall... qui faisait partie de quoi et que fabriquaient-ils tous ?

Healy tomba à genoux, l'air si affecté que je craignis qu'il ne soit en train de faire une crise cardiaque.

– Une théorie sur le paradoxe temporel que nous n'avons pas encore testée.

La réponse s'imposa à moi avec force.

– Ils vont lui tirer dessus et voir si je reste vivant alors que le moi plus jeune est mort.

– Oui, fit Healy, les yeux ronds comme des balles de golf. Et ils vont arriver. Tout de suite. Les autres membres d'Eyewall. Ils ne savent pas tout, mais ils savent qu'ils doivent tuer le prisonnier.

*Il est fou ! Non, il me manipule... c'est un piège. Mais pourquoi ?*

– Qu'est-ce qui ne va pas, chez vous ? demandai-je en donnant un coup de pied dans une de ses jambes pour essayer de le faire revenir à la réalité.

Il leva la main pour toucher quelque chose derrière son oreille et afficha une expression d'horreur absolue, à tel point que je me baissai pour regarder. Un cercle en argent brillant de la taille d'une pièce de monnaie semblait implanté sous sa peau.

– Ils m'ont eu... murmura-t-il. Contrôle mental...

– Contrôle mental ?

Ces gens qui se baladaient dans le futur parfait sans que rien de mauvais n'arrive jamais... Quelqu'un contrôlait leur esprit ? J'avais la tête qui tournait, car tout cela dépassait mon entendement. Et pourtant, je me retrouvai à genoux près de Healy et le laissai s'agripper de nouveau à mon T-shirt.

– Vous devez aller le chercher... Ils arrivent. Maintenant !

– Je ne peux pas faire un saut dans le futur ! protestai-je d'un ton désespéré. Je ne sais même pas en quelle année il est !

– La fille sait.

– Holly ?

– Non, fit-il en fermant les yeux. La petite. Elle s'est échappée... Je ne sais pas comment... Je ne comprends pas...

– Oh, non ! Elle est ici ? Emily est ici ?

Sans attendre sa réponse, je me levai d'un bond et courus dans la direction qu'avait prise Holly. J'ouvris la première porte sur ma droite et entrai dans une salle de réunion vivement éclairée.

Le premier visage que je vis fut celui de Mason Sterling... *Mason ?* Il n'avait pas changé depuis la dernière fois où je l'avais vu. Je poussai un cri, puis découvris qui se tenait près de lui. J'en arrêtai de respirer, j'en oubliai ce que j'étais censé dire ou faire.

– Courtney ? Mais comment... ?

Elle semblait la même que ce jour-là dans Central Park. Quatorze ans, sans doute. Je me précipitai vers elle et lui posai les mains sur les épaules. Lors de notre précédente rencontre, elle poussait son dernier soupir et là... elle avait l'air bien vivante...

– Courtney... Je n'arrive pas à y croire...

– Oh ! purée, ça devient de plus en plus bizarre ! s'exclamat-elle en scrutant mon visage plus âgé que dans son souvenir.

– Jackson, je suis désolée... Je ne savais pas...

Je tournai la tête vers la petite voix suppliante et lacrymale. *Emily.* Petite et maigre, comme celle que j'avais quittée ce matin.

– Qu'est-ce que tu fais là ? demandai-je en m'agenouillant devant elle. On est quand, pour toi ?

– Le même jour, je crois. J'ai lu ton journal et j'ai pensé... et puis j'ai appris que tu étais là...

Le coffre-fort... nos empreintes digitales identiques... Emily y avait eu accès pendant que je me trouvais à la bibliothèque avec Holly. Elle devait avoir lu la liste de tout ce que j'aurais voulu arranger grâce à des sauts à la

Thomas... qu'elle était sans doute bien plus capable que moi de réussir.

— Putain ! s'exclama Mason en levant les bras au ciel. Je suis mort, c'est ça ? Oh, ça craint ! Ça craint grave ! Je le savais... à la seconde où tu m'as regardé comme si j'aurais dû être transparent et lumineux, je l'ai su. Même elle m'a regardé comme ça, dit-il en pointant du doigt derrière moi.

Je me tournai pour découvrir Holly dans un coin de la pièce.

— Où est le mec qui t'a amenée ici ?

— Oh ! non... Tu n'as pas le droit de m'interroger. Non mais franchement ! Qu'est-ce qui se passe, ici ?

— Il faut qu'on aille sauver mon père dans le futur, expliqua Courtney à Holly.

— Mais comment tu... ?

— Je lui ai dit qu'il avait disparu, et je crois qu'elle peut nous aider, intervint Emily avant de prendre un air effrayé. Jackson, je te jure que je ne savais pas où il était... Je ne t'aurais jamais caché ça.

— Bon, dis-je en me relevant lentement. Tu crois que Courtney et moi, ça fera trop, pour toi ? On va jusqu'à quelle année ?

— Pas loin de l'année d'où je viens, répondit-elle en se mordant la lèvre.

Je me rendis compte que Courtney était tout près de moi et qu'elle étudiait de nouveau mon visage.

— Ô mon Dieu ! s'écria-t-elle. Tu as l'air tellement différent... mais en même temps pas vraiment.

– Je n'arrive pas à croire que tu sois là, dis-je en posant les mains sur les siennes. Je suis allé te voir dans le passé, mais c'est différent. Ça n'a rien changé.

– Alors, je vais être tuée par qui, moi ? plaisanta-t-elle, mais sans pouvoir cacher le tremblement de sa voix. Allez, Jackson… Moi aussi, j'ai l'impression que tu as vu un fantôme.

Je la regardai sans pouvoir lui répondre. Elle finit par lever les yeux au ciel en haussant les épaules.

– Bon, laisse tomber. Je suis ici maintenant, comme lui, dit-elle en désignant Mason. Au moins, il n'y a pas d'autre version de nous-mêmes qui risque d'être emprisonnée.

Le chagrin et la panique s'emparèrent de moi. Courtney était la seule à ne pas savoir ce qu'il adviendrait d'elle. Tous les autres connaissaient son destin. Que lui avait raconté Emily, au juste ? Quelle histoire ! Qu'est-ce qui avait bien pu lui passer par la tête ?

– Oui, tu es ici maintenant, me contentai-je de répondre avant que l'urgence de la situation ne s'impose de nouveau à moi. Emily, tu crois qu'on peut y arriver ? Qu'on peut sauter si loin dans le futur sans mourir ?

Elle hocha sa petite tête, faisant osciller sa natte rousse. Kendrick ou Stewart avaient dû la coiffer… À cette pensée, je regrettai que mes partenaires ne soient pas là pour m'aider.

– Courtney en est capable, répondit Emily. Elle peut sauter. Je lui ai juste montré une fois comment faire et elle y est arrivée, sauf qu'elle ne peut pas aller…

– En arrière, termina Courtney.

*Le contraire de moi.*

– Hé, les mecs, si vous partez en mission de sauvetage, je veux en être, intervint Mason.

Du coin de l'œil, je vis Holly se déplacer discrètement vers la porte.

– Mason ! Arrête-la ! Elle travaille pour l'ennemi... pour Eyewall.

Mason sortit son arme et la braqua sur Holly.

– Parfait, parce que Healy a dit qu'ils allaient arriver, donc comme ça on a un otage, déclara-t-il.

– Tout juste, confirmai-je en évitant le regard de Holly.

Emily leva vers moi des yeux interrogateurs, mais ne posa pas de question.

– Mason peut nous aider, dit-elle. Il ira bien... Je sais qu'il peut le supporter.

– Et comment tu le sais ? lui demandai-je.

– Je suis déjà mort, mon pote. Ça ne peut pas être pire.

– Tu n'es pas mort, mais...

Je fus interrompu par l'irruption de plusieurs agents. Je les reconnaissais, pour la plupart, grâce à nos récentes données sur Eyewall.

– Flynn ? s'étonna l'un d'eux en voyant Holly.

Je l'attrapai par le bras et dégainai à mon tour. Un bras autour de son cou, l'autre main braquant mon arme sur sa tête, une fois de plus.

– N'avancez pas ! On a plein d'otages ! criai-je à l'un des agents.

Du coin de l'œil, je vis Mason se saisir de Courtney pour lui coller son pistolet sur la tempe. Elle poussa un cri très convaincant, sans doute parce qu'il était spontané,

Courtney n'ayant jamais eu le moindre contact avec une arme à feu.

– Des enfants innocents, renchérit Mason en désignant Emily.

Les six agents étaient armés. Nous n'avions qu'une seconde pour nous décider. Mason prit Emily sur un bras et se glissa derrière moi. Courtney posa la main sur mon épaule, et Emily s'accrocha à l'autre.

– Tu peux y arriver... murmura Emily. Elle ira très bien.

Holly... Emily ne me disait pas de l'abandonner, au contraire, elle voulait que je l'amène avec nous. Si je ne le faisais pas, ils la tueraient à la seconde où nous disparaîtrions.

Il fallait que je me débrouille pour éviter que cela n'affecte son esprit. Papa avait survécu à un voyage de quarante ans dans l'avenir, mais trois, deux, zéro, zéro, ça faisait bien plus que quarante ans.

– Ne tuez pas Meyer... ni la gamine, ordonna un homme à l'extérieur de la pièce.

C'est alors qu'il entra. Je fus surpris de reconnaître l'agent Collins, que je croyais enfermé dans un sous-sol.

– Ne tirez pas ! répéta-t-il.

– Collins ! s'écria Holly d'une voix pleine d'espoir.

Il plongea ses yeux dans les miens pour me faire passer un message. Quand je resserrai ma prise sur Holly, il m'adressa un infime hochement de tête, comme s'il me disait de l'emmener avec moi... ou me trompais-je ?

– L'agent Meyer retient en otage des personnes très précieuses, martela-t-il. Prenons le temps d'écouter ses revendications. Suivez tous le protocole qu'on vous a enseigné.

Il croisa de nouveau mon regard et me communiqua un sentiment d'urgence que ne reflétait pas sa voix.

– C'est le même endroit, murmura Emily, qui avait sans doute perçu le message de Collins. L'endroit où je t'ai déjà emmené... dans le futur.

Elle avait dû lire ça aussi dans mon journal. Putain de clone, avec ces empreintes identiques ! *Et putain, surtout pas cet endroit-là.* Je sentais Emily qui commençait à nous entraîner. Je sus qu'elle avait raison : je pouvais y arriver si je le voulais. J'avais toujours cru que je me concentrais sur la date ou l'heure, mais en fait, c'était sur les sens... odeur, toucher, poids communiqué par la distance... Je m'en souvenais parce que j'y étais déjà allé.

Mais il était également possible que nous y passions tous. Ce serait la dernière fois que je verrais jamais Holly, et je lui braquais un flingue sur la tempe.

D'un geste vif, je la fis se retourner et la serrai dans mes bras malgré sa résistance. J'enfouis mon visage dans ses cheveux pour humer son parfum, comme si notre proximité pouvait lui transférer certaines de mes capacités, l'aider à rester en vie.

– Je suis désolé, murmurai-je, la bouche collée à son oreille.

Puis tout vira au noir.

Quand je rouvris les yeux, je perçus vaguement que ceci n'était pas la réalité... cela ressemblait plus à un rêve. J'étais debout sur un trottoir, le bras en écharpe et très douloureux. Une seconde plus tard, le trottoir disparut et je me retrouvai sur le seuil de la maison de Holly. Avant que je puisse m'autoriser à réfléchir à la signification de cet endroit, de ce jour, la porte s'ouvrit en grand.

*Je rêve ou je suis mort ? Mort... quelle horreur.* C'était une possibilité bien concrète. Je levai les yeux et je la vis... *Holly.* Bronzée, un large sourire aux lèvres, les cheveux relâchés, portant une robe jaune.

*Qu'est-ce qui se passe ? C'est quoi, ça ?*

– Tu es en avance, remarqua-t-elle.

J'ouvris la bouche pour lui répondre, mais elle jeta les bras autour de mon cou en se hissant sur la pointe des pieds.

– Holly...

– Oh, pardon ! s'excusa-t-elle en se reculant vivement. Je suis désolée, je t'ai fait mal ?

Je me contentai de secouer la tête, puis elle me fit entrer dans son salon et referma la porte.

– Tu devrais t'asseoir, conseilla-t-elle en me dirigeant vers le canapé. Tous ces antidouleurs, ça doit te filer des vertiges.

– Oui, sans doute...

Elle vint s'installer près de moi et fit passer mon bras valide autour de ses épaules.

– Je suis si contente que tu sois venu. Ma mère flippe déjà à cause du week-end dernier, alors elle m'aurait tuée si j'avais essayé de quitter la maison.

Je levai le bras pour tâter mon épaule, d'où irradiait la douleur qui courait le long de mon bras.

– On m'a tiré dessus ?

Ce n'était assurément pas la réalité. Le portail vers ce monde-ci avait été effacé pour toujours.

Les yeux de Holly s'arrondirent et elle posa une main sur ma joue.

– Oui. Tu vas bien ? Tu as l'air complètement groggy. Tu as peut-être besoin de sommeil.

C'était comme le fantôme du Noël passé, chez Dickens : ma vie si je n'avais pas dit adieu à Holly.

Elle me dévisageait toujours, mais je lui fis un petit sourire qui suffit à la rassurer. Je lui caressai les cheveux, et elle se rapprocha de moi, plongeant ses yeux bleu clair dans les miens. Je lisais en elle comme dans un livre ouvert, car elle m'accordait une confiance totale.

Et là, elle m'embrassa.

Oublié, le bras en écharpe ! Ce fut la bouche de Holly sur la mienne, ses mains dans mes cheveux, sur mon visage.

C'était si bon… si merveilleusement parfait, j'en avais les larmes aux yeux. La mort… le paradis… l'enfer… un rêve… Je m'en fichais complètement. *Quoi que ce soit, j'achète !*

– Je t'aime, lui murmurai-je à l'oreille. Je t'aime… Je t'aime si fort.

Elle éclata de rire et se recula un peu pour me regarder.

– Ça devient plus facile si tu le répètes souvent ?

– Pas sûr, murmurai-je en fermant les yeux pour lui embrasser le cou. Je t'aime. Je t'…

– OK, OK, dit-elle en riant de plus belle. C'est bon, je te crois.

Je la dévisageai et me remis à l'embrasser... Lèvres, langue, dents, Holly... Ma Holly, exactement telle qu'en mon souvenir.

J'ouvris soudain les yeux et me figeai, ayant perçu une présence dans la pièce. La douleur revint dans mon bras et dans tout mon corps, et je faillis hurler en voyant qui se tenait debout derrière le canapé.

Moi.

Le moi hirsute et dérangé. Soudain, mes membres me parurent déconnectés de mon corps, comme si j'en avais perdu le contrôle, et je perçus ses mouvements à lui, ses intentions à lui.

– Non ! hurlai-je sans savoir si c'était pour moi ou pour l'autre.

Le pistolet sortit de nulle part, la balle fut crachée par le canon et atteignit Holly à toute vitesse. Le bruit assourdissant fit écho à mon hurlement.

Je sentis le corps de Holly s'affaler contre le mien. Le sang rouge s'écoulait sur sa robe jaune, la colorant en orange. L'autre moi lâcha son arme et regarda sa main comme si elle avait agi de son propre chef. Je me rendis alors compte que je faisais pareil, sans savoir lequel de nous deux avait commis ce geste.

# CHAPITRE VINGT-HUIT

– Jackson ! Hé ! Ho ! Secoue-toi !

Je reçus une gifle qui me fit me redresser d'un bond.

– Holly !

– Elle est là-bas, vieux, dit Mason.

Holly se trouvait en effet à deux mètres de moi, totalement paniquée. Je sautai sur mes pieds, courus vers elle, lui pris les bras et lui remontai les manches. Elle avait la peau très pâle, intacte. Elle se dégagea et tourna la tête, ce qui me permit de constater que ses oreilles ne saignaient pas. J'examinai ensuite Courtney, qui me regarda d'un air étonné mais ne me posa pas de questions.

– Je croyais que vous nagiez en plein délire quand vous parliez de voyages dans le temps, intervint Holly. Je croyais qu'Adam était siphonné… Mais là…

– Là, on est dans la station de métro en ruine, constatai-je en regardant autour de moi pour la première fois. Et les mutants sans visage sont là-haut, prêts à nous sauter dessus.

– Quoi ? s'horrifièrent Mason, Courtney et Holly.

– J'ai été dans les vapes pendant combien de temps ? demandai-je à Mason.

– Cinq minutes. C'est quoi cette histoire de mutants sans visage ?

– Emily, je pensais que mon père serait là et qu'on n'aurait qu'à le récupérer avant de repartir, lui dis-je en espérant qu'elle en savait plus que juste la date.

– Je crois savoir où il est… répondit-elle, un peu stressée.

– Allons-y, décida Courtney en indiquant les marches du doigt.

– Quoi donc ? ironisa Holly en me suivant. On ne me menace plus d'une arme, maintenant ?

Le contraste entre cette fille et celle dont je venais de rêver était saisissant. Le souvenir de ce qu'elle avait pu être pour moi avant rendait ce kidnapping encore plus difficile.

– Tu ne risques pas franchement de t'enfuir…

Je secouai la tête et me dirigeai vers l'escalier. Je venais de ressentir une douleur lancinante près des tempes, et je n'avais pas assez d'énergie pour me chamailler avec Holly ou continuer à jouer les ennemis.

Mason et Courtney furent les premiers à mettre le nez dehors. J'entendis leurs réactions avant de redécouvrir l'horrible cité détruite.

– Oh ! putain ! s'exclama Mason en tournant lentement sur lui-même.

– Quelle horreur ! marmonna Courtney. C'est… New York ?

La poussière volait dans les airs, comme dans mes souvenirs. Nous étions entourés de bâtiments en ruine ou à moitié intacts.

– Un Vortex, commenta Mason.

– Tu es au courant ? m'étonnai-je.

Il ne prit même pas la peine de me répondre, puisqu'il était évident que oui. Il avait sans doute eu accès aux mêmes données que Kendrick.

– On ferait mieux de partir, intervint Holly. Comment on est censés retrouver qui que ce soit ici ? Autant chercher une aiguille dans une botte de foin.

– Peut-être qu'elle a raison, Jackson ? me dit Courtney en me regardant, les yeux pleins de larmes. Et s'il n'y avait aucun moyen de ramener Papa... et si c'était déjà trop tard ?

Je toussotai et me serrai aussitôt les côtes, au niveau desquelles j'avais ressenti une vive douleur.

– Emily dit qu'elle saura... peut-être... où aller.

– Jackson, c'est qui, cette gamine ? C'est une voyante de génie ? Et pourquoi elle ressemble à ta sœur ? débita Mason en rafale, agitant son arme en tous sens, attendant l'attaque qui pouvait survenir à tout moment.

– Elle n'est pas voyante. Elle vient de cette année, expliquai-je avant de regarder Courtney, puis Holly. Et elle ressemble à ma sœur parce qu'on est... euh... des genres de jumeaux par l'ADN... un truc comme ça.

Courtney et Holly eurent l'air perplexe, mais Mason se retourna vivement et braqua son arme sur Emily et moi.

– Cette gosse est un clone de toi ? dit-il en regardant Courtney derrière lui, puis moi de nouveau. Et comment on sait que tu n'es pas un clone, toi aussi... et le vrai Jackson, ce serait celui qui est enfermé dans la cellule ?

J'avais de plus en plus mal à la tête. Je me massai le front du bout des doigts.

– Ça suffit, Mason. On n'a pas le temps pour ce genre de conneries.

Courtney croisa les bras, me regarda de près puis se rapprocha de Mason.

– Je ne sais même pas à quoi tu es censé ressembler à dix-neuf ans... Je n'ai pas de point de comparaison.

Holly se posta près de Courtney en même temps qu'Emily venait se coller à moi.

– J'aimerais vraiment qu'on ne m'ait pas piqué mon flingue, regretta Holly, qui me dévisageait avec encore plus d'intensité que Courtney.

Mason se baissa pour récupérer un pistolet caché sous son jean contre son mollet et le tendit à Holly.

– J'en ai toujours un de secours, au cas où, précisa-t-il.

– Merci, dit Holly en regardant l'arme, stupéfaite qu'un agent Tempest ait pu lui donner quelque chose d'utile. C'est le même que le mien, ajouta-t-elle en le retournant entre ses mains avant de le diriger vers moi.

– Euh, les gars... Je crois que vous perdez de vue le fait qu'on est peut-être votre seul ticket de retour, dis-je.

Emily tira sur mon T-shirt et, quand je baissai les yeux vers elle, je vis qu'elle indiquait du doigt le lointain : quatre monstres sans visage couraient vers nous. Mason, Holly et Courtney se retournèrent en même temps.

– Oh, merde ! gémit Holly.

– Qu'est-ce que c'est que ces trucs ? dit Mason.

– Aucune idée, mais on devrait peut-être courir, rétorqua Courtney.

Et notre petit groupe de s'enfuir à toutes jambes. Au bout d'un moment, je pris Emily dans les bras alors que nous accélérions le rythme.

– À droite ! cria-t-elle.

Nous surprenant l'un comme l'autre, Mason, qui était en tête de la troupe, obéit à ses instructions.

– Je décrète une trêve ! se justifia-t-il par-dessus son épaule.

La douleur atroce dans ma tête se propagea au reste de mon corps et courir me devint insupportable. Grâce à ses grandes jambes, Courtney dépassa Holly, ce qui me permit de trottiner à côté de cette dernière, ralenti par le poids d'Emily dans mes bras.

La ville d'apocalypse sembla se dissoudre, et une colline d'herbe vert-marron se dressa devant nous. De quel coin de New York s'agissait-il donc ? Un petit reste de Central Park ?

– On fait quoi ? demanda Mason.

– On va de l'autre côté de la colline, ordonna Emily.

À ce même instant, il se mit à pleuvoir des trombes. *C'est nous qui avons provoqué ça ?* Courtney poussa un hurlement strident qui me fit tourner la tête vers elle et bander tous mes muscles.

Les mutants sans visage... juste devant nous... au pied de la colline.

– Allez, on fonce ! criai-je à Mason.

L'un des hommes se jeta sur Courtney, mais elle disparut alors que je dégainais. Mon cœur se mit à battre à tout rompre. Je posai Emily par terre et regardai autour de moi sans comprendre.

– Qu'est-ce qui s'est passé ? dit Mason.

Aussi perplexes que nous, les mutants s'immobilisèrent. Et puis, pouf ! Courtney réapparut près de moi, en se serrant la poitrine et en respirant fort.

– Ô mon Dieu ! Ô mon Dieu ! répétait-elle.

Mason profita de cette diversion pour tirer sur le mutant le plus proche, qui s'effondra aux pieds de Holly. Elle hurla et sauta en arrière comme s'il était contagieux. Difficile de lui en vouloir, tant ils étaient horribles.

– Ils n'ont pas d'armes, expliqua Emily alors que les trois autres nous toisaient. Ce sont des rejets qui se sont échappés. Ils n'ont rien.

Je secouai la tête, ne captant rien d'autre que l'information essentielle : nous pouvions leur tirer dessus. Holly, Mason et moi nous tenions prêts à les abattre au moindre geste.

L'un des mutants regarda son voisin et là, comme par magie, ils disparurent. Puis le premier réapparut derrière Courtney. Je me précipitai vers elle et tombai à plat ventre, car elle s'était évaporée avant que l'homme puisse lui mettre la main dessus. J'eus à peine le temps de reprendre mon souffle qu'elle se matérialisait au côté de Holly, les yeux tout ronds, n'ayant visiblement aucune idée de ce qu'elle venait de faire. Holly en profita pour donner un coup de pied dans le ventre de l'assaillant stupéfait, tandis que Mason tirait une balle en pleine tête à un autre.

Les deux restants se calmèrent d'un coup et levèrent les mains en l'air.

– Tirons-nous de là ! cria l'un à l'autre.

On aurait dit une meute de loups sauvages. Pas de but, pas de direction, juste des combats gratuits jusqu'à ce qu'ils comprennent qu'ils ne pouvaient pas gagner. Rien à voir avec les EDT. L'homme le plus proche de Mason hocha la tête, mais, alors que nous retenions notre souffle en attendant sa réaction, il se dématérialisa et réapparut juste derrière Mason.

– Mason ! criai-je en me rapprochant de lui.

L'homme lui sauta sur le dos et voulut s'emparer de son arme. Un coup partit en l'air. Courtney et Holly plongèrent aussitôt au sol. Le mutant envoya un vilain coup de coude dans la tempe de Mason, qui lâcha son pistolet. Nos assaillants déchaînés étaient à présent armés.

Je ne pouvais pas tirer, car Mason bloquait ma ligne de mire. Le mutant visa Courtney, qui disparut aussitôt. Je n'eus même pas une milliseconde pour me demander comment elle y arrivait et pourquoi je n'y avais pas pensé moi-même, car l'homme s'apprêtait maintenant à tirer sur Emily. Je plongeai pour la prendre par la taille et l'entraîner au sol avec moi. J'entendis le coup de feu partir alors que nous tombions, puis un autre juste après. Je vis alors Holly loger une balle en plein dans la poitrine du mutant. Malgré les taches noires que me provoquait mon atroce migraine, je repérai une fenêtre de tir entre Mason et le dernier mutant restant, qui paraissait sur le point de s'enfuir. Je lui tirai dans le dos et il s'effondra en pleine course.

Holly, Mason et Courtney se laissèrent tomber dans l'herbe à présent mouillée, la respiration courte, tandis qu'Emily et moi nous relevions en position assise. Holly regardait alternativement l'arme dans sa main et l'homme qu'elle venait de tuer. J'eus le sentiment qu'elle pensait comme moi : quatre personnes, toutes mortes... en quelques instants...

– Merci, Holly. Excellent tir. Il m'aurait touché, la deuxième fois.

– Oui, c'est sûr, confirma Mason.

– Courtney, tu nous as fait quoi, là ? Comment tu as sauté ? Moi, je n'arrivais pas à me concentrer sur quoi que ce soit, dans cet environnement.

– Tu ne vas jamais me croire, dit-elle avec un regard halluciné. Peut-être que je deviens folle.

– Je crois qu'on est tous en train de devenir fous, intervint Holly en essorant sa queue-de-cheval. En tout cas, c'est l'impression que ça me fait, à moi.

– Peut-être bien, confirma Courtney. Mais c'était comme si... j'avais su ce qu'ils allaient faire une seconde avant qu'ils le fassent.

De nouveau en proie à une douleur fulgurante, je grimaçai et fermai les yeux.

– On devrait peut-être... monter sur la colline... ou...

– Jackson, tu vas bien ? s'inquiéta Courtney.

– À supposer que ce soit vraiment Jackson, lui rappela Mason en se relevant.

Notre petit groupe atteignit bientôt le sommet de la colline, d'où je vis des silhouettes très lointaines qui couraient vers nous. Pas des mutants, des gens avec des cheveux... des cheveux de couleurs différentes. Je ne distinguais pas grand-chose d'autre.

– Jackson, je crois que c'est Papa ! s'écria Courtney en m'attrapant le bras.

Je me mis à courir, et les autres après moi. Je voyais à présent que les trois personnes nous criaient quelque chose.

– Quoi ? hurlai-je, moi aussi.

Plusieurs petites maisons se nichaient au pied de la colline, au cœur d'un océan d'arbres qui détonaient par rapport au monde sale et ravagé que nous venions de traverser. Je voyais même au loin un ruisseau ou une crique, au-delà des habitations.

Soudain, les trois silhouettes se figèrent sur l'herbe alors que nous nous rapprochions : un jeune homme de mon âge aux longs cheveux bruns noués en catogan... une femme rousse qui ressemblait comme deux gouttes d'eau à Cassidy... et Papa... vraiment le vrai Papa, dans un vrai saut, pas comme dans un demi-saut.

Il plongea ses yeux dans les miens alors que nous nous tenions face à eux, pliés en deux, haletant très fort. Alors seulement constatai-je qu'ils avaient l'air horrifiés, totalement défaits.

– Papa ? Qu'est-ce qui se passe ? demandai-je entre deux inspirations.

Il ouvrit la bouche pour me répondre, mais ses yeux se portèrent alors sur ma droite.

– Oh, non ! Jackson, qu'as-tu fait ?

Il avait les jambes qui tremblaient au point que j'eus peur qu'il ne tombe. Le regard qu'il m'adressa quand il cessa de contempler Courtney, je ne l'oublierais jamais : une reconnaissance éternelle mêlée de chagrin.

– Courtney ! Ô mon Dieu ! Je ne... C'est incroyable...

Il n'était pas venu ici pour la sauver, donc, pour inverser quoi que ce soit puisque c'était impossible. Je savais qu'il n'aurait jamais fait ça. Il ne se serait jamais laissé piéger comme ça.

Je me redressai et le vis avancer d'un pas chancelant vers Courtney, pour la regarder et la prendre dans ses bras.

– Je suis tellement heureuse que tu ailles bien, Papa ! s'écria-t-elle en lui rendant son étreinte.

– Ma chérie, tu m'as… tellement… manqué, dit-il sans se soucier de retenir ses sanglots ni les larmes sur ses joues.

Emily fut la première à interrompre ces retrouvailles.

– Je suis désolée de l'avoir amenée… J'ai juste… Jackson disait qu'il voulait tout arranger, et je… je suis désolée.

Ses paroles planèrent dans l'air et tout le monde regarda Papa, qui s'accrochait à Courtney comme à une planche de survie. Mason, pourtant très troublé lui aussi, repassa en mode action une minute plus tard, en bon agent qu'il était.

– Agent Meyer, Courtney et moi sommes un peu inquiets au sujet de la gamine clonée et, euh… on soupçonne Jackson d'être un clone, lui aussi.

Papa leva aussitôt la tête, et Courtney lui essuya des larmes sur la joue d'un revers de manche.

– Tu penses que Jackson est un clone ? demanda-t-il à Courtney spécifiquement.

– Les clones ressemblent aux gens à partir desquels on les a fabriqués, non ?

– Pas exactement… pas toujours, répondit la femme rousse. Même si je suis presque le sosie de l'Expérience 787.

– Également connue sous le nom de Cassidy, ajouta Papa pour Mason et moi.

Le jeune homme s'approcha d'Emily en tenant à la main une petite lampe torche.

– On peut régler ça tout de suite, dit-il.

Emily se recula contre moi, comme si elle savait à quoi s'attendre.

– Ne la touchez pas ! ordonnai-je au type, qui approchait toujours avec son laser bizarre.

– Ne t'inquiète pas, me rassura Papa.

Emily se raidit tout entière, mais ne protesta pas. Le jeune homme visa ses yeux avec son laser, puis sortit de sa poche ce qui ressemblait à un ordinateur miniature.

– Expérience 1 029, lut-il. Emily. Date de naissance : 4 juillet 3192. Date de décès : inconnue.

– Un clone, dit la femme. Un clone fabriqué par Ludwig.

Le jeune homme braqua son laser sur moi et lut les données en arquant les sourcils.

– Expérience Axelle. Produit B. Jackson. Date de naissance : 20 juin 1990. Date de décès : inconnue.

– Axelle ! s'exclama Mason, médusé.

– Jackson n'est pas un clone, intervint Papa. Axelle était une expérience avec une mère porteuse qui...

– Je sais ce qu'est Axelle, l'interrompit Mason. Je croyais juste... enfin... je ne savais pas que c'était lui, voilà tout.

– Je n'en suis que la moitié, précisai-je. Courtney est l'autre... Le Produit A, j'imagine ?

Le jeune homme au laser se dirigea vers Courtney, mais Papa l'arrêta et lui indiqua Holly. Celle-ci recula, les yeux écarquillés, mais finit par le laisser l'inspecter. Le jeune homme lut les données sur son ordinateur, le front soucieux.

– Tout ce que ça dit, c'est qu'elle a l'ADN d'un agent identifié d'Eyewall… recrutée en 2008.

Malgré tout son entraînement à rester impassible, Papa sembla choqué. Quant à Holly, qui n'en perdait pas une miette, elle se rapprocha de moi en scrutant le visage de mon père.

– Papa, tu savais que j'avais fait un saut complet ? Juste avant de devenir officiellement membre de Tempest ?

Ses yeux s'arrondirent, mais ce n'était pas une surprise totale, plutôt le puzzle qui s'assemblait.

– Ça alors ! Les chances étaient tellement infimes que je n'ai jamais voulu t'inquiéter avec ça. Même le docteur Melvin avait du mal à tout comprendre… surtout cette histoire de lignes temporelles.

– Oui, bon, ça, c'est un autre sujet, dis-je d'un ton amer, avant de prendre une profonde inspiration et d'ajouter : Le docteur Melvin est mort. Et Freeman aussi.

– Et moi aussi ! s'exclama Mason en levant la main. Moi aussi, je suis mort.

Papa eut l'air ébranlé et à court de mots. Ce fut Holly qui prit la parole.

– Alors, c'est ça ? dit-elle.

Elle semblait avoir atteint une conclusion qu'elle cherchait depuis quelques minutes… quelque chose qu'elle ne nous avait pas encore révélé. Elle m'attrapa le poignet pour m'obliger à me retourner.

– Tu as fait un genre de tour de passe-passe avec ton voyage dans le temps. Tu me connaissais d'avant. Ce jour-là, dans la librairie, quand je t'ai vu, avec Brian... tu te comportais de façon totalement bizarre. J'aurais dû sentir qu'il y avait anguille sous roche, sauf que je n'aurais jamais pu deviner qu'il s'agissait de ça.

– Holly ? Holly, écoute-moi, dis-je en essayant de dégager mon bras.

Elle était pratiquement dans un autre monde, et je compris d'où venaient cette énergie, cette excitation. Toutes ces histoires de saut dans le futur avaient de quoi mettre le cerveau en surchauffe. J'essayai d'attirer son regard.

– La vache, c'est génial, ce que tu peux faire ! s'exclama-t-elle. Tu grilles ta couverture avec moi, et là, pof ! tu retournes quelques heures en arrière et tu effaces ta boulette. Pas étonnant qu'ils aient tous bavé devant toi. S'il avait pu, Collins m'aurait demandé de m'installer avec toi et de te demander en mariage, juste pour obtenir plus d'informations. Voilà l'effet que tu leur faisais.

– Holly, regarde-moi ! dis-je en la secouant doucement par les épaules.

Elle croisa mon regard, puis baissa les yeux vers mon poignet. Tout mon corps se raidit quand je découvris ce qu'elle venait de remarquer. Je me penchai en avant pour mieux voir les traînées bleues et noires qui sillonnaient ma peau. J'avais le cœur qui battait si fort que je n'aurais pas pu entendre ses paroles si elle m'avait parlé. Je jetai un coup d'œil par-dessus mon épaule et rabattis vivement la manche de mon sweat-shirt.

Eileen avait dit que les effets secondaires seraient instantanés. Peut-être l'avaient-ils été, sans que je m'en rende compte... cette migraine... Mais il se passait tant de choses à ce moment-là que je n'y avais pas prêté attention.

– Papa, on peut rentrer à la maison ? demanda Courtney, la voix tremblante de larmes. Je ne comprends rien à toutes ces histoires d'expériences, mais on peut juste rentrer, et après tu m'expliqueras tout ?

– Attendez, si on retourne chez nous, je serai toujours mort ? s'enquit Mason. J'ai beau avoir potassé à fond le paradoxe temporel et les bases du voyage temporel, je ne m'en sors pas, là.

Papa lâcha Courtney pour se rapprocher du jeune homme et de la femme rousse. Ils échangèrent des regards, puis la femme prit la parole.

– Vous ne pouvez pas retourner d'où vous venez. On a essayé de vous empêcher d'entrer, mais c'était déjà trop tard.

– D'entrer où ? demandai-je en même temps que Mason.

– On appelle ça « l'île des Désaxés », nous apprit le jeune homme. Comme dans le film avec Marilyn... sauf que nous, on est des voyageurs temporels désaxés, précisa-t-il avec un petit rire nerveux, qu'il dissimula sous une quinte de toux en constatant que sa blague n'avait fait sourire personne.

Mason leva les yeux vers le ciel, qui tournoyait en cercles.

– C'est quoi ? demanda-t-il. Un genre de champ magnétique ?

– Oui, confirma la femme rousse.

Je n'absorbai même pas l'impact de ses paroles. J'avais toujours été capable de rentrer chez moi, sauf cette unique fois où j'étais resté coincé en 2007, mais entre-temps j'avais largement dépassé ce blocage mental. Il y avait forcément un moyen, sinon, pourquoi Healy m'aurait-il envoyé ici chercher Papa ?

– Une impulsion électromagnétique, expliqua Papa, les yeux pleins de compassion et d'inquiétude. Chaque jour, j'espérais que vous ne viendriez pas ici à ma recherche. Je leur ai dit qu'il était exclu que Jackson tente quelque chose d'aussi risqué après tout ce qu'il avait traversé.

Je l'écoutais à peine. La douleur dans ma tête atteignit un pic, et je voulais arriver à comprendre la situation avant de m'évanouir.

– On est bien venus jusqu'ici. Si on a fait un saut jusqu'ici, on peut repartir. On a réussi à traverser la...

– Essayez donc, siffla la femme. Marchez vers le bas de la colline.

Je lui obéis, ainsi que Mason. Soudain, un choc violent me traversa le corps et paralysa jusqu'à mon dernier muscle. Je savais que je tombais, mais il m'était impossible de le contrôler. J'essayai de m'obliger à avancer au lieu de reculer, et je terminai sur le dos, à environ six mètres de l'endroit où j'avais ressenti l'impact.

Mason atterrit juste à côté, l'air aussi dérouté que moi. Nous n'avions pas senti le champ de force nous propulser vers l'arrière. Je me relevai lentement et regardai Papa dans l'espoir qu'il puisse tout arranger, qu'il puisse me dire qu'il y avait une solution.

– C'est de ta faute ! reprocha Mason à Emily. Tu nous as fait venir ici par la ruse, pas vrai ?

– Non, non ! fit-elle en fondant en larmes. Je ne savais pas... je te le promets.

Je posai une main sur son épaule pour la consoler. J'ignorais si elle l'avait fait exprès, mais de toute façon ce n'était qu'une enfant.

– Je suis désolée, Jackson, me dit-elle. J'ai tout fait rater.

Je regardai Courtney, puis Mason, puis Holly et perçus leur consternation en même temps que la mienne. Piégés.

– Oui, quelqu'un vous a fait venir ici par la ruse, dit la femme rousse comme si elle lisait mes pensées. Exactement comme nous... C'est le sort qu'ils réservent aux voyageurs temporels qui ne rentrent pas dans le moule, qui n'offrent rien à l'agence ou qui essaient de procéder par eux-mêmes à des altérations. En se basant sur la météo, on devine qu'un nouveau est en train d'arriver et on essaie de l'arrêter par tous les moyens possibles, mais ça ne marche presque jamais.

L'herbe, les maisons, le ruisseau... tout se brouilla à ma vue. Healy... Il m'avait eu... Il avait utilisé tous mes points faibles contre moi. Papa, Holly, Adam... Les larmes de Courtney et celles que Holly devait très certainement retenir me bouleversaient.

Tout cela était de ma faute. J'aurais dû trouver Stewart et en parler avec elle. Elle ne m'aurait jamais laissé faire une aussi grosse connerie. L'impuissance me submergea et je fermai les yeux en m'obligeant à me projeter en 2009.

*Faites que ça marche... Faites que ça marche...*

La douleur la plus insoutenable que j'aie jamais ressentie me frappa entre les deux yeux. Je tombai à genoux, pris de violents spasmes musculaires. J'avais la respiration difficile, bruyante.

– Jackson ! s'écria Papa en courant vers moi.

Il leva un regard paniqué vers la femme rousse en remontant mes manches, ce qui révéla mes contusions. *Exactement comme Cassidy... et comme l'EDT dans le sous-sol du Plaza.*

Je plaquai un bras sur mes côtes pour tenter d'atténuer la douleur. Holly se tenait debout à mes côtés, les mains crispées sur la bouche. Je croisai son regard et y vis quelque chose... quelque chose d'inédit chez cette Holly... quelque chose qui me coupa le souffle et me fit oublier tout le reste. Comme un aimant, je l'attirai par la force de mon regard. Un pas à l'intérieur de mon monde... le monde qui nous incluait tous les deux.

*Continue à me regarder comme ça et j'irai bien.* Ma main frôla ma joue et je fus vaguement conscient d'une substance poisseuse entre mes doigts. J'agitai la main devant mes yeux. Le souffle glacial de la réalité me frappa.

– Oh, non ! gémit Papa. Oh, non, Jackson ! Il est trop tard ?

– Non, l'assura la femme. Blake, va chercher de l'aide !

*Blake ? L'ado au catogan ?*

– Mason, allez avec lui ! cria Papa.

Le monde se ternissait déjà devant mes yeux, perdait toute sa clarté. Les cheveux roux et le visage de la femme se brouillèrent et se mélangèrent avec ceux de Papa. Courtney se tenait juste à côté de lui, l'air paniqué, mais tout ce que je voyais sur son visage, c'était qu'elle reconnaissait mon état. Comme moi quand elle m'avait quitté tant d'années plus tôt, elle savait, et je savais qu'elle savait. La douleur s'atténua. Dans le cas présent, je sus que ce n'était pas bon signe, mais j'en fus soulagé. *Que ce soit rapide... que je puisse fermer les yeux et juste dormir...*

Les sanglots de Courtney provoquèrent un petit choc électrique de cinq secondes dans mon cœur. Puis la douleur revint brièvement et s'estompa. Concentrant toute mon attention sur le visage de Courtney, je me demandai si c'était ce combat qu'elle avait mené, cet épuisant combat pour s'accrocher alors que lâcher prise semble tellement plus facile. Revivrait-elle ce combat ? Ressentirait-elle le vide que j'avais ressenti à sa mort ? Je regrettai de ne pas avoir raconté à Papa ou à Adam ou à ma Holly ce qui m'était arrivé... Je savais que c'était vrai... C'était forcément vrai.

J'avais écrit un poème... en 2009... pas délibérément, plutôt comme si mon subconscient avait vomi des pensées dans mon ordinateur, puis entre les mains d'un professeur excessivement théâtral. Des voix résonnaient autour de moi, comme du fond d'un long tunnel, et alors me revinrent ces mots que j'avais écrits sur Courtney dans une autre vie... quand j'étais un autre :

*J'ai partagé un ventre avec quelqu'un... Cela veut-il dire que nous avons partagé une âme ?*

*Peut-être la moitié de mon âme est-elle enterrée très profondément et ne pourrai-je jamais la récupérer.*

*J'ai froid quand il ne fait pas froid. J'entends des orages qui ne sont pas. Il y a un vide en moi que je ne peux remplir.*

*Vide. Froid. Orages. Et puis je sens l'odeur de la moquette, j'entends des souffles qui ne sont pas le mien.*

*Quand j'ouvre les yeux, elle n'est toujours pas là.*

Je ne ressentais plus ces mêmes émotions. J'étais de nouveau un être complet. Grâce à Holly. Et maintenant, elle était là avec moi. Ayant réussi à extirper mon bras de mon sweat-shirt, elle en appliquait la manche sur mon oreille pour stopper l'hémorragie. Étais-je assis ou couché ?

*Assis... plus ou moins.* Je sentis mon corps vaciller, tomber vers elle, nos fronts se heurter alors qu'elle essayait de me soutenir. Des images défilèrent dans ma tête à toute vitesse, mais je vis chacune d'entre elles très clairement : Courtney et moi dans la neige la veille de Noël... Moi, debout devant le cercueil de Courtney, les yeux fermés, ne m'autorisant pas à la regarder plus d'une demi-seconde... Papa et moi donnant volontairement de la gîte au voilier pour éclabousser Courtney... Et Holly, lors de notre premier baiser... *la toute première fois...* Je sentais encore son goût, son odeur, ses bras autour de moi. Holly endormie dans mon lit, nos respirations distinctes, mais toujours synchronisées.

Je secouai la tête pour me concentrer sur son visage, celui qui était juste devant moi et non celui qui restait gravé dans ma mémoire. Voilà la dernière image que je voulais voir. Pas le chagrin et la panique sur le visage de Papa, de Courtney ou d'Emily. *Holly... Rien que Holly.*

– Il faut qu'on le transporte à l'intérieur ! cria une voix.

– S'il faisait une hémorragie cérébrale, la pression le ferait hurler, remarqua une autre voix inconnue.

– Lâchez-le, dit quelqu'un près de Holly.

Je sentis ma main se lever pour lui toucher le visage. Du moins, c'est ce que je désirais faire. J'avais toujours le front collé au sien. *Voilà... C'est tout ce que j'aurai eu.* Elle avait les yeux fermés, et du coup, je ressentais le monde autour de moi. Je ne voulais pas de cette douleur. Jamais.

– Holly ? murmurai-je sans savoir si j'avais produit un son. Regarde-moi.

Elle ouvrit les yeux. J'y voyais double, mais je me sentis soulagé instantanément. Ma tête tomba sur son épaule. Je ne pouvais plus la tenir... bientôt tout mon corps basculerait. Mon visage toucha le côté de son cou quand je réussis à tourner la tête.

– Holly ?

– Quoi ? murmura-t-elle, comme si j'allais lui révéler un merveilleux plan d'évasion avant de mourir.

– N'abandonne pas... Ça en vaut la peine, je te le jure. Tu en vaux la peine, Holly. J'avais tort, avant... totalement tort.

Et je laissai enfin mes yeux se fermer. Les larmes chaudes qui touchèrent mon cou furent la dernière sensation que j'éprouvai. *Les larmes de Holly.* Peut-être se laissait-elle simplement emporter par l'instant, ou peut-être ressentait-elle toute la portée de mes paroles, entendait-elle leur vérité et comprenait-elle qu'elle avait quelqu'un. Elle n'était pas seule.

Quelqu'un nous séparait, et mon instinct de survie refit surface. Mes doigts s'agrippèrent à son cou et je murmurai aussi fort que possible : « Je t'aime. »

Puis mon dos toucha l'herbe. Je regardais les nuages. Mon corps se détendait, lâchait prise. Je luttai contre les ténèbres, tentai de me rasseoir alors qu'on me plaquait au sol. J'ouvris la bouche, mais aucun son n'en sortit.

Les voix distantes se turent... et je me sentis aspiré dans un tunnel enténébré... peut-être pour toujours...

# REMERCIEMENTS

Je dois faire beaucoup, beaucoup plus court que pour *Tempest*. Quatre pages de remerciements, ça ne passera pas une deuxième fois.

Lancement de *Tempest*, 21 janvier 2012 :
Je souhaite d'abord remercier toute ma famille, mes amis, mes voisins de la ville formidable de Champaign-Urbana dans l'Illinois, qui ont suivi mon chemin depuis le début et jusqu'à la sortie de *Tempest*. Merci aussi à Betsy Su et à la bibliothèque municipale de Champaign d'avoir organisé ma soirée de lancement et d'en avoir fait un événement inoubliable. Merci à Suzie Townsend pour sa présence et à Brendan Deneen, mon éditeur, parce qu'il a regretté de ne pas pouvoir être là.

Merci aussi à Beth Revis, Megan Miranda, Maureen Lipinski et Carrie Ryan de m'avoir accompagnée le 17 janvier 2012, date officielle de la sortie de *Tempest*, à la librairie Books of Wonder de New York.

L'équipe de St. Martin's Press / Thomas Dunne Books / Macmillan :
Ceux qui ont de grands bureaux font que de grands rêves deviennent un jour réalité : Tom Dunne, Matthew Shear, Anne Marie Tallberg et Pete Wolverton.

Deux femmes extraordinaires qui ont travaillé d'arrache-pied pour faire connaître *Tempest* dans le monde entier et qui sont si merveilleuses à fréquenter : Britney Kleinfelter et Eileen Rothschild.

Le type que j'embête presque quotidiennement pour avoir des conseils sur le marketing et les médias sociaux et qui répond à toutes mes questions avec patience et humour : Joe Goldschein. J'ai adoré travailler avec toi !

Nicole Sohl, pour tout le travail que tu as accompli en coulisse.

Et aussi les responsables de la publicité, Rachel Ekstrom et Jessica Preeg.

*Last but not least*, l'homme derrière le rideau, qui lit tous mes écrits bien avant la dernière version et qui, pourtant, croit toujours en moi : mon éditeur, Brendan Deneen, à qui je peux raconter n'importe quoi ou presque en sachant qu'il ne perdra pas foi en ma capacité de mener à bien cette trilogie et d'en faire ce cycle génial que lui et moi avons conçu il y a si longtemps, en avril 2010.

Autres personnes tout aussi importantes dans des groupes plus petits :

La fantastique équipe de Macmillan Children's en Grande-Bretagne : Sally Opiant et Ruth Kristin Nelson, ainsi que celle de l'agence littéraire Nelson. Toujours.

Mes amis écrivains et les auteurs qui m'ont inspirée : Roni Loren, Kari Olson, John Green, Veronica Roth, Courtney Summers, Ally Carter, Erica O'Rourke, Kody Keplinger.

Les modèles de couverture de *Vortex*, Mark Perini et Scarlett Benchley, merci d'avoir donné vie à Jackson et Holly.

Les Perfect 10, mon panel d'ados formidables, teamTEENauthor, tous les blogueurs littéraires.

Les bibliothécaires du monde entier, YALSA et ALA, des organismes extraordinaires qui mettent des livres entre les mains des gens dans le seul but de permettre à d'autres de se passionner pour la lecture.

Et un merci super spécial à chacun de mes fans, pour votre soutien, vos commentaires, vos paroles honnêtes et réfléchies. C'est vous qui m'avez réellement obligée à garder mes fesses sur mon siège de bureau pour continuer à faire naître des mots sur la page blanche. J'espère que cette suite est à la hauteur de vos attentes. J'ai pensé à chacun d'entre vous en consacrant toute mon énergie à créer cette histoire.

RÉALISATION : NORD COMPO À VILLENEUVE-D'ASCQ
IMPRESSION : NORMANDIE ROTO S.A.S. À LONRAI
DÉPÔT LÉGAL : MARS 2013. N° 105085-1 (130974)
*Imprimé en France*